from John to Chris
Verdun Octobre 2000

La nuit blanche de Saint-Pétersbourg

DU MÊME AUTEUR

voir en fin de volume

Michel de Grèce

La nuit blanche
de Saint-Pétersbourg

XO
EDITIONS

© XO Éditions, 2000

ISBN : 2-84563-031-X

En mémoire de Talya
From M. to M.

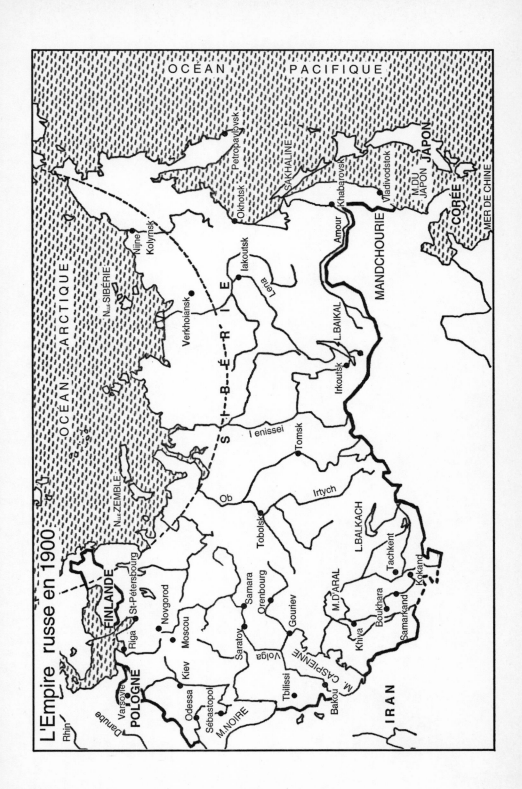

L'Empire russe en 1900

1

En ce matin de juillet 1998, tous les Romanov vivants sont réunis à Saint-Pétersbourg, dans le hall du vieil *Hôtel Astoria* récemment rénové. Ils attendent l'heure de partir pour la forteresse Pierre-et-Paul afin d'assister à l'enterrement solennel du tsar Nicolas II, de son épouse Alexandra et de leurs enfants, qui vont être inhumés avec les hommes et les femmes massacrés en même temps qu'eux. Seul le petit chien du tsarévitch, fusillé avec eux, n'aura pas droit à ce privilège.

Ils sont arrivés la veille ou l'avant-veille à Saint-Pétersbourg, ces survivants de la dynastie fabuleuse qui depuis le XVIᵉ siècle a gouverné le plus vaste empire du monde. Ils sont venus de partout, d'Amérique principalement, et de quasiment tous les pays d'Europe occidentale. Au moins trois générations : les vieux, nobles d'allure, en grand deuil bien sûr mais d'une élégance soignée, et les plus jeunes, avec même des enfants qui connaissent mal l'histoire de leur famille. Ils suivent sur l'écran de télévision installé dans le hall de l'hôtel les apprêts de la cérémonie retransmis en direct.

Un gros avion militaire vient d'atterrir en provenance de Iekaterinbourg, là où la famille impériale a péri et où les corps ont été retrouvés il y a peu, miraculeusement. Sur la piste, la garde d'honneur se met au garde-à-vous, sabre au clair, l'orchestre militaire joue une marche funèbre, les soldats en grand uniforme descendent les cercueils l'un après l'autre et les portent sur leurs épaules vers les fourgons.

Tous ici, l'œil rivé sur le petit écran, assument le même nom que les victimes, le prestigieux patronyme des Romanov, mais leurs liens sont distendus ou inexistants. Aucun n'est assez vieux pour avoir connu Nicolas II, à peine les plus âgés se souviennent-ils que leurs parents ou leurs grands-parents leur en parlaient. Lors de la révolution de 1917, plus de vingt membres de la famille impériale ont été assassinés. Ceux qui ont survécu et leurs descendants étaient jusqu'alors interdits de séjour en Union soviétique. La plupart, sans argent, ont dû s'adapter aux circonstances, se construire une vie là où le hasard les a portés, ils ont dû s'intégrer dans des milieux, dans des sociétés qui n'étaient pas les leurs. Leur patrie d'origine ayant coupé tout lien avec eux, les plus jeunes l'ont laissée se couvrir de poussière dans un coin de leur mémoire.

Et voilà que l'inhumation du dernier tsar non seulement ressoude ce lien d'une façon éclatante mais les place en pleine lumière dans cette Russie inconnue d'eux et dont, le temps d'une cérémonie, ils redeviennent la première famille. Ils observent sur l'écran les cercueils frappés de l'aigle bicéphale, et les rares d'entre eux qui parlent le russe s'essaient à déchiffrer les noms inscrits en lettres de bronze sur les couvercles : Olga Nicolaïevna, Tatiana Nicolaïevna, Maria Nicolaïevna,

Nicolas Alexandrovitch, Alexandra Feodorovna… Et, presque malgré eux, ils sentent leur gorge se nouer et des larmes leur viennent aux yeux. Car, ressurgie du passé, la plus atroce, la plus sanglante tragédie de l'Histoire, celle des leurs, soudain les atteint, les bouleverse.

Tout à coup, la porte du hall s'ouvre avec fracas et entre en s'appuyant sur deux béquilles une femme visiblement âgée, grande et impérieuse. Malgré les ans, malgré les béquilles, elle garde un port majestueux. Ses vêtements sont usés mais de bon goût et elle les porte avec une élégance naturelle. Ses cheveux gris sont soigneusement relevés, son visage à peine ridé conserve un teint de jeune fille. Ses yeux bleus scintillent d'un éclat puissant. Elle darde son regard sur la cinquantaine d'hommes et de femmes réunis dans la vaste salle à colonnes. Qui est-elle ? Elle s'appelle Natalya Androssov Iskander Romanov. Je n'ai jamais entendu parler d'elle…

Le prince Nicolas s'avance. Il est le chef de la famille impériale, l'aîné des Romanov. C'est un homme grand, imposant, dont la parole fait autorité. Il s'approche de l'intruse et la salue. À ce geste, les autres comprennent qu'elle doit être traitée comme un membre de la famille. Cependant, ils ne s'empressent pas.

D'instinct, ils la sentent différente, donc importune. Ils ont vu défiler tant et tant d'imposteurs, de fausses Anastasia, de faux tsarévitchs, puis de faux fils ou filles du tsarévitch… Ils ne protestent même plus contre ces prétendus parents qui apparaissent ici ou là pour réclamer une part de l'héritage illusoire, ou simplement pour effleurer la gloire du nom. Néanmoins, ils tiennent à distance celui ou celle qui voudrait pénétrer dans leur cercle invisible mais hermétiquement clos. Aussi, sans s'écarter de l'intruse, évitent-ils de s'en approcher. Et imperceptiblement, ils l'isolent.

Jamais depuis la chute de l'Empire, plus de soixante-dix ans plus tôt, l'église de la forteresse Pierre-et-Paul, panthéon de la famille impériale, n'a abrité une cérémonie aussi prestigieuse. Des centaines de cierges font scintiller l'or de l'iconostase, des grappes de prélats en vêtements de cérémonie agitent des encensoirs. À droite, la famille impériale. Ailleurs, les ambassadeurs, les autorités civiles et militaires. Devant les cercueils de Nicolas II et des siens, Boris Eltsine en personne, celui-là même qui naguère a fait raser la maison Ipatiev de Iekaterinbourg parce qu'elle devenait un lieu de pèlerinage, celui-là même qui a autorisé ces funérailles solennelles. On peut voir l'ancien communiste incliner la tête devant les restes du dernier tsar, puis adresser ses condoléances au prince Nicolas en lui serrant les mains avec effusion. Ce n'est pas la réconciliation du passé et du présent, ce sont les passés, l'impérial et le communiste, qui se fondent dans un étrange présent.

L'intruse, Natalya Androssov Iskander Romanov, se retrouve au dernier rang de la famille. Personne ne lui a pris le bras pour l'aider à marcher. Personne ne fait attention à elle. Elle n'en a cure. Ce n'est pas pour les vivants qu'elle est venue mais pour les morts.

J'avais été invité aux funérailles de Nicolas II car ma grand-mère, la grande-duchesse Olga, était une Romanov. Elle n'avait pas seize ans lorsqu'elle a quitté son pays natal pour aller en Grèce épouser Georges Ier. Accueillie chaleureusement par les Grecs, elle s'est dévouée pour eux sans compter. Elle ne s'est pas contentée de créer des institutions charitables, des hôpitaux, des orphelinats, elle s'en est occupée personnellement. Elle ne s'est jamais mêlée de politique. De tous ses privilèges, elle ne s'était réservée que celui d'être accessible à tous, de tendre l'oreille à ceux qui avaient besoin d'elle et de se montrer d'une inépuisable compassion.

Bien qu'elle le cachât avec soin, son cœur était resté russe. Aussi, lorsque après vingt-cinq ans de mariage, alors qu'elle ne comptait plus avoir d'enfants, elle avait donné naissance à son dernier fils, elle avait au fond d'elle-même décidé qu'il serait le Russe de la famille. Elle l'emmenait chaque année dans ses longs séjours en Russie et lui avait appris le russe, qu'il parlait comme un indigène. Elle l'envoyait souvent visiter sa nombreuse parenté, le faisait jouer avec les enfants de Nicolas II, particulièrement avec Anastasia qui avait le même âge que lui. Elle s'était réjouie de lui découvrir l'âme slave et ce don pour la musique qui lui venait de là-bas. Ce cadet de la reine Olga, c'était mon père, Christophe de Grèce. Il m'a transmis son intérêt pour tout ce qui touche à la Russie. Finalement, l'histoire romanesque parsemée de coups de théâtre et de tragédies de ces tsars si divers et si remuants n'est qu'une affaire de famille !

Natalya — Talya pour les intimes — m'intriguait. Lors d'un séjour à Moscou quelques années plus tôt, un ami russe m'avait proposé de me présenter l'une de mes cousines installée depuis toujours dans la capitale. J'avoue avoir douté alors de son authenticité, et je ne donnai donc pas suite. Or le destin, à l'occasion de ces funérailles nationales, venait de nous rapprocher, et je souhaitais maintenant la rencontrer. Ce même ami qui m'avait appris son existence arrangea un rendez-vous. Je n'étais cependant pas encore convaincu...

Je me rendis donc à Moscou pour rencontrer cette énigme vivante. Sur des kilomètres, la voiture roula sur la très large perspective Koutouzov. Nous passâmes devant l'isba de bois où, le soir de la bataille de la Moskova, Koutouzov prit la décision héroïque d'abandonner Moscou à Napoléon. La campagne s'annonça par des vergers opulents, puis nous atteignîmes une sorte de banlieue où des immeubles en construction alternaient avec des HLM décrépies. Nous nous arrêtâmes devant la plus lépreuse d'entre elles, sous le regard d'un aréopage de *babouchkas*. Par miracle l'ascenseur fonctionnait encore, qui nous mena au septième étage.

Talya y habitait un deux-pièces minuscule et très encombré. Des livres, de vieux journaux, des cartons alternaient avec des étagères croulant sous des bibelots bon marché, un arbre d'appartement prenait beaucoup trop de place, partout étaient disposés des vases remplis de fleurs. Au-dessus du lit étroit s'alignaient des photos jaunies et des icônes populaires.

Les yeux de Talya me frappèrent plus que tout. Ils flamboyaient d'un éclat quasi insoutenable. La voix aussi, forte, autoritaire, lançant ses ordres à la ravissante journaliste qui l'assistait, au cousin barbichu qui m'avait amené, et même au chien Malech, le seul à ne pas l'écouter et à n'en faire qu'à sa tête. Quatre-vingt-deux ans et toujours fraîche et coquette, son chemisier pâle, son pantalon bleu marine affirmaient qu'elle avait toujours su s'habiller. Elle avait préparé selon la tradition russe de l'hospitalité un véritable festin, des pâtés par elle concoctés pendant trois jours, plusieurs bouteilles de vin, et un alcool de cerise de sa fabrication capable de réveiller les morts et de tuer les vivants. Tant pis s'il n'était que cinq heures de l'après-midi, nous dûmes manger et surtout boire à satiété.

Sa porte n'étant jamais fermée, des enfants entraient sans cesse, curieux de contempler le visiteur. Il s'agissait de la progéniture d'une voisine éthylique, Talya étant devenue en quelque sorte leur grand-mère. Elle leur donnait de la menue monnaie pour qu'ils aillent promener Malech, le chien en veine de désobéissance. Ils en profitaient pour s'acheter des friandises.

L'allure de Talya ne laissait aucun doute : même dans ce

misérable studio, elle régnait en souveraine. Tout, jusqu'au moindre détail et au moindre geste, le proclamait.

Alors j'osai poser la question qui me lancinait :

— Comment une Romanov comme vous a-t-elle fait pour ne pas être arrêtée, emprisonnée, torturée, fusillée par les Soviétiques ?

— Ma mère s'est remariée, et mon beau-père, pour me mettre à l'abri, m'a adoptée et m'a donné son nom. Je m'appelle toujours Androssov.

Ce n'était pourtant pas aussi simple que ça...

— Tout le monde savait que j'appartenais à l'ancien régime. Il paraît que ça se voyait de loin ! Quant au KGB, il n'ignorait pas ma véritable identité.

— Ont-ils exercé des pressions, des menaces contre vous ?

— Pas directement, mais je sentais sans cesse leur présence... Pas un instant leur surveillance ne se relâchait, invisible, la pire de toutes.

— Vous avez donc dû mener une existence complètement cachée ?

— Pas du tout. J'étais au contraire une vedette !

— Vedette ! Mais de quoi ?

— De cirque. J'étais acrobate en motocyclette...

Je dissimulais si peu ma stupéfaction que Talya s'en amusa. Après un court silence, elle voulut bien satisfaire ma curiosité.

— Lorsque j'ai eu terminé mes études secondaires, j'ai trouvé les portes de l'université fermées. Il existait à l'époque une loi qui interdisait aux membres de l'ancienne aristocratie de faire des études supérieures. Il m'a bien fallu travailler pour gagner ma vie ! J'ai appris à fabriquer des chaussures, des chapeaux, des ceintures, des robes. Mais je ne me voyais pas restant ouvrière toute ma vie... J'ai toujours aimé l'exercice, le sport. Depuis l'enfance, je montais à cheval. Plus tard, j'ai appris à conduire, j'ai participé à des compétitions automobiles, j'ai même gagné des courses ! Et puis j'aimais le danger… Il y avait à l'époque, dans le parc Gorki, un couple d'Allemands qui faisaient un numéro d'équilibristes sur motocyclette. À l'approche de la guerre, ils disparurent. Furent-ils chassés ou partirent-ils d'eux-mêmes, je ne sais. Ils abandonnèrent derrière eux leur matériel. Un concours fut annoncé pour reprendre leur numéro. Je m'y présentai. Une candidate déjà inscrite ne vint pas, une autre qui avait toutes les chances de gagner se cassa la jambe peu avant. Je concourus seule, je gagnai, et bientôt un cirque célèbre m'engagea.

Talya attrapa ses béquilles, se leva, tourbillonna dans l'appartement, bouscula ses proches, tira un carton à moitié éventré, en sortit des photos qu'elle jeta sur la table. Toutes la représentaient à l'époque de sa gloire : ici échevelée, à califourchon sur sa moto ; là en goguette, casquette de marin, mégot aux lèvres et costume d'homme ; là encore, de profil dans une pose digne de Cecil Beaton. Une beauté incomparable !

— Avez-vous été amoureuse, cousine Talya ?

— Oui, du mur de cirque que je devais escalader à moto !

— Avez-vous été aimée, cousine Talya ?

Elle eut un sourire énigmatique et se garda de répondre. Elle n'en avait pas besoin, je devinais qu'elle avait brisé des cœurs et laissé derrière elle un semis d'amoureux.

Son apparence, sa tenue, son style me déroutaient. Elle évoquait les tsarines du XVII\ :superscript:`e` siècle, capables de tout, surtout d'excès, et que rien jamais n'avait fait reculer. Sous sa formidable personnalité, elle était vraie. Impériale et primitive. Mais enfin, qui diable était-elle ? Car c'était bien la question cruciale à laquelle j'étais venu chercher une réponse.

18

— Je suis la petite-fille du grand-duc Nicolas Konstanti-novitch, le frère de votre grand-mère Olga.

— Pardonnez-moi, cousine Talya, mais ma grand-mère n'a eu que trois frères, Constantin, l'illustre poète, Dimitri qui a été assassiné pendant la révolution, et Viaceslav, décédé dans sa jeunesse.

— Elle en a eu un quatrième, l'aîné de tous, mon grand-père.

Avec ménagements, je tâchai de lui faire admettre qu'aucun grand-duc Nicolas Konstantinovitch n'apparaissait sur les tableaux de famille que j'avais maintes fois consultés, au point de les connaître par cœur.

— C'est vrai, cousin Mihael, il n'y est plus, mais il y a figuré. On l'a supprimé de la famille impériale, comme s'il n'avait jamais existé.

— Chez les Romanov, des frères ont empoisonné leur sœur, des épouses ont assassiné leur mari, des pères ont tor-turé leur fils, mais personne au grand jamais n'a été rayé des listes !

— Et pourtant, c'est ce qui est arrivé à mon grand-père...

Depuis l'aube, il neige sans discontinuer à Saint-Péters-bourg. Les épais flocons voilent les soldats en manteau gris qui, baïonnette au canon, s'alignent depuis le palais d'Hiver jus-qu'à la forteresse, ainsi que les badauds serrés sur plusieurs rangs. Un autre enterrement solennel se déroule dans l'église de la forteresse Pierre-et-Paul, celui de l'impératrice Alexandra Feodorovna. Mais il y a longtemps, c'était en novembre 1860. Les voitures de la Cour ont suivi l'immense catafalque cou-ronné de plumes noires et ont déposé leurs illustres passagers devant le sanctuaire en face duquel s'alignent les cellules des prisonniers politiques, car la forteresse est à la fois panthéon impérial et prison d'État. L'intérieur de l'église a été maquillé pour l'occasion. Des voiles de crêpe pendent du prodigieux iconostase semblable à une dentelle de bronze doré, d'autres voiles noirs s'enroulent autour des colonnes massives et drapent les lourdes armoiries et les couronnes impériales en carton doré. Des milliers de cierges parviennent à peine à réchauffer l'atmosphère. L'église est comble.

En face de la « Porte royale » de l'iconostase, sur un catafalque surchargé de cierges, d'emblèmes, de trophées, d'armoiries et de fleurs, le cercueil de la défunte a été déposé. Selon l'usage de l'Église orthodoxe, il est ouvert. Le nez busqué, le visage osseux de la mère de l'empereur se distinguent parfaitement. Elle était la fille du falot Frédéric-Guillaume III de Prusse et de l'incomparable reine Louise, la beauté qui seule osa tenir tête à Napoléon. À sa naissance, on l'avait appelée Charlotte, mais lors de son mariage elle s'était, selon l'usage, russifiée en Alexandra Feodorovna.

Son mari, l'empereur Nicolas Ier, l'avait trompée sans se départir de la plus profonde déférence pour elle. Elle avait été son soutien, sa conseillère. Ce tyran intraitable avait terrorisé l'empire entier, à commencer par sa famille, mais non point sa femme. Sans jamais lui tenir tête, elle avait su se défendre. Elle avait parfaitement élevé ses enfants qui l'adoraient. Avec autant de fermeté que de douceur, elle avait tenu la Cour sur un pied superbe sans tolérer le moindre désordre. Sa charité était proverbiale, et elle est profondément regrettée.

C'est l'empereur régnant Alexandre II qui mène le deuil, on le reconnaît parfaitement à ses abondants favoris qui se poursuivent en moustache opulente. À ses côtés son épouse, la belle impératrice Maria Alexandrovna, au regard mélancolique. Un peu plus loin, un petit homme avec un lorgnon pendu à un cordon de soie noire, que l'on remarque à peine parce qu'il est accompagné par la grande-duchesse Alexandra Iosifovna, de loin la plus belle de toutes les femmes de la Cour…

Viennent enfin les enfants impériaux, dont ce jeune garçon d'à peu près dix ans, maigrelet, aux traits fins, qui observe son entourage avec une sorte d'ironie pour le moins surprenante dans cette atmosphère de profond recueillement.

Le moment le plus solennel des funérailles est arrivé. L'empereur Alexandre II s'avance vers le catafalque, cierge allumé en main. Il s'agenouille, s'incline profondément, avant de monter les degrés recouverts de velours, se penche sur le cercueil et dépose un baiser sur le front de sa mère, puis il recule, se signe trois fois et rejoint sa place sous le dais. Chaque membre de la famille impériale, par ordre de préséance, l'imite. Ensuite, des employés de la Cour rabattent le couvercle du cercueil et le clouent. Les coups de marteau retentissent brutalement dans le silence. Pour finir, un lourd drap d'or brodé aux armoiries de la défunte est jeté sur le cercueil. Alors, pour signifier qu'Alexandra Feodorovna a véritablement quitté ce monde, l'empereur et les siens, suivis de tous les courtisans, retournent le cierge allumé qu'ils tenaient en main et l'éteignent en écrasant la mèche sur le sol de pierre. Les chants de la chorale reprennent pendant que les prélats se retirent par la Porte royale derrière l'iconostase.

Brusquement, une flamme court sur le voile de crêpe drapé derrière la famille impériale. En une seconde, le lapin façon hermine prend feu, et bientôt ce sont les armoiries qui flambent! Déjà le feu menace les couronnes en carton doré et les supports du dais. Personne ne sait quoi faire… Le respect protocolaire qu'inspire l'empereur, la crainte de montrer la moindre panique immobilisent la plupart.

Des officiers, des chambellans s'approchent de l'empereur pour le protéger du feu qui se répand au-dessus de sa tête.

Alexandre II, lui, ne perd pas son sang-froid. Sans bouger, sans ciller, d'une voix brève, il donne des ordres. Les pages se précipitent vers le cercueil de l'impératrice douairière et le soulèvent pour le mettre à l'abri des flammes.

La famille impériale s'est quelque peu éloignée des flammes, des militaires arrachent les draperies à demi consumées et les piétinent, d'autres avec leurs sabres font tomber les armoiries et les couronnes rougeoyantes. Le clergé n'a pas bougé, prudemment derrière l'iconostase, il suit la scène entre ses ouvertures. Bientôt le début d'incendie est maîtrisé. L'empereur en tête, chacun reprend sa place comme si rien ne s'était passé. Les prélats scintillant d'or et de brocarts émergent de l'iconostase, et l'office reprend. Seule demeure une abominable odeur de brûlé, dominant le parfum de l'encens.

Dans la voiture qui le ramène, Son Altesse Impériale le grand-duc Nicolas Konstantinovitch de Russie, Grand Cordon de l'ordre de Saint-André, de l'ordre de Sainte-Anne, de l'ordre de Saint-Vladimir, de l'ordre de l'Aigle blanc de Pologne, colonel en chef du régiment de Volynski, des gardes d'Izmailovsky, chef du 4e bataillon des gardes de la famille impériale, chef du 84e régiment d'infanterie Shirvan, réfléchit. Il a dix ans, et ces titres, ces décorations, ces honneurs, il les a reçus à sa naissance. Il se demande ce qui l'a poussé à enflammer le voile de crêpe avec son cierge, sachant fort bien qu'il risquait d'interrompre dramatiquement les funérailles de sa grand-mère.

Pourtant, il aimait profondément la défunte. Aussi loin qu'il s'en souvienne, elle l'avait entouré d'une profonde tendresse et l'avait couvert de cadeaux, mais surtout elle lui avait toujours manifesté qu'elle appréciait sa compagnie. C'est lui qu'elle avait choisi, avec trois autres seulement de ses petits-fils, pour l'accompagner cinq ans plus tôt au couronnement d'Alexandre II. Le voyage dans le train impérial, l'entrée solennelle à Moscou en carrosse, les salles du Kremlin, les cortèges, les foules enthousiastes, les cérémonies où il fallait rester des heures debout, le banquet du couronnement... ; de ce kaléidoscope d'émotions, il garde encore l'image de sa grand-mère vêtue de brocarts d'argent, scintillante d'énormes diamants.

L'hiver précédent, alors qu'elle séjournait sur la Côte d'Azur pour tenter de soigner ses bronches, c'est lui dont elle avait réclamé la présence. Elle était déjà malade et le silence s'était abattu sur la grande villa qu'elle louait. Malgré sa faiblesse, elle avait fait l'effort de l'emmener en promenade jusqu'à Cimiez. Elle s'était efforcée de le distraire en convoquant des prestidigitateurs, des chanteurs, des musiciens, et même la fameuse dompteuse de canaris, Mlle Van der Meersch ! Le petit Nicolas lui en avait été profondément reconnaissant.

Alors pourquoi, lors de ses funérailles, une impulsion qu'il n'avait pu dominer l'avait-elle poussé à approcher la flamme du voile de crêpe ? Il tâchait de se persuader qu'il s'agissait d'un accident, mais au fond de lui-même il savait qu'il l'avait fait exprès. Peut-être par goût de la farce avait-il voulu perturber cette cérémonie trop longue, agiter ce monde trop gourmé, secouer le carcan qu'il sentait peser sur ses épaules ? Il aimait provoquer, et rien ne pouvait l'empêcher de faire ce qui lui passait par la tête. Mais surtout, comme toujours, il avait voulu attirer l'attention de sa mère.

Celle-ci est assise à côté de lui dans la voiture. Pour Nicolas, c'est la plus belle femme de la terre... Il ne conçoit pas qu'il puisse exister un être plus parfait, plus séduisant. Il ne peut s'arrêter de regarder ses larges yeux bleus, ce nez droit et fin, cette bouche minuscule, ce teint éblouissant, cette masse de cheveux auburn, cette attitude hautaine qui la rend encore plus attirante.

La nuit blanche de Saint-Pétersbourg

Nicolas la préfère les soirs de bal à la Cour. La mode exige qu'elle garde les épaules nues et la poitrine en grande partie découverte, il se grise de cette peau satinée, de ces profondeurs troublantes que mettent en valeur la taille mince et la crinoline évasée. Alexandra Iosifovna se couvre de bijoux, des perles, des diamants, des saphirs, des émeraudes, mais cet amoncellement chatoyant ne se compare même pas à son propre éclat.

Nul n'ignore que Nicolas est son préféré. Chaque fois qu'elle le voit, elle le presse contre elle, comme s'il était encore un tout petit enfant, et sur les photos, elle a toujours vis-à-vis de lui un geste possessif. Elle est fière de la beauté de son fils, fière de ses progrès en classe car ses professeurs ne cessent de vanter son intelligence, sa précocité. Tout le monde pense qu'elle le gâte trop et juge qu'elle ne devrait pas lui passer ses caprices, ses lubies, ni le favoriser si ostensiblement au détriment de ses frères et sœurs. Cependant, Nicolas aimerait la voir plus souvent...

À l'époque, une distance infinie sépare les enfants des parents, et la grande-duchesse est bien trop conventionnelle pour brusquer les usages. Elle ne voit donc Nicolas qu'à certaines heures de la journée, lorsque tuteurs et gouvernantes lui amènent ses enfants. De plus, elle est trop préoccupée d'elle-même. Cette beauté que toute la Cour et son fils admirent tellement requiert ses soins incessants. Elle dort avec un corset pour garder la taille fine, et elle fait découper dans l'ivoire ou l'argent la forme exquise de son pied menu pour l'offrir en cadeau à ses amis!

Et puis il y a Anikova, cette petite femme replète et rougeaude.

Elle tâche d'être discrète, mais elle est partout. Nicolas voit sa mère s'enfermer avec elle chaque jour pendant des heures, et il n'est pas question alors de la déranger. Est-elle séparée

24

d'Anikova qu'elle la cherche des yeux ou envoie un valet de pied l'appeler. Elle ne peut se passer de cette femme, au point que Nicolas en est jaloux. Il y a des choses qu'il ne comprend pas mais qu'il sent, qu'il devine. Les membres du service d'honneur de ses parents, aides de camp, dames de compagnie, ne se gênent pas devant lui pour faire leurs commentaires : «Cette Anikova, quelle plaie!» «Elle se prétend la fille du duc d'Angoulême!» «Elle est folle!» «Pas du tout, c'est une aventurière qui sait parfaitement ce qu'elle fait!»

Lui-même entend sa mère prononcer des paroles surprenantes :

— La reine Marie-Antoinette m'a fait dire par l'entremise d'Anikova que je ne devrais pas partir pour l'Allemagne en ce moment...

Marie-Antoinette, n'est-ce pas cette malheureuse souveraine dont on lui a répété qu'elle était l'amie intime de son arrière-grand-mère et que les révolutionnaires français ont guillotinée? Grâce à Anikova, Marie-Antoinette est de tous les déjeuners familiaux, jusqu'au jour où le père de Nicolas explose :

— Foutaises que tout cela!

— Comment osez-vous? rétorque la grande-duchesse Alexandra empourprée de fureur.

Nicolas sent la mésentente entre ses parents. Il déteste Anikova, qu'il en rend responsable. Le spiritisme est monnaie courante à la Cour impériale russe, on fait tourner les tables chez l'empereur, chez l'impératrice, cependant Alexandra dépasse la mesure! Cette Anikova la domine complètement. Fille du duc d'Angoulême, pensez donc! Tout l'entourage impérial sait pertinemment que le fils de Charles X était impuissant! Marie-Antoinette lui conseille... Marie-Antoinette lui ordonne... L'impératrice douairière, la belle-mère d'Alexandra, n'avait pas osé intervenir mais, sentant que sa belle-fille délaissait ses enfants pour l'aventurière, elle les avait attirés vers elle et, subtilement, avait tâché de remplacer la mère absente. C'était une des raisons de sa préférence pour son petit-fils Nicolas.

Durant les nombreux voyages de la grande-duchesse, les enfants sont laissés à la merci de ceux qui sont censés les éduquer. Des gouvernantes, des professeurs, des tuteurs, tous allemands. La dynastie, malgré son nom bien russe, est d'origine allemande. Les épouses des empereurs et des grands-ducs sont toutes allemandes. La grande-duchesse Alexandra, allemande aussi, croit en la supériorité de son pays. Constantin, Vera, Dimitri, Viaceslav, trop petits, sont encore confiés aux femmes, mais Nicolas et Olga, sa sœur cadette, sont soumis à un programme effrayant. Pas un instant de repos, de détente. Bien sûr, on ne passe pas toute la journée en salle de classe, mais les récréations, les promenades sous surveillance sont encore des moments d'entraînement intensif à différents sports. Olga s'en tire en étant carrément mauvaise élève. Les réprimandes glissent sur sa douceur inaltérable. Nicolas, lui, se montre brillant dans toutes les matières, mais on ne paraît jamais content...

« On », c'est Mirbach, le précepteur allemand qui dirige toute l'équipe. Plus Nicolas réussit, plus l'autre grogne, exige, critique. Nicolas redouble d'efforts, sans succès. Il est épuisé, tourmenté, mais Mirbach refuse de s'en rendre compte. Réprimandes et punitions pleuvent sur le surdoué.

Un jour, Nicolas, privé une fois de plus de sa mère, est allé dans le bureau de son père, retenu comme toujours à Saint-Pétersbourg, pour prendre une miniature représentant la grande-duchesse. Il possède pourtant des dizaines de photos

d'elle, qu'il a accrochées dans sa chambre, mais cette repro-
duction du fameux portrait de Winterhalter le fascine.

Mirbach tombe en arrêt devant la miniature installée sur le
bureau de son élève.

— Comment avez-vous osé voler cet objet qui appartient
à votre père ?

— Je ne l'ai pas volé, je l'ai simplement emprunté durant
son absence...

Mirbach ne veut rien entendre. Il s'empare du fouet qui ne
le quitte jamais, force Nicolas à se déculotter devant les domestiques et le frappe violemment. Pas seulement sur les fesses
mais également sur les hanches, où la douleur est terrible.
Nicolas serre les lèvres au sang pour ne pas hurler, mais il ne
peut contenir ses gémissements.

Passant dans le corridor, la dame d'honneur de la grande-
duchesse, la comtesse von Keller, entend les cris, ouvre la porte
et enregistre la scène. Cette femme de cœur s'indigne. Elle
reproche à Mirbach sa sévérité excessive :

— Dès le retour de la grande-duchesse, je la mettrai au
courant de cette incroyable brutalité !

— Sachez, comtesse, que j'exécute les instructions précises
de Son Altesse Impériale. C'est elle qui a décidé dans le détail
du programme d'éducation de ses enfants, à quel châtiment ils
seraient soumis, et pour quelle faute.

— Je ne peux pas croire qu'elle vous ait autorisé à fouetter
ce malheureux enfant !

— Vous n'aurez qu'à le lui demander dès son retour.

— Ne me dites pas que vous avez déjà fait subir ce traitement à un garçon de onze ans ?

— Je l'applique chaque fois que le jeune grand-duc le
mérite.

Le pauvre Nicolas en a profité pour s'échapper. Il a couru

se blottir dans son refuge, un réduit ténébreux sous un escalier de service. Comme d'habitude Savioloff, un ancien valet
de chambre de son père désormais affecté à son service, lui
porte sa nourriture préférée, du pain et du thé. L'enfant s'en
gave, au point de ne plus avoir faim pour le déjeuner durant
lequel il refusera de manger. Personne n'y fait attention.

Personne ne l'oblige jamais à prendre une nourriture plus
saine et plus variée. Personne ne s'occupe vraiment de lui.

2

Le père de Nicolas, le grand-duc Constantin, n'a rien d'impressionnant. Beaucoup moins grand que les autres grands-ducs, il est de plus complètement myope, au point de ne pouvoir quitter son pince-nez. Sa longue barbe séparée en deux lui donne tout de même une certaine prestance. Et, contrastant avec son apparence menue, il possède une voix de stentor avec laquelle il s'amuse à faire sursauter ceux qui le rencontrent.

Les parents de Nicolas avaient fait un mariage d'amour. À dix-neuf ans, lors d'un voyage en Allemagne, le grand-duc Constantin avait rencontré la princesse Alexandra de Saxe Altenburg, alors âgée de seize ans. « Ce sera elle ou nulle autre », avait-il déclaré, et ses parents d'ailleurs ravis s'étaient inclinés.

Mais bientôt sa véritable inclination l'a jeté dans la politique. À vingt-cinq ans, pendant la guerre de Crimée, il

envoyait à son père Nicolas Ier des lettres que celui-ci considérait comme les rapports les plus lucides, les plus pertinents sur
la situation. Puis, leur père étant mort, il s'était institué comme
le conseiller le plus sincère, le plus direct, le plus écouté de son
frère Alexandre II. C'est lui qui l'avait encouragé à arrêter au
plus vite, à tout prix, cette guerre de Crimée qui ne menait à
rien. C'est lui qui l'avait poussé à émanciper les serfs. Et pour
montrer l'exemple, il avait commencé par libérer ceux qui
vivaient sur ses immenses domaines.

Malgré les distances établies entre les générations, Constantin Nicolaïevitch est envers ses enfants beaucoup plus un
camarade qu'un censeur. Seulement il n'est jamais là ! L'hiver,
lui et sa femme partent souvent pour une longue croisière afin
d'échapper aux rigueurs du climat pétersbourgeois, et plusieurs
fois il n'a pas hésité à bouleverser le programme d'études de
Nicolas pour l'emmener avec lui, sous le prétexte fallacieux de
« l'habituer à la mer ». En fait d'accoutumance maritime, ces
voyages ne sont qu'une succession de séjours dans les villas
enchanteresses de Sicile, dans les palais napolitains, dans les
îles de Grèce, dans les hôtels de Jérusalem, de Beyrouth, du
Caire.

En voyage, le protocole s'allège. Nicolas prend presque tous
ses repas avec ses parents. Sa mère l'attire et le serre contre elle
comme elle le fait à la maison, puis elle le repousse lorsqu'un
autre sujet vient l'occuper ou la distraire et, en fin de compte,
il ne la sent pas plus présente. C'est aussi une occasion pour
lui d'entendre son père s'exprimer encore plus librement que
d'habitude. Il s'emporte contre les politicailleries italiennes, la
corruption égyptienne, l'inertie ottomane. La politique, toujours la politique...

Loin de la Russie, le grand-duc Constantin en profite aussi
pour critiquer le régime. Il dénonce à mots à peine couverts

l'obscurantisme des conservateurs russes, l'inefficacité de l'administration impériale, les absurdes cruautés de la police secrète, l'irresponsabilité des classes dirigeantes. Il reproche à son frère l'empereur d'être trop conciliant, et surtout trop timide dans ses réformes. Constantin ne le cache pas, ce qu'il souhaite pour la Russie, c'est un régime parlementaire à l'occidentale. La grande-duchesse ne pipe mot mais son expression horrifiée instruit suffisamment Nicolas. Là encore, ses parents ne s'entendent pas!

C'est en raison de ce libéralisme qu'Alexandre II, indifférent aux opinions conservatrices de ses ministres et de ses parents, envoie son frère dans le chaudron de l'Empire, la Pologne, alors rattachée à la Russie et toujours sur le point de se rebeller. Le nouveau vice-roi emmène toute sa famille avec lui. Ils habitent le château royal de Varsovie, inconfortable et vieillot, avec ses alignements de portraits rébarbatifs des anciens rois de Pologne.

Le début paraît prometteur. Précédé par sa réputation, le grand-duc Constantin est bien reçu, mais Nicolas remarque que la foule est plutôt clairsemée derrière les rangées de soldats russes. Ceux-ci en revanche sont omniprésents, si bien que le grand-duc consigne l'armée d'occupation dans les casernes afin qu'elle soit moins visible. Nombreux sont les nobles polonais qui se rendent aux invitations du vice-roi russe, mais sont-ils vraiment sincères dans leurs flatteries? Constantin s'est empressé de libérer presque tous les prisonniers politiques. Il veut gagner les Polonais à son frère le tsar. Il affecte de n'avoir rien à craindre. Quotidiennement, il sort dans Varsovie sans escorte.

Un après-midi, au moment de partir pour sa promenade, Constantin décide d'emmener avec lui Nicolas et sa sœur

Olga. La grande-duchesse, qui doit présider un comité de charité et ne peut les accompagner, proteste :

— Vous ne devriez pas, Kostia, après tous les avertissements que nous avons reçus récemment !

Le grand-duc balaie ces objurgations. Plus elle insiste, plus il s'entête.

— Laissez au moins les enfants tranquilles...

— Au contraire, Sannie, ce sera une occasion pour eux de visiter Varsovie !

Le gouverneur russe de la ville s'interpose :

— Que votre Altesse Impériale accepte au moins une escorte.

Constantin refuse sèchement.

— Nous avons pourtant récolté des informations précises et toutes concordantes...

Pour toute réponse, Constantin pousse ses deux enfants dans la calèche. On parcourt au petit trot les avenues principales. Constantin nomme les palais de l'aristocratie. Nicolas, lui, dévisage la foule, assez nombreuse à cette heure de promenade. Tout le monde reconnaît le vice-roi, les hommes soulèvent leurs chapeaux, les femmes esquissent une révérence, mais la plupart détournent la tête. Le grand-duc affecte de ne rien remarquer et continue à désigner à ses enfants les monuments importants.

Avec son instinct d'enfant, Nicolas comprend que quelque chose ne fonctionne pas. Il ne sait pas s'il y a danger, mais il sent que le calme n'est qu'apparent et que derrière l'agitation croît. Même sa sœur, généralement gaie et babillarde, se serre silencieusement contre leur père.

C'est pourtant sans incident qu'ils achèvent le parcours et reviennent au château royal. La grande-duchesse les attend sur le perron, en proie à une anxiété extrême.

— Ils avaient préparé un attentat. Le saviez-vous, Kostia ?

— Vous le voyez, Sannie, il n'y a pas eu d'attentat ! Ce ne sont que des rumeurs. Rien n'aurait pu être plus paisible et agréable que notre promenade.

Malgré ce ton égal, Nicolas a tout de suite remarqué qu'une barre plisse le front de son père, comme lorsqu'il est profondément préoccupé. Attentat il avait failli y avoir, comme on l'apprit plus tard. Ce jour-là, les nationalistes polonais avaient projeté de lancer une bombe sur la voiture découverte du vice-roi mais la présence de Nicolas et d'Olga les avait arrêtés au dernier moment. « On n'assassine pas les enfants ! » avaient déclaré les conjurés. Pas d'attentat donc, mais la tension était telle que l'explosion était inévitable. Révolte il y eut.

Nicolas lut la peur sur les visages de ceux qui l'entouraient. Il entendit les coups de feu, les cris, il compta les canons alignés dans les cours du palais, pointés vers les portails que les émeutiers tentaient d'enfoncer. Il aperçut aux fenêtres et sur les toits les gardes, fusils braqués sur la foule. Une escorte, et quelle escorte — plus nombreuse, plus armée que jamais — les raccompagna lui et les siens à la gare, car le grand-duc était rappelé. Le général Paskievitch qui le remplaça pacifia à coups de canon. Avec des milliers de cadavres sur la conscience, il prononça la phrase célèbre : « L'ordre règne à Varsovie ! »

Alexandre II n'en voulut pas à Constantin de son échec. Il ne renonça pas aux conseils de son frère, comme son frère ne renonça pas à son libéralisme. À peine celui-ci de retour, Alexandre II le jeta dans la Marine qui avait bien besoin de rajeunissement. Constantin s'y attela avec son énergie coutumière, et en quelques années il en fit un instrument de guerre ultra-moderne. Du coup, Alexandre II le nomma à la tête du Conseil d'Empire, la plus haute instance de l'État.

Pour Nicolas, son père est son idole.

Selon l'usage pour les adolescentes de l'aristocratie, la jeune Maria von Keller vient d'être présentée à la Cour. Mais elle connaît la famille impériale depuis l'enfance. Son père est un ami intime du grand-duc Constantin et sa mère est dame d'honneur de la mère de Nicolas. Aussi est-ce tout naturellement qu'elle a été invitée en cet été 1865 à passer ses vacances dans leur château de Pavlovsk, à quelques dizaines de kilomètres de la capitale.

Intelligente, ambitieuse, Maria se réjouit de la flatteuse aubaine. Trois quarts d'heure de train l'ont amenée à la petite gare du village, une voiture de cour l'y attend et bientôt elle pénètre dans le parc. La voiture descend au fond d'un vallon où paresse une rivière. Maria aperçoit au sommet d'une colline la majestueuse silhouette du château jaune et blanc. La voiture oblique à gauche et emprunte une large allée bordée de grands arbres, d'où elle découvre enfin la splendide résidence sur toute sa façade, qui s'étend en demi-cercle à partir d'un pavillon central.

En fait, il est plutôt exigu — exigu s'entendant à la mode impériale russe ! Maria a déjà séjourné dans les autres palais, Tsarskoïe Selo, Peterhof, Gatchina, qui s'étirent sur des hectares de bâtiments. En comparaison, Pavlovsk paraît minuscule. La voiture s'arrête devant un pavillon sur le côté. Une dame d'honneur jaillit d'une porte, accueille Maria et l'amène par un large degré jusqu'à son appartement, une chambre donnant à l'arrière sur le parc, une antichambre tapissée de placards, un cabinet de toilette. Deux femmes de chambre se précipitent pour déballer ses effets. La dame d'honneur l'attend pendant qu'elle se rafraîchit puis l'emmène au premier étage dans le salon de famille.

La grande-duchesse Alexandra et ses enfants l'accueillent affectueusement et Maria se sent immédiatement à l'aise. Elle lève les yeux et regarde autour d'elle, enregistrant tout. Très vite, ses regards se concentrent sur l'aîné des enfants, le grand-duc Nicolas. Le garçon s'est étoffé. Grand, à la fois athlétique et souple, avec un visage fin et des traits nobles. Un duvet ombre ses lèvres et souligne leur courbe sensuelle. Ses longs cheveux auburn ondulent légèrement. Ses grands yeux brun doré aux lourdes paupières dévisagent la jeune fille.

Devinant l'admiration qu'il suscite, Nicolas s'institue bientôt le guide personnel de Maria. Tout ce que l'argent et le goût peuvent créer de luxueux, de raffiné, d'unique, a été inventé pour Pavlovsk. C'était à l'origine un cadeau de Catherine la Grande à son fils, le futur Paul Ier, et à sa femme Maria Feodorovna. Ceux-ci en ont fait le sanctuaire le plus précieux de l'Art. Les grands appartements où ils vivaient ont été laissés tels quels depuis leur mort et, devenus musée, ne servent pratiquement plus. Nicolas fait admirer à Maria les tableaux des grands maîtres alignés sur des soieries fleuries, les meubles français aux bronzes délicats, mêlés à leurs copies russes encore plus parfaites.

Ils s'arrêtent devant un service en porcelaine de Sèvres :

— C'était le cadeau de la reine Marie-Antoinette à sa grande amie, mon arrière-grand-mère, l'impératrice Maria Feodorovna. Celle-ci aimait tourner l'ivoire...

Et de montrer des objets façonnés dans cette matière par la défunte tsarine.

La famille du grand-duc habite dans les ailes du château. Là encore des chefs-d'œuvre des écoles espagnole, italienne, française du XVIIIe siècle, des miniatures de toute beauté, des commodes de Riesener ou Roentgen se mêlent au goût de l'époque — représenté par des fauteuils confortables, des plantes vertes, des tables gigognes surchargées de bibelots et disposées aux endroits stratégiques pour que le visiteur non averti s'y cogne, des régiments de photos encadrées... et énormément de peluches !

Sans cesse dans les propos de Nicolas revient le nom de son arrière-grand-père, le tsar Paul Iᵉʳ, fondateur de Pavlovsk :

— Sa mère, Catherine II, le détestait, elle ne s'est jamais occupée de lui ! Il passait pour fou, savez-vous... Pourtant il était singulièrement lucide, au point d'être un précurseur. Il voulait le bien de tous, le bien de l'empire, mais personne ne le comprenait, sa famille moins que tout autre. Il se livrait à des actes qui le faisaient mal juger. Il passait pour un abominable tyran ! En fait, c'était un incompris, un mal aimé qui n'a jamais eu l'opportunité de montrer ses véritables possibilités. Il a fini assassiné de la façon la plus effroyable, comme vous ne l'ignorez pas. Il est de loin mon ancêtre préféré. Peut-être est-ce que je me retrouve en lui..., ajouta-t-il avec un regard si lourd que Maria en frissonna. J'ai envie de lui élever une statue ici, devant cette merveille qu'il a créée, pour réparer un peu l'injustice dont il a été victime.

Comme pour tous les membres de sa famille, Pavlovsk est le lieu de prédilection de Nicolas. Il devient donc celui de Maria. On passe une grande partie de la journée dehors. On explore le parc gigantesque, on choisit comme but de promenade les différentes folies qui y sont dispersées et où l'on trouve des goûters somptueux. On se perd dans les bosquets sauvages qui s'étendent sur des lieues au fond des vallons. On canote sur la rivière, on fait des courses de chars à bancs, on galope dans les allées, on organise des pique-niques. Maria fait connaissance avec les moustiques de l'endroit, d'énormes insectes dont la piqûre ne fait pas souffrir mais qui ne laissent pas une seconde leur victime en repos. Faveur suprême, la grande-duchesse lui ouvre son domaine réservé, cette roseraie datant du XVIIIᵉ siècle qu'elle entretient amoureusement.

Pour Maria, Nicolas se transforme petit à petit en apôtre de l'interdit. Un jour, il la convainc de sauter le mur pour sortir du parc. Impossible de passer par l'une des entrées, les sentinelles avertiraient immédiatement qui de droit, aussi escaladent-ils les grilles ! Maria a juste le temps de déchirer sa jupe avant de se retrouver de l'autre côté.

— Ici, nous sommes libres ! s'exclame Nicolas.

Et il l'entraîne devant le *Vauxhall*, le célèbre restaurant de Pavlovsk où se côtoient les habitants le plus huppés de la capitale. Ils n'osent s'aventurer à l'intérieur et tous deux regardent par les fenêtres les couples élégants tournoyer au son d'un orchestre que parfois ne dédaigne pas de venir diriger Johann Strauss en personne ! Maria, avisant des marchands des quatre-saisons qui vendent des friandises, demande à Nicolas de lui acheter des berlingots, sa passion. Nicolas hoche tristement la tête :

— Je n'ai pas d'argent. Le peu que l'on me donne, je le dépense en livres.

Maria n'en revient pas.

— Comment, Altesse Impériale, vous êtes pauvre ? Et tout cela alors ? dit-elle en désignant le château et le parc.

— Un jour, Pavlovsk et bien d'autres choses seront à moi… Mais pour l'instant, j'ai une pension dérisoire, à peine quelques dizaines de roubles par mois. Mais ne t'en fais pas, tu les auras, tes berlingots !

Avant que Maria ait pu l'arrêter, il se précipite sur l'étalage et, sans que le marchand le voie, il met dans sa poche une poignée de friandises. Puis, sur une pirouette, il revient en riant vers sa compagne.

— Mais c'est un vol, Altesse Impériale !

— Tout est à moi… rien n'est à moi.

Sur le chemin du retour, Maria pensive lui demande :

— Quel genre d'ouvrages achetez-vous avec votre argent de poche ?

— Des livres de voyage. Je rêve d'être explorateur, de partir à la découverte des grands déserts de l'Asie.

Même pendant les vacances, le programme d'études des enfants impériaux n'est pas complètement interrompu. La grande-duchesse propose à Maria de suivre avec Nicolas et Olga les leçons de littérature française administrées par M. Ricard, professeur aux écoles navales et commerciales. Maria accepte avec empressement, non point tellement pour les charmes de la littérature française que pour ceux de Nicolas. Elle a découvert que c'était un poète ; un musicien aussi, puisqu'il joue du piano, du violon, et qu'il chante avec une voix magnifique ! Maria l'entend de sa chambre lorsqu'il entonne des chants russes, si graves et si mélancoliques qu'elle en est chaque fois bouleversée.

Les cours de M. Ricard ont lieu dans la salle de classe, au second étage du château. Les voilà plongés dans les tragédies de Corneille et de Racine. Nicolas apprend à une vitesse stupéfiante, il lui suffit de lire une tirade une ou deux fois pour la connaître par cœur et la réciter avec feu, comme un acteur professionnel, gestes et mimiques à l'appui. Maria vit en plein rêve. Elle se voit en Chimène, en Bérénice. Le Cid, Titus, Hippolyte, c'est Nicolas. Maria s'imagine l'arrachant aux griffes de Phèdre.

Un matin, M. Ricard propose un exercice de versification sur le thème : « Les pensées d'un vétéran présent à la revue des gardes à cheval dans le mois de mars. » Le silence s'installe... Le soleil rentre à flots par les fenêtres ouvertes avec le vrombissement des insectes, le chant des oiseaux et les mille bruits évocateurs de la nature.

Olga commence à écrire le titre de son poème, trempe plusieurs fois sa plume dans l'encrier, regarde la page blanche, rougit, puis éclate en sanglots. Elle quitte précipitamment la salle. Maria a de la peine à se concentrer. Ses yeux ne quittent pas Nicolas, assis à côté d'elle.

Penché sur sa feuille, il écrit vite. Elle entend sa plume gratter le papier puis il s'arrête, se lève et, avec la verve d'un boulevardier, se met à déclamer. Maria l'écoute à peine, elle est en extase. Elle ne peut détacher son regard de lui, elle le trouve merveilleusement beau. Tout en récitant, il lui lance des regards appuyés. Elle baisse les yeux et reprend son devoir. Nicolas continue de scander son poème, en français bien sûr, de plus en plus fort pour empêcher Maria de se concentrer :

> *Je ne ceindrai plus à ma taille*
> *Mon sabre aigu et tranchant*
> *Et je ne ferai plus ripaille*
> *Au son des cymbales et des chants.*
> *À des conscrits immobiles*
> *Je ne donnerai plus dans les dents*
> *Et sous ce veston civil*
> *Chacun me traitera de manant...*

Nicolas s'est arrêté, Maria n'a pu s'empêcher de se lever, et rouge d'excitation, les yeux scintillants, elle l'applaudit à tout rompre. M. Ricard, lui aussi est rouge, mais de colère.

— Comment osez-vous, Altesse Impériale !

— Oser quoi, monsieur Ricard ?

— Vos deux derniers vers sont une insulte à l'armée, aux vétérans...

Ce jour-là, exceptionnellement, le grand-duc Constantin assiste au déjeuner dans la salle à manger privée. En toute simplicité estivale... Les laquais ont échangé leurs lourdes livrées galonnées d'or pour une tenue plus légère. La porcelaine, la verrerie, l'argenterie sont simplifiées, elles ne portent que les armoiries impériales gravées en or, ainsi que les monogrammes du grand-duc et de son épouse. Il y a moins de plats que d'habitude car il fait très chaud. Au milieu du repas, la grande-duchesse annonce à son mari que M. Ricard a donné sa démission.

— Et pourquoi donc?

Parce que le professeur a jugé insultants les vers de Nicolas.

— Quels sont donc ces vers? s'enquiert le grand-duc.

Nicolas baisse les yeux, plein d'une fausse humilité. C'est Maria qui les récite :

> *... Et sous ce veston civil*
> *Chacun me traitera de manant.*

Le grand-duc éclate de rire :

— Sans aucun doute, Nicolas a la bosse militaire!

La grande-duchesse réussit à persuader M. Ricard de retirer sa démission, et le lendemain les cours reprennent comme à l'accoutumée. Les exercices de versification sont cependant supprimés. Corneille et Racine sont eux aussi abandonnés au profit de Victor Hugo, non pas le Hugo opposant virulent du régime de Napoléon III, mais celui du début, l'auteur de tragédies que M. Ricard considère comme innocentes, et pourtant... *Lucrèce Borgia* a été écartée pour son sujet scandaleux, mais *Les Burgraves* qui se déroulent dans un Moyen Âge pur et pieux ne présentent aucun risque. Or voilà que Nicolas dans une tirade s'accroche à ces vers :

> *Régnons, nous sommes braves,*
> *Par le fer, par le feu!*
> *Nargue à roi, burgraves!*
> *Burgraves, nargue à Dieu!*

Il ne lâche plus ce quatrain ! Du matin au soir, il le beugle non seulement dans la salle de classe mais pendant le déjeuner, le dîner, dans toutes les réunions familiales :

> *Nargue à roi, burgraves !*
> *Burgraves, nargue à Dieu !*

La famille habituée à ses excentricités n'y fait pas attention, mais une de ses tantes, une grande-duchesse en visite, s'en offusque profondément. Elle fait des remontrances à Alexandra.

— Qui donc a appris ces vers séditieux au jeune Nicolas ?

— Mais c'est le bon monsieur Ricard...

— Quel bon monsieur Ricard ? C'est certainement un jacobin, ma chère Sannie ! Vous ne vous en êtes pas rendu compte ! Vous ne pouvez garder auprès de vous un homme qui enseigne des vers aussi blasphématoires à vos enfants !

Maria observe Nicolas pendant que se joue le sort du professeur. Il regarde tour à tour la grande-duchesse en visite et sa mère d'un air sardonique. Il se rend compte que Maria le surveille, il lui lance un clin d'œil coquin. Elle rougit. M. Ricard est renvoyé le jour même.

Maria est indignée et attend le moment du goûter pour le dire. Ce jour-là, il a lieu au pavillon des Roses, délicate construction élevée par Maria Feodorovna pour célébrer la victoire de son fils Alexandre Ier... et la défaite de Napoléon. Les autres jouent alentour sur les prairies émaillées de fleurs ou pêchent dans le cours d'eau voisin. Restée seule avec Nicolas, elle n'a pas un regard pour les guirlandes de roses peintes sur les boiseries :

— Pourquoi avez-vous laissé renvoyer monsieur Ricard ? Vous saviez que c'était une injustice !

— De toute façon, personne ne m'aurait écouté, ma mère moins que tout autre. Quant à la tante en visite, l'origine de tout le mal, j'étais littéralement hypnotisé par sa stupidité.

— Peut-être monsieur Ricard est-il réellement un jacobin ?

— Je l'en admirerais d'autant plus… Je trouverai le moyen de lui faire parvenir une compensation.

— Pourquoi vous êtes-vous entêté à réciter ces vers ? Ils peuvent en effet paraître blasphématoires…

— C'est bien pour cela que je les ai choisis ! *Et nargue à tous les rois*, Maria, *à tous les rois* !

— Mais vos parents, votre famille, l'empereur ?

— L'empereur est un homme comme tout le monde, je l'aime pour ce qu'il est, je le déteste pour ce qu'il représente.

— Mais l'empire, Nicolas ?

— La Russie serait bien mieux en république !

Maria en reste suffoquée, mais elle ne désarme pas :

— Mais *nargue à Dieu*, Nicolas…

— Vous voulez que je croie en un Dieu qui laisse faire une injustice aussi flagrante, aussi cruelle que le renvoi de monsieur Ricard ?

Un autre matin, il est encore tôt, Maria est déjà à sa toilette en train de brosser ses cheveux lorsqu'elle entend en dessous de ses fenêtres des aboiements féroces et des bêlements pathétiques. Elle se précipite à la croisée. Armé d'un fouet, Nicolas excite trois bouledogues pour qu'ils se jettent sur un agneau qu'il a attaché à un arbre.

Maria reste clouée sur place. La surprise, l'horreur la paralysent, puis elle reprend ses esprits, elle court frapper à la porte de son voisin, le colonel Mirkovitch, assistant précepteur de Nicolas. Le colonel, lui aussi, a vu la scène mais il n'a pas osé intervenir.

— Il faut faire quelque chose, il faut l'arrêter ! intime la jeune fille.

Le colonel disparaît vers l'escalier, Maria se remet à la fenêtre, palpitante. Elle croit avoir une hallucination. En bas, plus de dogues, plus d'agneau, plus de Nicolas ! Tout cela s'est passé si rapidement qu'elle se demande si elle n'a pas rêvé.

Au petit déjeuner, elle ne prononce pas un mot. Puis elle revient dans son appartement et entend des bruits bizarres venant d'un des placards de son antichambre. Étonnée, légèrement inquiète, elle l'ouvre… L'agneau qu'elle avait vu sur le point d'être dévoré par les chiens en sort ! Frisotté, enrubanné, il se met à lui lécher la main.

Provoquer, telle est l'occupation favorite de Nicolas à quinze ans.

Car Nicolas n'est pas « comme les autres », ce qui ne le rend que plus attirant… Maria a entendu dire que lorsqu'il avait onze ou douze ans, chez l'empereur à Tsarskoïe Selo, il s'était violemment cogné la tête en courant dans un escalier. S'en étaient suivis des semaines, des mois de maladie ponctués par de terribles maux de tête, et depuis Nicolas avait toujours eu des migraines. Ce qui pouvait peut-être expliquer le comportement qu'il avait parfois avec son entourage. Sa mère semblait l'adorer, son père lui passait bien des peccadilles, et pourtant il semblait distant avec ses parents. Quant à ses frères et sœurs, il les rudoyait souvent, même Olga qu'il aimait à l'évidence infiniment.

Ce qui intriguait le plus Maria, c'était les relations de Nicolas avec son précepteur. Nicolas n'était plus un enfant et l'attitude de Mirbach se teintait du respect dû à un grand-duc bientôt majeur, mais sa moue trahissait le scepticisme quand il contemplait son élève, voire un sentiment de dégoût. De son côté, Nicolas agissait avec lui comme s'il n'existait pas. Il ne lui adressait pas la parole, ne semblait même pas remarquer sa présence, et lorsque Mirbach s'adressait à lui, il répondait toujours brièvement en fixant quelqu'un d'autre. Plus d'une fois, Maria avait surpris le regard fugitif de Nicolas s'arrêtant sur l'Allemand, et elle a eu le temps d'y lire de la haine mêlée à de la peur. Elle se demandait quel terrible secret, endormi mais toujours actif, les séparait.

En vérité, Nicolas ne ressemble à aucun autre membre de la famille impériale, et Maria a l'occasion de le vérifier lorsque le grand-duc héritier Alexandre Alexandrovitch, le fils d'Alexandre II, vient déjeuner à Pavlovsk. C'est un géant bourru, d'une force herculéenne, capable de déchirer entre ses mains un paquet de cartes ou de tordre un plateau d'argent. Malgré sa jeunesse, il n'a aucune grâce, aucun charisme. Et sa puissance justement le rend singulièrement maladroit.

Tout de suite, Maria perçoit l'antipathie entre l'héritier et son cousin Nicolas. De plus, Alexandre se permet d'attaquer la politique libérale de son père l'empereur, laquelle — tout le monde le sait — est défendue sinon inspirée par le grand-duc Constantin. Ce dernier tâche de garder son calme pour répondre à son neveu. Celui-ci fait un geste trop brusque et renverse un verre de vin rouge sur la nappe brodée. Le grand-duc ne peut retenir un petit rire sarcastique :

— Regardez donc ces bovins que nous envoie Saint-Pétersbourg !

Nicolas s'esclaffe. Et Maria voit la rage empourprer le visage de l'héritier.

3

Bien que nommé à sa naissance colonel en chef — honoraire — de plusieurs régiments, le jeune grand-duc suit l'entraînement comme tout officier. Il participe aux manœuvres, à terre dans l'infanterie, sur la mer Baltique dans la marine. Aspirant extraordinairement doué, il est le premier de sa famille à sortir diplômé de l'Académie militaire de l'État-Major, la plus exigeante. Le voici sous-lieutenant, lieutenant, puis capitaine. Son âge lui permet désormais de participer aux cérémonies annuelles de la Cour, telles que le 1er puis le 7 janvier pour la Fête des Eaux, la Pâque orthodoxe, la fête de l'empereur.

Dès ses dix-huit ans, en 1868, il reçoit un apanage qui lui permet de montrer sa générosité. Il donne à ses serviteurs, et même à ses professeurs, des sommes importantes. À son vieux valet Savioloff, qui l'a vu naître comme il a vu naître son père, il offre une maison et un jardin dans le parc de Pavlovsk. Pour commémorer sa visite à un régiment, il alloue une bourse qui permettra d'envoyer chaque année des officiers s'instruire à l'étranger.

À la même époque, il est autorisé à s'occuper de Pavlovsk, son domaine d'élection dont il doit un jour hériter. Il fait installer le chauffage dans les appartements familiaux, surveille le parc, offre une nouvelle pompe à incendie aux pompiers de la ville. Et il réalise enfin son vieux rêve en faisant élever sur ses deniers une statue du tsar Paul Ier, son ancêtre préféré, devant ce château qui porte son nom.

Mariages, baptêmes, enterrements familiaux le font voyager à l'étranger. Le voilà à Athènes pour les premières couches de sa sœur Olga. Celle-ci a épousé un jeune officier de marine, le fils du roi de Danemark, qui a été envoyé à Athènes pour occuper le trône. Nicolas se souvenait à peine de la capitale grecque qu'il avait visitée enfant avec ses parents… Depuis, la ville a plus que quadruplé. Il est logé au palais royal, énorme et sonore bâtisse. On lui a alloué une vaste chambre au plafond élevé qui donne sur le parc touffu planté d'essences exotiques.

Un soir, après l'un des nombreux banquets qui jalonnent son séjour, il est pris d'une étrange torpeur. Peut-être est-ce la nourriture qui ne lui a pas convenu, ou peut-être a-t-il trop bu car il fait très chaud. Il tourne et se retourne dans son lit à la recherche du sommeil qui le fuit…

… Dans le palais d'Hiver, demeure impériale, la salle Nicolas est sans conteste la plus démesurée, la plus somptueuse. Située presque au centre de la bâtisse, décorée de gigantesques trophées en or, elle sert aux plus grandes solennités. Lorsqu'il y pénètre, encadré par des gardes, il la trouve tendue de noir. De noir aussi est recouverte l'estrade installée au milieu de la salle, de noir sont vêtus les innombrables courtisans.

Il la traverse entre deux haies de soldats de son régiment préféré, le Volynski, qui en signe de honte portent leurs fusils à l'envers. L'estrade est entourée d'autres soldats qui, eux, pointent le canon de leurs armes. En retrait se tient sa famille, en grand deuil. Il remarque que l'empereur, son oncle, est blême. On le hisse sur l'estrade, pendant que sa mère et l'impératrice se précipitent aux genoux d'Alexandre II en implorant sa grâce. Il entend l'empereur répondre d'une voix brisée : « Je ne le puis, je ne le puis… », puis ce dernier monte à son tour sur l'estrade et l'embrasse trois fois : « Je te recommande à Dieu », avant de se tourner vers la foule en déclarant :

— Comme oncle, je lui pardonne et je l'aime, comme souverain je suis forcé de le condamner.

L'empereur descend de l'estrade, reprend sa place, ordonne qu'on lui bande les yeux et qu'on lui attache les mains derrière le dos. « Feu ! »…

Nicolas se débat violemment et se réveille couvert de sueur glacée dans sa chambre du palais royal d'Athènes. Il court à la fenêtre pour aspirer un peu d'air, pas un souffle de vent n'agite le parc obscur. Des milliers de grillons stridulent dans les branches. Il lève les yeux sur les étoiles qui scintillent au-dessus de lui. Chaque détail de son cauchemar lui revient. Une impression horrible. Il a donc été condamné à mort… mais pour quel forfait ?

De retour à Saint-Pétersbourg, Nicolas retrouve l'entraînement militaire, les cours de droit, les cérémonies de la Cour… Pour un grand-duc de Russie, la routine a beau être différente de celle des autres hommes, elle n'en reste pas moins routine. Nicolas s'ennuie et ne l'accepte pas. Il se sait intelligent, lucide, il perce le mensonge, l'illusion, la prétention, il voit en un éclair la vérité d'un être humain ou la réalité d'une situation.

Il n'ignore pas que son avenir est tracé jusqu'aux plus infimes détails, et il le dessine sans illusion. L'armée d'abord — suivre les ordres et se taire… —, le mariage avec une princesse allemande qu'il n'aimera pas, puis des enfants dont il n'aura que faire, un poste honorifique où il lui sera surtout recommandé de ne prendre aucune initiative, des inaugurations, des hommages, des révérences, des voyages auprès de Cours étrangères, des réceptions officielles à l'occasion desquelles il rencontrera des milliers de gens avec lesquels il ne devra jamais sortir des banalités, en résumé une existence toute de conformisme et de conventions, une existence creuse, sans vibrations, sans action, sans amour. Cependant, il n'est même pas concevable de refuser cet avenir.

Or, il bouillonne d'idées, d'énergie, il se sent capable d'accomplir de grandes choses, d'entreprendre, d'innover, autrement dit de sortir des sentiers battus, ce qui lui est interdit ! Prisonnier jusqu'à sa mort. Et personne pour le comprendre, personne à qui parler, sauf ces feuilles de papier sur lesquelles il s'épanche et qu'il dissimule au fond de ses tiroirs.

En même temps, ses maux de tête effrayants, séquelles de son accident d'enfance, ne le lâchent pas. Pendant des heures, il reste pantelant avec l'impression que son crâne va éclater. La douleur, le souvenir de la douleur rend ses pensées encore plus noires. Alors, un seul pis-aller, le cynisme, une seule satisfaction, la provocation, un seul passe-temps, la débauche.

À Saint-Pétersbourg, le grand-duc Constantin habite le palais de Marbre, une austère splendeur bâtie par Catherine II pour son amant de l'époque, Orloff. À côté des salles rococo demeurées intactes depuis le XVIIIᵉ siècle, la famille s'est installée dans des appartements récemment décorés, de style néogothique, avec un jardin d'hiver fleuri toute l'année, une merveille ! Tant d'escaliers et de couloirs étroits s'entrecroisent dans le palais qu'il est difficile de surveiller toutes les allées et venues. En particulier, ce qui se passe autour d'une petite porte donnant sur le quai.

Chaque nuit, vers minuit, Savioloff, le fidèle valet, y fait les cent pas. L'hiver, il tâche de se réchauffer par cet exercice, ou alors il s'abrite sous la marquise de verre tout en pestant contre les caprices de son maître. L'été, c'est moins désagréable mais il préférerait tout de même être dans son lit. Mais comment dire non au maître qui lui a offert si généreusement la maison et le jardinet dont il rêvait ?

Une voiture s'approche, que Savioloff reconnaît. Elle s'arrête devant lui, il ouvre la porte. Sort d'abord le capitaine Vorpovsky, l'aide de camp de Nicolas et aussi son rabatteur, qui extrait de la voiture une de ces tziganes qu'il est allé chercher dans les boîtes spécialisées. Chanteuse ou danseuse, qu'importe, elle fait cliqueter ses bijoux de pacotille et onduler les plis soyeux de sa vaste jupe. Savioloff la considère avec mépris, jette un vilain regard à Vorpovsky qu'il déteste, mais les deux arrivants ont déjà disparu à l'intérieur du palais.

À la suite de l'aide de camp, la fille grimpe un escalier en colimaçon jusqu'à un petit palier. Vorpovsky ouvre une porte et la fait entrer en la priant d'attendre, puis referme la porte. Restée seule, la fille examine autour d'elle, bouche bée, les tableaux, les porcelaines, les statues, les ramages multicolores des tapis d'Orient, mais surtout les armes. Des sabres, des poignards aux poignées enrichies de pierres précieuses, des revolvers damasquinés d'or sont accrochés aux murs en compositions savantes. Elle s'étonne du nombre de livres qui s'accumulent partout, sur les étagères, sur les tables, et même par terre, en piles hautes.

Une portière de velours se soulève, apparaît un jeune homme. La tzigane sait très bien de qui il s'agit, toutes les filles de joie de la ville se sont passé l'information ! Elle remarque aussitôt que Nicolas est ivre. Cependant il la salue poliment et lui pose quelques questions courtoises. Habituée à être traitée comme un objet, elle n'en revient pas. Ils font l'amour rapidement, avec toutefois suffisamment de soin pour que Nicolas se révèle un amant exceptionnel. Visiblement pressé, il la conduit ensuite dans la salle de bains dont ses amies lui ont parlé. Elle s'extasie devant la baignoire de marbre, ses pieds foulent délicieusement les épais tapis de laine. Elle se serait bien attardée sur l'ottomane qui lui tend les bras, mais elle n'a que le temps de faire une rapide toilette avant d'être raccompagnée. Sur le palier, elle tombe nez à nez avec une de ses camarades que Vorpovsky vient d'amener. À la suivante.

Après avoir commencé par pincer, dit-on, la gouvernante de ses sœurs à douze, treize ans, Nicolas a courtisé toutes les filles d'honneur de sa mère, obtenant des succès qui auraient bien étonné celle-ci, convaincue de la vertu de ces demoiselles. Petit à petit, il a été pris d'une véritable boulimie de courtisanes, toutes sont folles de lui ! Elles le trouvent beau, généreux, particulièrement doué au lit, et la façon dont il les traite les émerveille. Ne dirait-on pas qu'il s'adresse à elles comme si elles étaient des femmes du monde ? Ces dernières aussi, d'ailleurs, n'ont d'yeux que pour lui. Nombre d'entre elles s'offrent à lui quasi ouvertement. Il ne refuse jamais. La baronne H… La comtesse Y… Et même la petite princesse L…

Presque toutes les femmes qui défilent dans ses appartements remarquent qu'au cours de leur tête-à-tête le grand-duc fixe longuement un portrait accroché au mur, lourdement encadré. Il représente une jeune fille altière, blonde aux yeux bleus, très belle. « Je l'aime mais elle ne veut pas de moi », murmure-t-il rituellement. Certaines invitées attribuent ce propos à l'ivresse, d'autres y décèlent une profonde tristesse.

C'est bien de tristesse dont il s'agit. Car la grande-duchesse Alexandra avait décidé de marier Nicolas, une manière classique d'assagir ce fougueux jeune homme qui, de toute façon, avait atteint l'âge de convoler. Sa mère s'était donc tournée vers l'Allemagne, réservoir inépuisable d'épouses pour la famille impériale, et son choix s'était arrêté sur la princesse Frederika de Hanovre, une beauté exceptionnelle.

Une entrevue avait été organisée selon l'usage de l'époque pour deux jeunes royautés qui veulent se rencontrer sans trop s'engager. Le rendez-vous avait été bref mais décisif. Nicolas était tombé fou amoureux de Frederika. Le coureur patenté, le don juan infatigable était transfiguré !

De retour en Russie, il avait annoncé la bonne nouvelle à ses parents qui, enchantés, et après avoir reçu l'aimable autorisation de l'empereur, avaient fait la demande officielle, certains qu'elle serait acceptée. Or, la jeune princesse ne voulut pas de Nicolas. N'était-il pas assez titré, assez beau, assez intelligent ? Si, mais Frederika avait décidé de ne jamais se marier. Ses parents en étaient restés aussi horrifiés que les parents de Nicolas perplexes. Rien à faire pour fléchir l'entêtement de la princesse…

Ce refus avait rendu Nicolas encore plus amoureux. Le portrait de Frederika, expédié avant son refus, était accroché dans sa chambre. L'amour impossible s'était transformé en passion exclusive. À sa mère, il avait exposé les sentiments contradictoires qui l'agitaient :

— Je sais qu'un jour vous y parviendrez et que vous m'imposerez l'Allemande de votre choix !

— De toute façon, tu auras ton mot à dire, Niki. Et puis les Allemandes ne sont-elles pas d'excellentes épouses ? avait répliqué la grande-duchesse avec un sourire enjôleur.

— Je hais les Allemands.
— Oublierais-tu que je suis allemande?
— Vous, c'est différent.

Comment Nicolas apprend-il la nouvelle? D'abord en remarquant que son père est absent de plus en plus souvent. Bien sûr, ses responsabilités dans la Marine, au Conseil d'Empire auprès d'Alexandre II le retiennent loin de sa famille, mais désormais il reste invisible à des jours et des heures où son fils était accoutumé à le voir.

Mais c'est le chagrin de sa mère qui surtout l'alerte. Cette femme gaie, frivole, qui raffole des fêtes, refuse maintenant de sortir. Elle a les yeux rouges, Nicolas remarque qu'elle pleure souvent. Il s'inquiète pour elle au point de se livrer à une démarche pour lui particulièrement pénible. Il questionne Mirbach, tout simplement parce que son ancien bourreau est le confident de sa mère.

Celui-ci est trop content de le satisfaire :

— Votre père a une maîtresse !

Encore quelques rumeurs, et Nicolas est capable de reconstituer ce qui s'est passé.

Elle s'appelle Anna Vassilievna Kuznetsova. C'est la fille illégitime d'un comédien et d'une ballerine. Elle-même aurait voulu être comédienne mais son accent grasseyant l'en a empêchée, alors elle est devenue ballerine, et célèbre. Ce n'est plus une jeunesse, on ne compte plus ses succès d'alcôves, elle a même été mariée. Le grand-duc Constantin, jusqu'alors respectable époux et père de famille, la cinquantaine atteinte, s'est épris d'elle comme un collégien d'une étoile, mais la belle fait des manières. On ne cède pas aussi facilement, même à un grand-duc ! Et Constantin en est devenu presque fou. Il a couru chez son frère lui demander l'autorisation de divorcer pour épouser Anna! L'empereur a évidemment refusé.

Depuis, Constantin couvre la Kuznetsova de cadeaux, lui a acheté une maison en Crimée, en a fait construire une pour elle dans le parc même de Pavlovsk, alors que la dame se trouve enceinte de ses œuvres!

De tout temps, les empereurs et les grands-ducs ont eu des maîtresses et des bâtards, à tel point que c'en est devenu chose courante, mais Nicolas ne supporte pas de voir sa mère souffrir. Lui, Nicolas, n'est pas marié, il peut avoir toutes les filles qu'il désire, mais son père? Tromper ouvertement sa femme! Oser envisager, même un instant, de la quitter! L'idole de Nicolas vient de tomber de son piédestal.

Sur ces entrefaites, la grande-duchesse se retire dignement et seule à Pavlovsk. Nicolas court l'y rejoindre. Il veut l'assister, la consoler. Mais que dire à une mère trahie, sinon lui manifester son amour? Il l'encourage à se distraire. Ce n'est pas dans sa solitude de Pavlovsk qu'elle oubliera, qu'elle acceptera le voisinage de l'usurpatrice. Il faut qu'elle revienne à Pétersbourg et, au lieu de refuser les mondanités, qu'elle s'y précipite, ne serait-ce que pour faire taire les mauvaises langues. Alexandra accepte. Nicolas croit avoir gagné. C'est alors que sa mère lui lance:

— C'est toi qui es responsable de tout! Si tu avais une vie un peu plus rangée et normale, ton père n'aurait pas commis un tel écart. Ce sont tes débauches qui l'ont inspiré, c'est sur toi qu'il a pris exemple!

Cette injustice anéantit Nicolas au point qu'il ne peut ni répondre ni protester. Il ne comprend pas que la grande-duchesse, dans son humiliation, sa souffrance, doit trouver un coupable pour éviter de s'avouer qu'elle n'a pas su retenir l'homme qu'elle aimait. Elle n'admet pas qu'il soit possible de résister à sa beauté à laquelle vont tous ses soins et qu'elle croit invincible. Et c'est Nicolas qu'elle punit. Désormais, Alexandra va afficher le mépris que lui inspire son enfant naguère préféré. Elle ne veut plus le voir. Nicolas a rejeté son père, le voilà rejeté par sa mère.

Alors il se laisse glisser vers le désespoir. Il boit de plus en plus. Tout y passe, le champagne, le cognac, même la vodka, et le pire c'est qu'il tient admirablement l'alcool. Les doses qu'il avale auraient assommé n'importe quel ivrogne aguerri mais lui reste debout et encore lucide. Son tempérament devient de plus en plus exigeant. Il lui arrive même de faire venir en une nuit douze filles dans sa garçonnière. Douze fois, le fidèle Savioloff doit ouvrir la petite porte du palais de Marbre. Geignant et les jambes tremblantes, il doit veiller jusqu'à l'aube. Douze fois, Nicolas a fait l'amour en une nuit, et toute la société de Pétersbourg, avec horreur et émerveillement, de se répéter cet exploit! Car Nicolas, jusque-là plutôt discret sur ses multiples aventures, veut aujourd'hui que tout le monde puisse sonder la profondeur de son abaissement. L'alcool et les femmes, il n'en sort plus.

Ce matin-là, il s'est levé tôt malgré un coucher tardif. Il n'a pas exactement la gueule de bois, mais cet homme si mobile, si actif, a de la difficulté à se mouvoir et même à réfléchir. L'esprit embrumé, il laisse son regard errer sur les porcelaines de Chine, sur les tableaux de la Renaissance italienne, sur les statuettes mayas et les jades aztèques, car il est allé jusqu'à s'intéresser à l'art précolombien quasi inconnu à l'époque. Lecteur omnivore, il se sent incapable, ce matin-là, d'ouvrir le moindre ouvrage ni même de feuilleter les éditions rares, les volumes pour bibliophiles, les grands exemplaires illustrés qui l'entourent. Savioloff entre pour annoncer que le docteur Havrowitz demande à voir le grand-duc.

Le docteur Havrowitz, c'est le médecin de famille. Il en a soigné tous les membres, à commencer par le grand-duc Constantin qui lui a offert deux bagues en diamant arborées avec fierté. Pour le récompenser de ses bons et loyaux services, l'empereur l'a nommé conseiller privé. Bien qu'il soit allemand, Nicolas a de la sympathie pour lui.

Le docteur Havrowitz pénètre dans le bureau, enlève son grand manteau qui traîne presque par terre, retire son haut-de-forme. C'est un petit homme replet, toujours armé d'une canne à pommeau doré, toujours chaussé de ses lunettes cerclées d'or. Essoufflé d'avoir monté le grand degré du palais, il est assez dans la familiarité de la famille pour s'asseoir sans en être prié par le grand-duc.

— Quel bon vent, cher docteur ?

— Pas le bon vent, Altesse Impériale, mais le résultat de vos récentes analyses.

Silence de Nicolas.

— Ces analyses ne sont pas bonnes…

Nicolas regarde le docteur d'un air interrogatif mais ne dit toujours rien.

— Votre Altesse Impériale a contracté une maladie vénérienne.

— J'ai attrapé la vérole ?

— Combien de fois vous ai-je dit de prendre des précautions. Je vous ai prévenu ! Au train où vous alliez et avec les partenaires que vous choisissiez, c'était quasi inévitable. Pourquoi n'avez-vous pas voulu m'écouter ? C'est comme si vous l'aviez fait exprès.

— Qui vous dit que je ne l'ai pas fait exprès…

Le docteur Havrowitz ne répond pas, il tapote ses bottines du bout de sa canne. Nicolas sent qu'il n'en a pas fini.

— Allons, cher docteur, ne faites pas cette tête-là ! Vous me donnerez les traitements habituels, cela passera, on ne meurt plus de la vérole.

— Parfois si, Altesse Impériale, lorsque la maladie est grave.

— Vous voulez dire que je suis en danger de mort?

— Vous êtes dans un état de faiblesse générale due à vos excès, je vous avais pourtant recommandé les fortifiants. Peut-être êtes-vous atteint depuis plus longtemps que je ne le saurais dire. Il faut que vous changiez immédiatement de vie, que vous commenciez un traitement radical et surtout plus d'excès et beaucoup de repos, sinon…

— Sinon, cher docteur?

Le docteur Havrowitz ne répond pas.

— Sinon, cher docteur, je n'en ai plus pour longtemps!

Pour toute réponse, le docteur Havrowitz se lève, s'incline profondément, se coiffe de son haut-de-forme, reprend son manteau et, en soufflant bruyamment, gagne la porte et disparaît.

Ainsi, il est condamné à mourir jeune. Nicolas a un étrange sourire. Et comme tout Russe en de telles circonstances, il murmure *nitchevo*.

Dans quelques jours, le grand-duc Nicolas va atteindre sa majorité. Malgré les dissensions familiales, l'événement doit être célébré comme si de rien n'était. Son père, sa mère, ses frères et sœurs, ses anciens professeurs, ses familiers préparent fébrilement leurs cadeaux. Une fête a été organisée, une animation joyeuse remplit le palais de Marbre à la perspective de ces réjouissances. Quoi de plus joyeux à fêter que l'anniversaire de ce jeune homme qui a tous les dons et devant lequel va s'ouvrir apparemment une vie comblée?

Le futur héros du jour note dans son journal:

« Très bientôt, j'aurai vingt ans. Aurai-je plus de liberté? Pourtant ce jour de ma majorité est le grand jour de ma vie! C'est le

moment de regarder ce que j'ai traversé. Peut-être est-ce un peu étrange, mais jusqu'à maintenant je n'ai vécu qu'en pensant au futur, je craignais de me souvenir du passé...

« Mon enfance a été très triste. Je me rappelle certains jours heureux, mais pas chez mes parents. Les seuls moments heureux que j'ai passés pendant toutes ces années, c'était lorsque j'ai séjourné chez l'empereur et l'impératrice.

« En fait, je ne veux pas retourner en arrière, parce que je ne veux pas avoir à l'esprit qu'il peut y avoir des enfants heureux.

« Je ne comprends toujours pas pourquoi je ne suis pas aimé, bien que l'on dise autour de moi que ce n'est pas vrai. Ai-je fait du mal à qui que ce soit ?

« Peut-être est-ce que je fais partie de ces êtres dont la seule présence génère des sentiments négatifs chez autrui ? En imaginant que cela puisse être vrai, je sens le poison absolu de la rage se répandre en moi. D'où est-ce que cela vient, puisque les enfants ne naissent pas avec le poids de la colère... La personne qui m'a inculqué cette horrible pensée s'est rendue coupable d'un grave péché...

« Il me revient de cette époque deux ou trois bons moments, quelques bonnes idées, malheureusement pas de bons sentiments. Cependant, par nature, j'en ai eu en moi, sûrement, mais ils ont été enterrés par l'Allemand. Il faut désormais que je les fasse renaître car il est impossible de vivre seulement avec sa tête.

« Pourvu que cette Académie militaire me change, pourvu que mes meilleures qualités se lèvent dans mon cœur et que toutes les pires se dessèchent et meurent. Je me rappellerai ce que j'écris aujourd'hui lorsque j'atteindrai trente ans, bien sûr si je ne brûle pas cette feuille avec d'autres documents, comme j'ai brûlé tout ce qui concerne Mirbach. Amen.

« *27 décembre 1869.* »

Nicolas peut tout brûler, sauf les souvenirs qui le tenaillent...

Ils sont tous là autour de la table pour fêter sa majorité. Toute sa famille, tous ceux qui l'ont entouré depuis sa naissance. Ils sont quarante au moins dans la grande salle baroque du premier étage, la plus belle du palais. Les marbres des pilastres et des bas-reliefs ont ces mêmes teintes pâles que dehors les eaux glacées de la Neva et le paysage recouvert de neige. Tous paraissent joyeux, même les domestiques en livrée brodée, culottes courtes et bas de soie. Malgré le protocole, ils servent depuis tant d'années au palais qu'ils font partie de la famille et sourient lorsque les convives se tournent vers Nicolas et tendent leur verre pour boire à sa santé.

Debout devant sa chaise, Nicolas les regarde l'un après l'autre sans y faire attention. Avec un sourire distrait, il s'incline légèrement pour répondre à leurs vœux. Son verre, il ne le lève qu'en direction de Mirbach... Mirbach le fouettant, lui tirant les oreilles, lui tapant sur les mains avec une règle de fer... Mirbach lui administrant des douches glacées, le frappant avec tant de violence que sa tête en était ébranlée, Mirbach s'acharnant sur lui jusqu'à réveiller chez l'enfant ses terribles maux de tête.

Son père n'était pas suffisamment présent pour subodorer ce martyre, que tout le monde autour de lui connaissait, les frères, les sœurs, les domestiques, les gouvernantes, mais que personne n'avait osé dénoncer, par peur des représailles. Sa mère quant à elle ignorait les détails, mais d'emblée elle approuvait toujours ce que faisait Mirbach. Elle avait affecté longtemps de préférer Nicolas à ses autres enfants, et elle l'avait aimé si mal...

— À ta santé, Nicolas, et puisses-tu vivre jusqu'à cent ans !

Pour toute réponse, il émet un ricanement grinçant. Cent ans... Alors que selon le docteur Havrowitz, il n'en a que pour quelques mois !

4

Il est encore tôt le matin, le train vient de quitter Berlin qu'elle a trouvé lugubre. Elle se pelotonne dans son compartiment de première et regarde par la fenêtre les étendues recouvertes de neige.

Hattie Blackford est américaine. Elle est jeune et sa beauté est ravageuse. Des yeux de feu, une bouche sensuelle, une longue chevelure blonde, des rondeurs excitantes, chaque parcelle de son corps inspire la volupté et les hommes en la voyant ne rêvent qu'à une seule chose, toujours la même. Elle le sait, elle en a pris son parti et même elle en profite ; elle en a fait son métier. Étant donné son âge, elle n'en est qu'au début de sa carrière mais son ambition est de dépasser ses grandes aînées, La Castiglione, Lola Montes, et même Cora Pearl, son amie et « professeur ». Cela, elle ne l'avoue cependant pas dans son journal, où avec un joli talent elle consigne le récit quotidien de son existence.

Depuis longtemps, elle désirait visiter la Russie, sur laquelle elle avait dévoré nombre d'ouvrages. Elle avouait être attirée par ce pays à travers son histoire. Elle était fascinée par Pierre le Grand qui s'était fait charpentier et avait épousé une vagabonde, par les palais de glace construits sur ordre de la tsarine Anne, par les « splendeurs sauvages » de la grande et cruelle Catherine II. Elle imagine des attelages de chevaux fougueux, des collines glacées sur lesquelles on glisse à une rapidité vertigineuse, des nuits sans la moindre obscurité. Depuis l'enfance, elle répétait à sa mère que c'était là où elle voulait vivre quand elle serait grande. Sa mère levait les bras au ciel : « Mais vous pourriez être gelée ! » Rien n'y faisait : « Quand j'irai là-bas, j'aurai soin de porter des fourrures », affirmait-elle alors qu'elle était loin d'en posséder à l'époque…

Le train ralentit, arrive dans une petite gare, elle déchiffre le nom de Wirballan. C'est la frontière avec la Russie, tout le monde doit descendre. Première mauvaise surprise, les douaniers fouillent ses bagages et confisquent tous ses livres. Impitoyable est la censure impériale… Seconde mauvaise surprise, son passeport n'est pas convenablement visé, il faut l'envoyer à Königsberg et attendre trois jours. Comment, trois jours dans cet endroit perdu ? On ne contourne pas le règlement !

Elle proteste si fort qu'on finit par lui dénicher une chambre au-dessus du bureau des douaniers. Un lit en fer, une cuvette blanche sans une goutte d'eau. Hattie entend les cloches annonçant le départ des trains puis les sifflements des locomotives, elle voit par la fenêtre des voyageurs joyeux se presser vers l'express qui les emmènera en Russie.

L'heure du déjeuner arrive. Elle descend dans la salle commune, trouve sa camériste Joséphine tenant dans ses bras son bichon adoré, Lloyd, en proie à des convulsions. Elle tente tout pour le ranimer… Trop tard, il expire sous ses yeux.

L'après-midi, pour se distraire, elle essaie de regarder le paysage en se penchant par la fenêtre, mais la poussière en a scellé les battants. Elle ne parvient à ouvrir qu'un petit vasistas, l'air froid entre à flots. Elle aperçoit au loin un dôme bleu semé d'étoiles dorées. Un kiosque, certainement ? Enfin un peu de distraction ! Elle court dans la rue, demande où est le kiosque : il n'y a pas de kiosque, il n'y a qu'une église. Elle s'y rend. En y pénétrant, elle est séduite par cet intérieur scintillant d'or et d'argent. « Ce qui brille a toujours eu le don de me captiver. » Son avenir allait amplement le prouver.

Lorsqu'elle revient au poste-frontière, Hattie trouve le chef de la douane discutant avec un civil. Elle comprend vite qu'il s'agit d'un agent de la police secrète. Ces messieurs lui demandent si elle n'a pas de relations en Russie qui pourraient l'aider. Elle cite plusieurs de ses anciens « clients ». Ils font la moue…

— Connaissez-vous, madame, le général Trepoff ?

Il s'agit du fort redouté chef de la police d'État de Saint-Pétersbourg. Hélas, Hattie n'a jamais eu le plaisir de le rencontrer. En revanche, elle connaît bien M. Goodenough.

— Ce n'est pas un nom russe, madame !

— Comment ? Il est très connu dans le théâtre !

Le théâtre… Les deux hommes ont soudain une illumination :

— Vous voulez parler de Stepan Ghedeonov, le directeur du théâtre de Sa Majesté ?

— C'est lui, c'est bien lui !

Deux sourires éclairent le visage de ces messieurs.

— Vous êtes actrice, madame ?

— En effet.

En fait, elle n'a connu qu'un théâtre, le monde où, depuis

sa jeunesse, elle ne joue qu'une seule pièce, la vie. Ces messieurs lui apportent obligeamment de quoi écrire. Elle rédige un télégramme à l'adresse de Ghedeonov puis elle remonte dans sa tanière et s'endort tranquillement.

À deux heures du matin, on frappe à sa porte, elle se réveille en sursaut. Ces messieurs lui annoncent qu'ils viennent de recevoir un télégramme, justement du général Trepoff, l'autorisant à poursuivre son voyage.

Le train de Hattie roule désormais à travers l'Empire. Des étendues de neige sans fin, des arbres dénudés et noirs telles des ombres chinoises, ici ou là une isba, dans les gares des grappes de moujiks chevelus et graisseux, et pourtant Hattie ne trouve rien de triste dans cette monotonie. Le convoi atteint enfin la capitale. À la gare dite de Varsovie, elle déniche un commissionnaire de l'*Hôtel de France* où elle doit descendre. Il lui trouve un fiacre qui, si l'on en juge par sa vétusté, doit remonter au temps de la Grande Catherine !

On dit qu'il faut découvrir Saint-Pétersbourg l'hiver. À travers la vitre à moitié verglacée, Hattie aperçoit des perspectives colossales, des colonnades aussi blanches que la neige, des palais baroques, des cathédrales énormes, des canaux gelés, des statues imposantes. Dans les rues, les passants sont nombreux, qui se pressent devant les magasins. Son fiacre croise des traîneaux qui filent aussi vite que le vent.

À l'hôtel, elle reprend ses esprits, d'abord en se plongeant dans un bain chaud et parfumé, puis en dévorant des tranches de pain russe, le meilleur qu'elle ait jamais mangé. Quatre heures de l'après-midi n'ont pas encore sonné et déjà la nuit tombe. Elle se jette sur son écritoire et envoie des billets à toutes ses connaissances masculines, avec à leur tête Ghedeonov, le fameux directeur de théâtre. Il n'y a plus qu'à attendre, et voir si la pêche sera fructueuse.

La nuit blanche de Saint-Pétersbourg

Le portier de l'hôtel qui avait juré connaître l'adresse de tous ces messieurs fait chou blanc :

— Cet imbécile vient de m'annoncer qu'il n'a pu en trouver qu'un dont voici la réponse, annonce Joséphine en tendant un billet à Hattie.

Un petit mot du prince Gagarine : « Faites-vous la plus belle possible et attendez-moi à votre hôtel à minuit. »

Minuit arrive, personne. Elle n'y croit plus quand, soudain, le prince Gagarine se matérialise, un vieillard certes, mais aimable, disponible, un beau titre aussi et une fortune considérable. Une voiture les mène rondement à quelques pas de là, au *Restaurant vert.*

Hattie se retrouve dans une vaste salle pleine d'uniformes. Des hommes uniquement, et tous des militaires. D'après leur âge et leur allure, elle les surnomme immédiatement « le club de la vieillesse argentée ». On lui passe un verre de vodka, qu'elle avale d'un trait. C'est une nouveauté pour elle, et dans son journal elle notera soigneusement que le goût évoque une sorte de whisky de maïs. Elle est fascinée par les galons, les aiguillettes, les brandebourgs, les décorations que portent ces officiers. Elle leur pose cent questions sur le sujet. Bientôt, elle connaît aussi bien les rangs et les régiments de l'armée russe que le général le plus chevronné !

Elle apprend à faire cul sec à la russe : on passe le bras droit sous celui de son voisin et on boit le verre jusqu'au fond, puis on s'essuie mutuellement la bouche et on s'embrasse trois fois, deux fois sur les joues et la troisième sur la bouche. Ce sport lui plaît singulièrement et lui permet d'étaler ses dons. Bref, le souper ne finit qu'à sept heures du matin. Gagarine lui propose un tour en troïka pour prendre l'air, et c'est beaucoup plus tard qu'elle retrouvera sa chambre à l'*Hôtel de France,* avec la conviction d'avoir bien gagné sa nuit.

Hattie passe les jours suivants en accomplissant le matin les devoirs du parfait touriste — elle visite tous les monuments de Saint-Pétersbourg — et en passant ses nuits à boire avec la vieillesse argentée. Mais elle a d'autres ambitions...

C'est alors que se manifeste une collègue anglaise. Mabel Grey avait débuté comme vendeuse dans un magasin de mode où sa beauté avait été vite remarquée. Hattie avait entendu parler d'elle à Paris, on disait que Mabel avait été « du dernier bien » avec l'un des fils de la reine Victoria avant d'être enlevée par un boyard qui l'avait installée en Russie. Elle avait désormais pignon sur rue dans la capitale.

La réputation de Hattie l'ayant précédée, Mabel était curieuse de la rencontrer :

— Vous êtes aussi irrésistible qu'on me l'a annoncé !

Telle fut son entrée en matière, à laquelle Hattie répondit finement :

— Quant à vous, on ne vous a vraiment pas rendu justice. Vous êtes encore plus unique que ce que je croyais !

Sans en avoir l'air, Mabel observe Hattie sous toutes les coutures :

— Vous avez une qualité que les dames de Cour n'ont pas. Vous vous occupez de votre apparence jusqu'au moindre détail, vous ne laissez rien au hasard.

Mabel a atteint un âge et un statut qui suppriment toute rivalité possible. La complicité de langage et de profession font le reste entre cette Américaine et cette Anglaise perdue au fond de l'empire des tsars.

L'Anglaise invite l'Américaine à délaisser la « vieillesse argentée » pour la « jeunesse dorée », et la présente à force princes, comtes, barons sémillants et polyglottes. Hattie soulève leur enthousiasme en s'exprimant dans un russe hésitant qu'un étudiant lui enseigne plusieurs heures par jour. On boit

énormément de champagne, puis on s'entasse dans des traîneaux et on se précipite chez les tziganes, ces cabarets à la mode
dont le nombre ne cesse de croître dans les îles voisines de la
capitale.

Les traîneaux glissent silencieusement, le froid est coupant,
il traverse les habits et même les fourrures... On arrive chez
Dorrots, l'endroit chic de l'époque, et sans transition Hattie
passe du pôle aux tropiques. Il règne une chaleur dense dans
ce local transformé en jardin d'hiver, avec des plantes exotiques, des fontaines murmurantes, des grottes tapissées de
coussins qui invitent au tête-à-tête. Une porte s'ouvre à deux
battants, et entrent les tziganes : de très jeunes filles, d'autres
moins jeunes, des hommes plutôt beaux qui gardent un air
farouche. Ils entonnent des chansons tantôt tristes à pleurer,
tantôt joyeuses jusqu'au rire. Suivent des danses sauvages,
frénétiques, endiablées.

Hattie est tellement prise par le spectacle qu'elle détache de
son poignet un bracelet en diamants, trophée d'une défunte
liaison, et le jette aux danseurs... Enthousiasme des tziganes !
Enthousiasme de la « jeunesse dorée » qui ne veut plus lâcher
Hattie ! Les fêtards lui proposent une excursion à Tsarskoïe
Selo, le village proche de Pétersbourg où se dresse le palais
impérial d'été. Ils empruntent le train, ils ont même réservé
pour leur bande un wagon entier. En trois quarts d'heure, ils
sont arrivés dans la petite gare et se retrouvent dans la ravissante villa du prince Gagarine.

Une vingtaine d'hommes, jeunes et fringants, et deux
femmes, Mabel et Hattie. Les musiciens du régiment du prince
viennent donner une aubade, puis l'on boit à s'étourdir jusqu'au moment où Hattie, stupéfaite, voit les soldats-musiciens
s'emparer du prince, leur colonel, le lancer en l'air et le rattraper avec une habileté prodigieuse ! C'est la plus grande marque

d'affection que les Russes puissent donner, lui explique-t-on. Cette affection, ne va-t-on pas en administrer aussi la preuve à Hattie ?

Elle se sent aussitôt saisie par quarante mains, jetée en l'air, juste le temps de croire sa dernière heure venue avant d'être rattrapée en douceur et remise à terre. Elle s'est si brillamment tenue que ses admirateurs renouvellent plusieurs fois l'exercice avant de boire tous à sa santé en la déclarant brave entre les braves.

Puis ils repartent en traîneau et pénètrent dans le parc du château impérial. Sous le clair de lune, les traîneaux glissent dans les allées enneigées pendant que leurs occupants beuglent des chansons et boivent à même le goulot des bouteilles de champagne et de vodka. Ils aboutissent chez un autre colonel, prince également. Ils se remettent à faire de la musique, à danser jusqu'à l'aube, sans cesser un instant de boire ! Ils décident même de continuer en allant à cheval visiter une ménagerie voisine, mais Hattie n'en peut plus. Elle déclare que son amazone la serre, s'effondre sur le premier canapé venu et s'endort profondément, alors que les autres, increvables, sautent en selle et disparaissent.

Au bout de trois semaines de ce régime, Hattie est à moitié morte de fatigue. Malgré l'aide de Mabel, la « pêche », sans être infructueuse, ne s'est pas révélée d'une qualité suffisante… La vieillesse argentée paye volontiers mais se fait rare ; vu l'âge, il faut espacer les excès. Quant à la jeunesse dorée, elle est plus ardente, plus présente, mais moins dorée qu'il n'y paraît. Les parents riches serrent les cordons de la bourse à leurs fils.

Ce soir-là, Hattie, trop lasse, a décidé de ne pas sortir. Bien qu'elle ait reçu plusieurs invitations, elle préfère rester dans sa suite de l'*Hôtel de France*. Dès huit heures du soir, après un léger souper, elle s'est mise au lit, espérant que dix heures de sommeil lui permettront de récupérer.

Mais à minuit elle se réveille. Elle prend un livre et le parcourt en attendant que le sommeil revienne. Le temps passe, elle n'a plus aucune envie de dormir, et son livre l'ennuie. Hattie se lève et erre en robe de chambre. Passant près de son bureau, son regard tombe sur une invitation pour le soir même au grand bal de l'Opéra. Mabel Grey l'avait découragée : « Cette affaire a perdu tout son éclat. Naguère, les grands-ducs et même le tsar avaient l'habitude d'y paraître, mais maintenant il n'y a plus que des bourgeois ! »

Hattie tourne et retourne le carton et, sous le coup d'une impulsion, elle décide de s'y rendre sur l'heure. Seule, c'est impossible. Elle réveille sa fidèle femme de chambre et lui demande de l'accompagner. Joséphine se laisse convaincre, non sans avoir grogné. Elle aide sa maîtresse à se parer. En toutes circonstances, Hattie s'habille avec le plus grand soin. Comme Mabel l'a remarqué, elle ne laisse aucun détail de sa toilette au hasard. Ce soir-là, elle choisit une robe légère et souple en soie blanche qui s'harmonise avec son domino de soie noir et son masque orné de dentelles. Joséphine relève ses cheveux blonds en un chignon de boucles qu'elle pare d'un long fil de perles, ce qui, de son propre avis, lui donne une sorte d'élégance slave.

Les deux femmes partent en fiacre. Avant d'entrer, elles ajustent leur masque. Des lustres énormes éclairent brillamment la salle blanc et or. Les sièges du parterre ont été enlevés pour faire place aux danseurs. Les loges réservées au souper sont décorées de guirlandes de fleurs, mais il y a fort peu de monde. Il est trop tard, ou alors le bal n'a pas eu grand succès.

— En vérité, c'était bien la peine, soupire Joséphine.

— Tais-toi et assieds-toi dans le coin en m'attendant.

Hattie qui ne se décourage pas facilement va faire un tour. Elle avise un détachement de la jeunesse dorée qui entoure un homme légèrement plus jeune que les autres, très grand, et d'une extraordinaire beauté. Bien qu'elle ne l'ait jamais vu auparavant, son physique l'attire comme un aimant. Elle s'approche. Malgré son masque, ses amis la reconnaissent, et l'un après l'autre lui proposent leur bras.

— Non, messieurs, ce soir je ne veux aucun de vous ! Je ne prendrai que le bras de ce beau garçon qui m'est inconnu…

Le jeune homme s'incline gracieusement, offre son bras et part avec Hattie dans les couloirs brillamment éclairés qui contournent les loges. Il est si grand qu'il doit se pencher vers elle pour lui dire :

— Pardonnez-moi, mais je connais mal l'anglais…

— Aucune importance, je parle aussi français !

Le jeune homme la bombarde de questions. Est-elle depuis longtemps en Russie ? A-t-elle déjà vu l'empereur ? Les grands-ducs ? La Cour ? Hattie regrette de répondre par la négative ; comme toutes les Américaines, les royautés la fascinent et son plus cher désir reste de rencontrer la famille impériale.

— Sais-tu qui je suis ? demande alors le jeune homme en passant brusquement au tutoiement.

— Non, répond Hattie, je ne sais rien de toi sauf que tu es jeune, que tu es beau, que tu es capitaine aux gardes à cheval et aide de camp de l'empereur.

Le jeune homme est ébahi par la science de Hattie, ignorant que « la vieillesse argentée » l'a entraînée à reconnaître les uniformes les plus divers. Effectivement, explique-t-il, il est aide de camp de l'empereur qui a ainsi voulu remercier son père, un riche marchand de Moscou, des sommes considérables que celui-ci a dépensées pour la guerre de Crimée.

— Quant à moi, je suis pauvre, car j'ai gaspillé toute ma fortune avec les jolies femmes !

Il scrute Hattie, tâchant de deviner ses traits sous le masque.

— Comment t'appelles-tu, beau masque ?

— Fanny Lear pour te plaire, lance Hattie sur une inspiration.

— Fanny Lear ! J'ai déjà entendu ce nom. N'est-ce pas celui d'un vaudeville de Meilhac et Halévy qui a eu tant de succès à Paris ?

Hattie le félicite pour sa culture.

— Je me rappelle même l'intrigue, poursuit-il. N'est-ce pas l'histoire d'une fille de marin qui reçoit un vaste héritage et monte à Paris pour s'acheter un marquis comme mari et se faire une place dans l'aristocratie ?

— J'aimerais que ce fût mon histoire. Je ne suis pas née avec les vertus des pauvres mais avec celles des riches.

— Alors, Fanny Lear tu seras !

Ainsi intronisée, elle se serre contre le jeune homme et se met à lui raconter les mille folies qui lui passent par la tête, ses impressions sur la Russie, sur Saint-Pétersbourg, sur le régime impérial, de l'arbitraire dont elle a tâté, à commencer par l'incident à la frontière.

Le jeune homme lui propose de s'asseoir. Elle en meurt d'envie et se dirige vers une des banquettes couvertes de velours rouge qui s'alignent contre les parois.

— Pas ici ! s'écrie le jeune homme, je possède une loge, nous y serons beaucoup mieux.

Elle le suit jusqu'à ce qu'il s'arrête devant une porte. Un laquais galonné l'ouvre. Elle découvre un petit salon tendu de damas rouge et or sur lequel sont partout brodées les armoiries impériales à l'aigle bicéphale. La porte s'est refermée, Fanny est seule avec le jeune homme qui l'attire doucement sur un sofa. Il tire de sa poche un porte-cigarettes en or sur lequel Fanny remarque de nouveau les armes impériales. Elle le dévisage avec ébahissement.

— Eh bien, mademoiselle Fanny Lear, vous n'avez donc jamais vu un grand-duc de Russie ! s'exclame-t-il gouailleur, et il lui demande d'ôter son masque.

Elle s'y refuse. Alors il l'interroge avidement sur les beautés que cachent le masque et le domino. À quoi ressemble-t-elle ? Ses formes sont-elles aussi parfaites que la main et le pied qu'il entrevoit ? Silence.

— Êtes-vous jolie ? finit-il par demander presque avec angoisse.

— Jugez par vous-même, Monseigneur… et Fanny ôte son masque.

L'un et l'autre se dévisagent. En expert, il inventorie les yeux étonnés, sombres mais si lumineux qu'ils paraissent clairs, la bouche au dessin voluptueux, le cou bien dégagé par le chignon, le décolleté prometteur, la taille souple, l'extraordinaire sensualité de l'ensemble.

Fanny remarque qu'il est magnifiquement bâti, les épaules larges, la silhouette élancée, la taille fine. Un mélange de force et de grâce. Ses mains larges et musclées l'attirent, des mains qu'elle aurait envie de sentir sur son corps. Elle détaille encore le visage ovale, la peau très blanche, le front large et découvert, signe d'une vive intelligence, les sourcils noirs et épais, le nez droit, «voluptueux comme ceux des anciennes statues de Vénus et d'Apollon». Ses yeux l'étonnent. Très enfoncés, elle les avait crus bruns, mais ils sont plutôt vert-doré. Elle y lit l'ironie, mais le regard change sans cesse, il devient maintenant rêveur, tendre avec parfois un nuage de tristesse. C'est sa bouche qui affole Fanny. Plutôt grande, avec des lèvres rouges dont la courbe l'ensorcelle, un sourire tantôt caressant, tantôt brûlant. Elle a envie de lui crier : «Embrassez-moi, et pour avoir senti vos lèvres sur les miennes j'accepterais la mort immédiatement !»

Cependant, il continue à la caresser du regard.

— M'avez-vous assez regardée, êtes-vous satisfait ? lui demande-t-elle.

— Pas à moitié assez, je ne crois pas qu'on puisse jamais vous contempler suffisamment.

Elle se lance alors dans un discours désordonné, parle pour cacher son trouble et l'empêcher de trop s'avancer. Il lui a pris la main :

— Appelez-vous ça une main ? C'est une petite patte d'oiseau...

— N'en riez pas car je pourrais être tentée de vous prouver qu'elle est forte à retenir.

Il la serre dans ses bras, elle tente de lui échapper. Cela le fait rire.

— Serait-il possible de vous raccompagner chez vous pour y souper ? lui demande-t-il

— Pourquoi pas ! Mais à cette heure-ci, le personnel de l'hôtel doit être couché.

Qu'à cela ne tienne, il enverra son aide de camp trouver des victuailles.

Au moment de partir, Fanny se souvient de sa cameriste, la bonne Joséphine qu'elle retrouve sur sa banquette, l'attendant toujours. À la sortie de l'Opéra, une nuée de valets les entoure.

— Karpych ! crie le grand-duc.

Un nain se matérialise aussitôt à leurs côtés, vêtu de rouge de la tête aux pieds, jusqu'aux bottes minuscules, avec, négligemment jeté sur ses épaules, un manteau bordé de fourrure qui flotte dans le vent nocturne. Il ouvre la porte d'une voiture magnifique dont le cocher, lui, est un géant.

Fanny découvre alors, déjà assis à l'intérieur, un militaire.

— Le capitaine Vorpovsky, mon aide de camp.

L'homme, sombre de peau et de cheveux, est plutôt beau. Son expression est souriante. Son regard sait apprécier les femmes, il en a vu tellement avec son maître…

Lorsqu'ils pénètrent dans le salon de Fanny à *l'Hôtel de France*, Nicolas Konstantinovitch regarde chaque élément du décor avec curiosité. Il s'arrête devant la jardinière. Au lieu de fleurs, elle ne contient que des bulbes.

— Il s'agit à la fois de ma décoration et de ma salade, Monseigneur, je me nourris exclusivement d'oignons et de pain.

Nicolas éclate de rire.

À ce moment, son aide de camp revient avec ce qu'il a pu trouver dans les cuisines de l'hôtel, un panier plein de volailles, de fruits, de salades. Pour boire, le verre à dents de Fanny suffira. Aucun couvert, ils en sont réduits à manger avec leurs doigts.

La présence de Vorpovsky gêne Fanny. Nicolas le devine, qui enjoint à ce dernier de se retirer.

— J'ai à vous parler, Fanny.

— Il est six heures du matin, Monseigneur, j'ai besoin de sommeil.

— Vous pouvez dormir tout de suite si vous me faites une promesse solennelle.

— Je suis trop bohème pour avoir une parole d'honneur !

Nicolas s'assied au bureau de Fanny et griffonne sur une feuille de papier à en-tête de l'hôtel quelques lignes qu'il lui tend :

— Signez, il le faut.

Et Fanny de lire : « Je jure par tout ce que j'ai de plus sacré au monde de ne parler à personne, de ne voir personne, jamais, nulle part, sans la permission de mon auguste maître. Je m'engage à rester fidèle à ce serment comme une Américaine bien née, et me déclare esclave de corps et d'âme du grand-duc Nicolas Konstantinovitch de Russie. »

Fanny n'en croit pas ses yeux. Est-ce une plaisanterie ? Mais le regard magnétique de Nicolas est à ce point puissant qu'elle sent sa résistance fondre. Comme un automate, elle prend la plume et signe « Fanny Lear ».

Nicolas la serre dans ses bras et l'embrasse :

— Tu es à moi désormais.

Puis cette curieuse confidence :

— J'ai aimé jadis une belle princesse, elle n'a pas voulu de moi. Mais mon honneur est engagé et jamais je n'en épouserai une autre. Tu vois, tu viens de signer là un contrat pour la vie !

Alors ils se laissent aller au plaisir. Elle, avec toute la science que son métier lui a donné, lui avec le tempérament de feu que la nature lui a offert. Elle sent tout de suite qu'il a eu de nombreuses expériences mais il a dû avoir affaire à des femmes insuffisamment expertes ou à des catins de bas étage. Elle lui apprend la lenteur, la progression, les raffinements... Elle lui dicte l'exploration des recoins les plus secrets de son corps de femme. Elle lui fait atteindre dans la volupté des sommets qu'il ne soupçonnait pas, jouant de sa sensualité avec un art consommé. En une nuit, elle se l'attache à jamais.

Le moment est peut-être venu d'apporter quelques rectifications au journal de Fanny, fidèlement suivi depuis l'arrivée de celle-ci en Russie. Selon elle, une impulsion de dernière minute l'a décidée à se rendre au bal de l'Opéra, et donc le seul hasard a présidé à sa rencontre avec le grand-duc Nicolas dont, d'ailleurs, elle ignorait au début l'identité. On peut tout aussi bien imaginer que, ayant dressé la liste des proies possibles avec l'indispensable Mabel, cette dernière l'ait aiguillée vers la soirée décisive, sachant que le grand-duc devait s'y trouver. Soigneusement renseignée, elle l'a reconnu sans trop de mal. Il ne lui restait plus qu'à se placer sur son passage et à le laisser la conquérir. Fanny pouvait être satisfaite, elle avait enfin ferré le gros poisson qu'elle était venue pêcher en Russie.

Le lendemain matin, restée seule, Fanny se sentait selon son propre aveu « comme la princesse de mes rêves », mais lorsque cinq heures approchèrent, l'heure à laquelle Nicolas avait promis de lui rendre visite, elle eut l'impression d'être celle « à qui l'on donne l'éléphant blanc et qui ne sait que faire de ce cadeau... ».

Il a suffi que son amant apparaisse pour que ses appréhensions s'évanouissent. Il a tiré de sa poche un bracelet, une grosse chaîne en or dont le fermoir est un cœur en turquoise, l'a passé au poignet de Fanny, a fermé le cœur et accroché la petite clé d'or à ses breloques.

— Monseigneur, vous êtes trop généreux !

Ni Monseigneur ni vouvoiement, c'est ce qu'il a exigé. Ce soir-là, il devait dîner avec son père le grand-duc Constantin, mais il a envoyé une quelconque excuse et a passé une seconde nuit à l'*Hôtel de France*.

Trois jours plus tard, un billet de Nicolas prévient Fanny que l'on viendra la chercher à sept heures pour l'emmener dîner chez lui. À l'heure dite, on frappe à sa porte, Fanny s'empresse d'ouvrir. Le représentant de Son Altesse Impériale est le nain Karpych, qui se met à parler en russe avec une telle volubilité que Fanny ne comprend pas un mot. Elle le suit jusqu'à la voiture conduite par le géant dont la barbe blanche descend jusqu'à la ceinture.

Arrivés au palais de Marbre, ils ne s'arrêtent pas devant le perron principal mais près d'une entrée de côté que tant de péripatéticiennes et de dames du monde connaissent bien. Le fidèle Savioloff y attend la visiteuse et la conduit à l'étage. Pénétrant dans les appartements privés de Nicolas, Fanny s'extasie devant deux tableaux de Greuze, deux femmes ravissantes, un peu trop innocentes... Puis elle s'arrête devant un portrait qui représente une jeune fille, grande, blonde, en costume de cour. Une beauté.

— Qui est-ce? demande-t-elle innocemment.

— La princesse Frederika, bien sûr.

Fanny contemple l'effigie avec une curiosité avide. Nicolas rompt le silence.

— N'est-ce pas que sa ressemblance avec toi est étonnante?

Fanny n'ose acquiescer. Nicolas s'impatiente :

— Bon, dis-le, que penses-tu de tout ça?

L'irritation perce brusquement dans le ton.

— Si je puis être en quoi que ce soit pour vous ce qu'elle aurait pu être, je le serai...

Elle ne se retourne pas, elle sait qu'il contemple le portrait de cette femme aimée, celle qui a dit non, elle ne veut pas lire son expression.

— Le dîner est servi, annonce Karpych entré sans avoir frappé.

Fanny accueille cette diversion avec soulagement. Nicolas l'emmène vers la table dressée dans un coin pour un souper en tête-à-tête. La nourriture quasi immangeable la surprend; elle se demande comment, avec une armée de chefs français, la gastronomie peut être à ce point absente d'un palais impérial! En revanche, les vins se révèlent de toute première qualité, en particulier un tokay, «cadeau personnel de l'empereur d'Autriche», annonce Nicolas.

Savioloff, tout en assurant le service, regarde sans arrêt

Fanny et glisse à l'oreille de Nicolas des commentaires en russe qui évidemment la concerne.

Après le souper, Nicolas initie Fanny au café turc et au narguilé. Elle doit s'y reprendre à deux fois, elle crache, elle tousse avant d'avaler correctement la fumée odoriférante. De nouveau, elle s'arrête devant les deux tableaux de Greuze.

— Ces femmes représentent la malédiction et le repentir, explique Nicolas.

— Pourquoi ces titres sinistres?

Sans répondre, son amant entraîne Fanny dans la salle de bains. Avisant l'ottomane, elle y prend la pose la plus lascive.

L'érotisme est cette fois pimenté d'une exquise appréhension car le véritable maître des lieux, le grand-duc Constantin, peut surgir à n'importe quel instant. Cette pensée, cette crainte rendent Nicolas et Fanny encore plus ardents. Ce sont un tigre et une tigresse déchaînés de sensualité, enivrés de volupté, qui s'affrontent pendant de longues heures puis restent épuisés sur le tapis à grands ramages.

Fanny passe le reste de la nuit dans les appartements de Nicolas, puis la matinée. En plein milieu du déjeuner improvisé, Savioloff surgit dans la bibliothèque et, affolé, annonce l'arrivée du grand-duc Constantin.

Regardant autour d'elle, Fanny veut se précipiter dans un placard, mais aperçoit son chapeau et sa voilette restés sur le lit. Elle s'y rue et tire sur elle les rideaux de brocart. Ce meuble est la toute dernière acquisition de Nicolas, un lit Renaissance très large et très profond, qui à l'origine hébergeait toute une famille. Quatre colonnes sculptées soutiennent un baldaquin doré.

C'est justement cette curiosité que le grand-duc Constantin est venu admirer! Il tourne autour du lit pour en admirer les détails, suivi de son fils tremblant, puis brusquement il en écarte les rideaux. Fanny n'a que le temps de glisser sa tête sous l'oreiller.

— Qui est cette femme ?

— C'est une personne venue quêter pour une œuvre de bienfaisance. En vous entendant venir, elle a perdu la tête et elle s'est cachée.

— Est-elle jolie ?

— Non, elle est vieille et laide.

Le père de Nicolas éclate de rire :

— Alors, je ne me donnerai pas la peine de la regarder !

Puis il quitte les lieux.

À peine a-t-il fermé la porte qu'il l'ouvre de nouveau, et Fanny l'entend dire : « Je suis sûr, Nicolas, que tu m'as menti. Je crois bien que c'est l'Américaine, et je désire la voir car on la dit fort jolie. »

— Pas question, papa, elle grelotte de peur et ne se montrera pas.

Le père abandonne la partie… Et Nicolas extrait une Fanny tremblante de sa cachette.

— Alors toute ta famille sait… Pour toi, pour moi, pour nous…

— Non seulement ma famille mais toute la ville, et j'en suis ravi ! Car je suis fier de t'avoir pour maîtresse.

À une époque où des barrières quasi infranchissables séparent les générations, Fanny a été heureusement surprise par la camaraderie, voire la complicité qu'elle a décelée entre le père et le fils. Elle aimerait bien revoir le père, à quoi le fils répond par un *niet* catégorique :

— Trop de choses nous séparent lui et moi.

Fanny rase les murs en quittant le palais de Marbre.

5

Nicolas lui a donné rendez-vous à cinq heures de l'après-midi à l'*Hôtel de France*. À peine est-il entré qu'il lui enjoint de jeter quelques affaires dans un sac car il l'emmène sur l'heure. Où ? À Pavlovsk.

Fanny sursaute car la mère de Nicolas, la redoutable grande-duchesse Alexandra, y réside. Nicolas balaye ses objections et la fait monter dans la troïka où a déjà pris place l'inévitable Vorpovsky, l'aide de camp. Bientôt ils atteignent les portes de la ville et s'engagent en rase campagne. La nuit est si noire que Fanny ne distingue rien à part des amoncellements de neige qui ressemblent à d'énormes montagnes blanches. En revanche, le froid est effrayant, le vent la gifle et lui fait venir les larmes au bord des paupières.

Elle voudrait que ses deux compagnons s'occupent d'elle mais ils se sont endormis. Elle craint qu'ils ne meurent gelés, les réveille un peu brusquement, ce qui les met de fort mauvaise humeur l'un et l'autre, et ne les empêche pas de se rendormir aussitôt. La troïka continue de voler dans la nuit sombre et glaciale. Le sommeil, la fatigue, le froid et aussi l'ennui assiègent Fanny. Enfin, elle aperçoit une lumière, puis très rapidement une porte cochère.

Une sentinelle émerge d'une guérite et présente les armes. Une cloche annonce l'arrivée des visiteurs. Fanny ne voit rien du château.

Dans le vestibule mal éclairé, elle se débarrasse de ses vêtements couverts de neige. Nicolas la propulse dans un couloir, une porte s'ouvre, elle se retrouve dans une salle magnifique, brillamment éclairée, merveilleusement chauffée, remplie de chefs-d'œuvre. Nicolas disparaît, il va aller saluer sa mère et reviendra très vite.

Fanny se veut une courtisane accomplie, elle s'est instruite, elle s'est cultivée, poussée par une réelle curiosité artistique. Aussi, en regardant autour d'elle, identifie-t-elle facilement le portrait de Catherine II par Lampi, celui de Pierre le Grand par Nattier, et estime-t-elle à leur juste valeur la table en porphyre, les soieries chinoises brodées de grands oiseaux à ramage, les horloges en bronze du XVIIIe siècle qui sonnent joyeusement, sans aucune discipline et à des moments différents.

Nicolas est de retour. Fanny remarque son visage fermé, son expression triste. À ses questions, il répond avec lassitude :

— Ma mère m'a grondé à propos de toi. Chaque fois que je viens la voir, c'est pour entendre une litanie de reproches…

— Tout le monde dit pourtant que tu es son préféré.

— M'aime-t-elle seulement ?

Ils s'attablent. Et malgré la pesanteur de l'atmosphère, Fanny remarque que pour une fois la nourriture impériale est exquise. Les verres de champagne défilent, Nicolas boit encore plus que d'habitude.

— Je te souhaite de revenir souvent en ce domaine de Pavlovsk auquel je suis si profondément attaché.

Puis prenant la guitare, il se met à chanter de sa voix profonde de baryton. Sa mélancolie et celle de la chanson bouleversent Fanny. Enfin, sous prétexte de lui faire visiter la chambre à coucher, il l'y entraîne pour n'en plus sortir...

Le lendemain matin, le petit déjeuner est plutôt frugal. Uniquement du thé et du pain, ce fameux pain russe qu'elle apprécie toujours autant. Envolé le voile de tristesse qui assombrissait la soirée de la veille, Nicolas se conduit comme un gamin facétieux en vacances. Pour visiter le château, il travestit Fanny afin que ni la grande-duchesse Alexandra ni les serviteurs ne soupçonnent son identité. Avec des fous rires, il lui fait endosser un gilet d'homme, dissimule son visage avec un épais cache-nez, couvre sa tête d'un de ses propres chapeaux. Le manteau long cachera les jupes. Dans cet attirail, il la promène dans sa volière et son parc zoologique. Mais les oiseaux et les cerfs, découragés par le froid, refusent de se montrer.

La visite des grands appartements est ponctuée de frôlements, de caresses furtives, d'attouchements rapides, de baisers volés dans les embrasures. Nicolas s'enorgueillit de la statue de Paul Ier qu'il a fait ériger. Fanny l'écoute vanter cet aïeul. Il était naturellement bon, franc et loyal, il était fier et ne se laissait séduire que par le vrai, le noble et le juste. Il avait peut-être trop de vivacité et des accès de colère, mais qui ne duraient pas. Sa mère l'avait complètement abîmé dans son enfance. Plus tard, elle l'avait entouré d'espions, d'êtres faux qui lui tendaient des pièges. De telle façon qu'on a pu lui bâtir la réputation la plus épouvantable...

Tout en écoutant Nicolas, Fanny se demande à plusieurs

reprises s'il est en train de dresser le portrait de son arrière-grand-père, ou le sien propre. Il s'exprime avec la retenue et l'émotion que l'on met à faire des confidences. A-t-on les larmes aux yeux pour évoquer un ancêtre ?

Voir de près un empereur en chair et en os reste le vœu le plus cher d'une Américaine. Aussi Fanny fait-elle un caprice : elle veut rencontrer Alexandre II.

Elle n'ignore pas que Nicolas ne peut présenter une courtisane à son oncle. Mais elle sait, comme tout Pétersbourg, que chaque après-midi l'empereur fait sa promenade dans le jardin d'Été. Fanny se rend donc dans ce joli parc qui s'étend entre le Vieux Château Michel et la Neva. Elle passe l'élégante grille, franchit le pont léger qui enjambe un canal et se met à marcher dans les allées semées de bosquets et de statues mythologiques.

À deux heures pile, elle voit surgir un traîneau mené par deux magnifiques chevaux et conduit par un imposant cocher. Un officier en descend. Deux membres de la police secrète se matérialisent, qui prennent sa lourde pelisse. Fanny remarque qu'il n'est plus si jeune mais très beau, qu'il porte l'uniforme de chevalier de la garde avec la casquette blanche à bandes rouges.

Avant de commencer sa marche, le tsar Alexandre II promène autour de lui son regard qui s'arrête sur Fanny et semble la transpercer. Ses yeux sont magnifiques, bleu clair, mais l'expression est sévère et presque hostile. Fanny ne sait trop comment réagir, faut-il faire la révérence ou paraître ne pas remarquer l'insistance de ce regard ?

Alexandre II se dirige vers elle. Elle en tremble d'excitation. Après un grand-duc, pourquoi pas un empereur ? C'est un homme à femmes, lui a-t-on appris, et quelle prise ! La plus énorme de toutes. Le maître absolu de la vie et de la mort de cent millions de sujets. Le possesseur d'inépuisables richesses. Le premier collectionneur au monde de pierres précieuses et de bijoux.

Son épagneul noir favori le suit. Peut-être Fanny fait-elle discrètement des appels à l'animal, bref le chien vient la renifler, se laisse caresser, lui lèche la main. « Milord ! » L'empereur d'une voix agacée rappelle l'épagneul, qui obéit. Alexandre II oblique alors dans une allée et s'éloigne. L'occasion est manquée. Et Fanny, bonne joueuse, de se répéter avec extase le proverbe russe : « Dieu a des sujets, mais le tsar a ses fidèles. »

Elle raconte son aventure à Nicolas car elle connaît le culte qu'il porte à son oncle. « Si jamais un malheur m'arrive, l'empereur sera le seul qui aura pitié de moi », répète-t-il souvent. Puis tout de suite cette restriction : « Je me ferais tuer pour lui, mais je voudrais détruire son régime ! »

Chaque jour, Fanny est confrontée aux contradictions de son amant, à cette ambiguïté qu'il cultive, prince jusqu'au bout des ongles et qui ne rêve que d'être un homme libre et créatif. Petit à petit, elle l'amène à des confidences. « Mon père n'a que deux passions, la politique et sa danseuse... » Quant à sa mère, la grande-duchesse, il n'en parle jamais. Fanny, d'instinct, sait que c'est un sujet qu'il est interdit d'aborder. Elle s'étonne de voir cet homme comblé de tout ce qu'on peut désirer, y compris la plus experte, la plus aimante des maîtresses, tomber dans des humeurs si noires.

— Je crois, Fanny, que je suis marqué du sceau de la fatalité et né sous une mauvaise étoile.

Fanny, effrayée, ne sait que répondre. Nicolas, perdu dans ses pensées, poursuit :

— Il me semble que je commettrai quelque jour une action terrible et dégradante.

Quelle absurdité ! D'où lui vient cette folle idée ? D'un rêve effrayant qui revient chaque nuit depuis quelque temps. Quel rêve ? Le même qu'il a fait trois ans plus tôt lorsqu'il se trouvait à Athènes pour la naissance du premier enfant d'Olga. Et de raconter à Fanny ce cauchemar où il s'est vu exécuté pour un crime : « ... Et je me réveillai en sursaut couvert d'une sueur glaciale. » Fanny a un rire qui sonne faux.

— Les songes ne sont que des mensonges !

La profession d'une courtisane demande qu'elle soit calculatrice. Or, Fanny s'aperçoit qu'elle néglige de plus en plus ce credo, tant Nicolas la déconcerte et par là même la désarme. Justement à propos d'argent. Cet après-midi-là, alors qu'ils se promenaient bras dessus, bras dessous le long de la perspective Nevski, l'artère commerçante de la capitale, elle s'est arrêtée devant la vitrine d'une pâtisserie. Elle n'a jamais pu résister aux sucreries. Elle demande à son amant de lui acheter une meringue, une montagne de crème surmontée d'angélique verte irrésistiblement attirante. Nicolas refuse avec brusquerie :

— C'est beaucoup trop cher.

— Comment, trop cher ? Quelques roubles à peine !

Mais déjà Nicolas l'entraîne, presque de force.

Ce même Nicolas qui, la veille, lui a offert un bracelet de plusieurs milliers de roubles, un cercle ouvert en or terminé par deux gros cabochons d'émeraudes. Comment peut-il lui faire une scène pour quelques roubles alors qu'il peut se montrer si généreux et dépenser à profusion pour elle sans sourciller ? Elle a oublié que les membres de la famille impériale n'ont jamais d'argent sur eux. Lorsqu'ils se rendent dans les magasins, il leur suffit d'apposer leurs initiales au bas des notes, elles sont envoyées au palais et immédiatement réglées.

L'éducation du grand-duc n'a fait que compliquer ses liens avec l'argent. Jusqu'à vingt ans, on lui allouait la somme ridicule de dix roubles par mois, puis, du jour de sa majorité, il reçoit d'un coup deux cent mille roubles mensuels alloués par les apanages impériaux.

Chaque jour, au fil de leurs conversations, Fanny en apprend davantage sur l'enfance et l'adolescence de Nicolas. D'un côté, on se montrait d'une sévérité extrême avec lui, de l'autre on le laissait faire n'importe quoi, principalement en ce qui concerne son régime alimentaire. On lui permettait de se contenter de thé et de pain, sa nourriture préférée. On lui passait ses caprices, mais en contrepartie...

Fanny a déjà remarqué sur ses hanches des marques curieuses, des sortes de striures blanchâtres. Un matin, alors que tous deux reposent après une nuit d'amour, elle le caresse et sa main s'attarde sur ces marques.

— Est-ce que ce sont des taches de naissance ?

Nicolas secoue la tête. Elle l'interroge, il ne veut pas répondre et elle est étonnée de lui voir prendre le visage d'un enfant apeuré. Elle met longtemps à lui faire avouer la vérité :

— Dans mon enfance, j'ai été très souvent battu. Ce sont les marques laissées par le fouet de mon précepteur.

Plus touchée qu'elle ne le voudrait, Fanny entrevoit brusquement tout un passé de solitude, de souffrance. Elle-même n'a pas eu une enfance riche et comblée mais au moins a-t-elle été heureuse. Elle décide de l'aider, elle s'institue sa gouvernante : plus d'alcool, un régime sain, des œufs, du beurre, du vin rouge, des côtelettes. Tout d'abord, Nicolas furieux refuse d'obéir, puis finalement il cède, et rapidement il s'en trouve bien. Il a meilleure mine, il prend des forces. « Quel dommage, Fanny Lear, que tu n'aies pas été mon précepteur ! » Fanny sent monter en elle un réel instinct maternel qui l'attache à lui bien plus que les liens sentimentaux ou physiques.

Fanny et Nicolas sont ensemble depuis cinq mois. Il ne peut plus la quitter — même pour un court répit, et lorsqu'il est obligé de le faire, c'est en cas d'absolue nécessité. Fanny, philosophe, constate que tous ses amants passés se sont montrés aussi exigeants. Pendant leur liaison, qu'elle fût de longue ou de courte durée, ils l'ont adorée sans lui laisser une seconde pour respirer.

Mais avec Nicolas c'est différent, car elle est devenue sa complice. Les filles de joie dont il avait fait grande consommation, malgré leur sincérité et leurs bons sentiments, n'avaient hors du lit que des ressources plutôt limitées. Quant aux femmes de la bonne société qui s'étaient jetées sur lui, elles n'étaient qu'ambition, cupidité, ou alors romantisme stupide. Fanny, c'était l'inédit. Familière du grand monde, de ses vedettes, de ses palais, de ses manières, cette Américaine juchée sur les bases solides de la république et de la démocratie de son pays garde vis-à-vis de l'univers monarchique un œil amusé, un jugement détaché. Ses réflexions sur les courtisans qu'elle a rencontrés, les palais qu'elle a visités, les parents dont lui parle Nicolas, enchantent celui-ci et lui font voir ses obligations sous un angle nouveau qui l'autorise à plus de distance. Fanny n'est pas loin de considérer la Cour de Russie comme un cirque, Nicolas la vit comme une prison, ils étaient faits pour s'entendre ! Fanny libère Nicolas, du moins elle lui ouvre un chemin.

Cependant Nicolas, même s'il est amoureux, ne sait rester fidèle. Son tempérament l'en empêche. Et ses obligations familiales lui offrent assez de prétextes pour cacher des rencontres furtives. Ce sont les parfums qui alertent Fanny. À peine retrouve-t-elle son amant qu'elle détecte immédiatement sur ses vêtements, sur sa peau, une empreinte étrangère. Il lui est facile de reconnaître une eau de Cologne bon marché ou une essence importée de Paris, selon que Nicolas sort des bras d'une tzigane ou d'une comtesse.

La nuit blanche de Saint-Pétersbourg

— Vite qu'on m'apporte de l'eau pour nettoyer cette abominable odeur ! s'écrie-t-elle.

Nicolas sourit, elle s'efforce d'en rire aussi car elle sait qu'avec lui mieux vaut éviter de paraître affectée ou de montrer la moindre faiblesse dont il profiterait. Rassuré par son calme apparent, il lui répète ce que les autres racontent sur elle. Il lui montre même leurs lettres pleines de calomnies mêlées à des déclarations d'amour et à des offres indécentes. Lorsque, le soir à l'Opéra, Fanny voit ces grandes dames la toiser, elle se console en se remémorant leurs impudiques aveux de passion.

Pourtant les infidélités de Nicolas, même dénuées de conséquences, l'atteignent. Alors elle se réfugie chez son amie Mabel Grey qui la console, l'apaise, et du haut de ses années d'expérience lui prodigue de judicieux conseils.

Ce jour-là, c'est particulièrement exaspérée que Fanny pénètre en trombe dans le boudoir de Mabel :

— Je ne le supporterai plus ! Il a prétexté un dîner chez sa tante Hélène pour aller retrouver cette Pahlen ! Vous savez bien, Mabel, la longue et maigre qui a toujours l'air sale. Je crois que de celle-là, il s'est véritablement entiché. De toute façon, je n'en peux plus...

Dans son emportement, Fanny n'a pas remarqué que quelqu'un d'autre se trouve dans le boudoir, jusqu'alors enfoncé dans un fauteuil, immobile et muet. Lorsqu'il se lève, Fanny découvre un adolescent dont le visage semble à peine sorti de l'enfance, un chérubin monté en graine, mais dont les yeux et le sourire trahissent une sensualité, presque une perversité, puissamment attirante.

Avec un sourire narquois, Mabel le présente :

— Celui-ci, c'est Nicolas, le comte Nicolas Savine. Et croyez-moi, il ira loin !

87

Non seulement Mabel a pignon sur rue mais elle est désormais fort riche, en conclut Fanny. Si riche qu'elle n'a plus besoin d'être entretenue et qu'elle peut se permettre le luxe d'entretenir à son tour de très beaux et très jeunes hommes comme ce Savine.

Tout naturellement, ce dernier se mêle à la conversation qui tourne autour de Nicolas.

— Aucun homme au monde n'est digne de faire pleurer des yeux aussi tendres…

Le jeunot s'exprime comme un vieux routier de la galanterie. Fanny lui pose des questions banales, pour le seul plaisir de le contempler. Il n'est pas très grand, les cheveux bruns frisés, des yeux bleus étirés, une peau extrêmement pâle, un nez légèrement busqué. Il paraît frêle mais il ne faudrait pas s'y fier.

— Et que comptez-vous faire dans la vie, comte ?

— Entrer dans le régiment de Volynski.

— Mais c'est celui que commande Nicolas ! Voudriez-vous servir sous les ordres de ce méchant homme ?

— Certes, puisqu'il a des chances de devenir empereur…

— C'est la marotte de Savine, interrompt Mabel. Il est persuadé que votre sigisbée montera sur le trône.

— Mais c'est impossible, voyons !

— C'est possible puisque son père, le grand-duc Constantin, est fils d'empereur.

— Tout comme le souverain régnant Alexandre II…

— Non, car celui-ci est né alors que son père Nicolas Ier n'était pas encore monté sur le trône.

Ces subtilités généalogico-juridiques dépassent Fanny, mais elle n'abandonne pas aussi vite l'idée d'avoir pour amant un empereur putatif. Savine sent qu'il prend l'avantage.

— Le grand-duc Constantin est beaucoup plus intelligent

et surtout beaucoup plus intrigant que son frère aîné. Il est très populaire, il ne faudrait pas grand-chose pour qu'il prenne la place d'Alexandre II.

— Et qui lui succéderait, un jour ? insinue Mabel.

— Nicolas, chuchote Fanny abasourdie.

Et c'est fort songeuse qu'elle prend congé.

— J'espère que nous nous reverrons, comte Savine…

— Je n'en doute pas.

Les glaces fondent, les neiges disparaissent, le printemps revient, amenant Pâque, la plus importante fête de l'Église orthodoxe, la première Pâque russe pour Fanny.

Virginalement habillée de blanc, une croix au cou, un cierge à la main, elle se rend à l'église voisine de l'hôtel. Le sanctuaire comme la ville sont plongés dans une obscurité presque totale mais l'église est comble. Les prières se succèdent dans un murmure, puis Fanny sent que l'excitation gagne la foule, l'heure approche. Les voix des popes se font plus fortes, et le murmure s'amplifie dans l'assistance.

Minuit sonne. Un cierge à la main, l'évêque sort de l'iconostase et d'une voix retentissante annonce en russe : « Le Christ est ressuscité ! » D'une seule voix, tous les assistants lui répondent avec une ferveur joyeuse : « En vérité, Il est ressuscité ! » Chacun allume alors le cierge qu'il tient à la main, des flammèches volent partout, en quelques minutes l'église resplendit de lumière. Au loin, le canon tonne pour annoncer l'événement, toutes les cloches se mettent à sonner.

Bientôt, chacun revient chez soi en prenant bien soin de ne pas laisser s'éteindre son cierge. Les rues sont pleines d'hommes, de femmes, d'enfants dont les visages sont éclairés par des flammes mouvantes. Tous se dépêchent de rentrer chez eux pour s'attabler au banquet pascal.

Nicolas est retenu au palais où la nuit de la Résurrection est fêtée avec un éclat extraordinaire. Ayant rejoint l'*Hôtel de France*, Fanny n'a aucune intention de rester enfermée dans sa solitude. Elle a convoqué dans ses appartements quelques joyeux lurons qu'elle a connus à son arrivée à Pétersbourg, et elle leur fabrique un eggnog de sa composition, c'est-à-dire un mélange servi chaud d'œufs battus dans du sucre et du whisky. L'eggnog rencontre un succès prodigieux! La soirée se prolonge fort tard, de plus en plus arrosée. Le pauvre prince L. a tellement abusé de l'eggnog qu'il s'endort à même le tapis du salon!

Il s'y trouve encore le lendemain matin lorsque le personnel de l'hôtel et les domestiques de Nicolas viennent souhaiter la bonne Pâque à Fanny, en lui apportant selon l'usage des fleurs et des fruits. Pour les en remercier, elle remet à chacun un œuf en porcelaine rempli de pièces. Nicolas arrive sur leurs talons. Aux nombreux témoignages qui parsèment le sol, il mesure le succès de la fête de la veille et entre dans une colère aussi subite qu'irraisonnée. Il insulte à ce point Fanny que celle-ci, outrée, lui administre une légère gifle.

— De quel droit oses-tu frapper un grand-duc?

— Pour moi, tu n'es pas un grand-duc mais mon amant. Et lorsque tu oublies d'être un gentilhomme, j'ai le droit de te le rappeler!

Rouge de colère, Nicolas quitte la pièce en claquant la porte, pour la rouvrir quelques secondes plus tard et déposer sur la table le présent qu'il avait apporté, un tout petit œuf de Pâques en or avec, en minuscules pierreries de couleur, le monogramme de Fanny.

L'été venu, Pétersbourg devenu intolérablement chaud se vide. Le grand-duc Constantin et sa famille villégiaturent à

Pavlovsk. Nicolas a loué à côté du domaine une ravissante datcha où il installe Fanny. Elle est enchantée de la maison, du jardin dont les fleurs embaument. Les amants se promènent dans le grand parc ouvert au public, se glissent dans les bosquets touffus, chuchotent des mots d'amour, loin de tout, laissant les insectes bourdonner autour d'eux.

Un incident leur fait retrouver la réalité, quand un jour la femme d'un colonel aborde Nicolas et clame, après une profonde révérence :

— Comment Votre Altesse Impériale peut-elle se compromettre avec une telle femme ?

— Hélas, madame, je me vois obligé de me priver du plaisir de vous adresser la parole.

La dame rougit, disparaît, mais le mal est fait. L'égratignure… Fanny et Nicolas sont obligés d'admettre ce qu'ils évitent de reconnaître : que leur liaison est hautement désapprouvée. Leur amour les enferme dans une étrange solitude, puisque tout le monde est contre eux.

Chaque année, à la fin du mois de juillet, se déroulent à Krasnoïe Selo les manœuvres militaires présidées par l'empereur. La Cour entière s'y déplace pour plusieurs semaines, s'entassant dans de vastes villas en bois qui ressemblent à des chalets suisses. Les dames sont de la fête. Le théâtre impérial aussi, qui donne des représentations dans une salle de bois. Ballerines, actrices se mêlent aux grandes-duchesses. Soixante mille soldats campent dans les environs et participent quotidiennement aux exercices, suivis par l'empereur et la famille impériale du haut d'une petite colline artificielle où des tentes gigantesques permettent de s'abriter du soleil et de se restaurer à des buffets somptueux.

Un chalet, qui porte le nom de Constantin, a été alloué à Nicolas. Il y amène Fanny déguisée en valet et portant la livrée de son amant. Aussi est-ce sur l'impériale de la voiture de Nicolas qu'elle fait le court trajet entre Pavlovsk et Krasnoïe Selo.

Nicolas prend part aux manœuvres à la tête de son régiment, le Volynski. C'est Fanny qui sonne le réveil ou plutôt c'est elle qui entend le canon annonçant l'heure du lever. Elle force son amant à quitter le lit et l'aide à endosser son uniforme en un rien de temps. Elle lui prépare son petit déjeuner qu'il avale au galop puis, cachée derrière ses volets, elle le voit passer fièrement à la tête de son régiment.

Un matin, Fanny vient d'enfiler sa livrée lorsqu'on frappe bruyamment à la porte.

— Nicolas, tu es là ?

Par l'interstice du volet, elle regarde et elle manque de s'évanouir : c'est Alexandre II en personne ! Sans perdre la tête, elle ouvre la porte et s'incline profondément :

— Son Altesse Impériale est déjà partie avec son régiment.

Le tsar inspecte le valet, fronce les sourcils, visiblement intrigué.

— Tu n'es pas d'ici, toi ?

— Je suis allemand, pour servir Votre Majesté Impériale.

— *Vielleicht*[1] (…)

Le tsar hésite, puis s'éloigne. Fanny a eu tellement peur que, la porte refermée, elle a une réaction d'enfant, elle court au grenier et se cache dans un recoin. Le soir, elle raconte l'incident à Nicolas :

— Tu es une fée, Fanny Lear, tu me fais toujours admirer quelque nouvelle qualité.

Les manœuvres laissent de nombreux loisirs qui permettent à Nicolas de faire découvrir à Fanny les palais impériaux des environs. Il l'emmène à Peterhof où, sur son ordre, on fait

---

1. Peut-être (en allemand).

jouer les grandes eaux, ces fontaines magnifiques aux statues de bronze doré qui crachent leurs eaux de mille façons. Nicolas sonne une cloche et aussitôt des carpes plus que centenaires s'approchent pour prendre les gros morceaux de pain que Fanny s'amuse à leur jeter. À Gatchina, un château caserne édifié par Paul Ier, on conserve la chemise ensanglantée qu'il portait lors de son assassinat, et Fanny jure avoir senti son fantôme. Comme elle est certaine d'avoir vu les traces de sang du tsar Pierre III à Ropcha, où il a été assassiné sur l'ordre de sa femme, Catherine II. Tant pis si les historiens les plus sérieux affirment qu'il a été étranglé ou étouffé...

Nicolas l'emmène plusieurs fois à Strelna. C'est la seconde villégiature du grand-duc Constantin, une immensité baroque dressée sur une hauteur et dominant un parc classique qui s'étend en bassins et parterres jusqu'à la mer Baltique. De Strelna, Fanny garde surtout le souvenir de la vieille et très pieuse mère de Bobech, un des fidèles valets de chambre de Nicolas. Fanny avait hésité à accepter cette visite, car elle se méfie de l'hygiène russe : « La propreté n'est pas toujours voisine de la dévotion », répète-t-elle souvent.

Mais elle avait dû reconnaître que là elle avait tort, car l'isba peinte en blanc, aux fenêtres ornées de fleurs, respirait le propre. La vieille les a reçus dans l'unique pièce, apportant aussitôt du pain blanc, du beurre, du fromage, du thé, du sucre, du chocolat, des bonbons, des cigarettes et surtout une bonne bouteille de madère sortie évidemment des caves grand-ducales. Nicolas a demandé à Bobech, le fils, de jouer de l'accordéon. Grisée par la visite de son maître et aussi par un ou deux verres de madère, la mère s'est mise à danser de la façon la plus comique. Elle n'était pas ridicule, elle était attendrissante et Fanny a eu les larmes aux yeux lorsque, en la quittant, la vieille lui a baisé fougueusement les mains.

Entre les manœuvres, les excursions et l'amour, les journées pourraient se succéder délicieusement. Hélas, Nicolas tombe malade. Les médecins ont beau se pencher sur son cas et trouver diverses explications à sa fièvre, Fanny, avec son instinct de femme, en rend responsable la fragilité de son système nerveux. Elle n'en connaît pas les causes, mais elle sait que cela vient de loin, ancré profondément depuis l'enfance.

Plutôt que les potions, elle sent que le remède le plus efficace est sa présence. Aussi ne le quitte-t-elle pas, occupant son esprit en lui lisant les livres les plus distrayants. Elle croit aussi à l'imposition des mains. Pendant des heures, elle garde ses doigts sur son front. Force est de constater qu'il se rétablit.

— Fanny Lear, tu m'as sauvé la vie et jamais je ne te quitterai.

Cependant, ces journées pendant lesquelles elle a constamment veillé Nicolas ont été plutôt éprouvantes. Clouée à son chevet, il lui est arrivé d'observer par la fenêtre les soldats qui passent, les officiers. Peut-être a-t-elle reconnu Savine parmi eux, ce chérubin pervers engagé comme il l'avait voulu dans le régiment Volynski ? Et l'aurait-elle aperçu qu'elle lui aurait certainement adressé un signe de reconnaissance… Le fait est que Nicolas, à peine rétabli, devient inexplicablement soupçonneux à son égard. Il est remis sur pied juste à temps pour assister au grand final des manœuvres, une revue suivie d'une retraite aux flambeaux.

Après l'avoir vu partir, Fanny revêt son déguisement et rejoint le terrain de manœuvres. Il n'y a pas un souffle d'air. Il n'a pas plu depuis des semaines et les sabots des chevaux soulèvent des nuages de poussière au point que, bientôt, on n'y voit plus rien. Nicolas cherche sa bien-aimée au milieu des ombres qui se meuvent dans le brouillard rougeâtre. Il ne la trouve pas et se persuade qu'elle n'est pas venue. Encore mal remis, fragile psychiquement, sa jalousie irraisonnée le reprend : Fanny en a certainement profité pour retrouver un de ces officiers trop séduisants qui pullulent alentour !

Ivre de rage, il revient à la villa Constantin et tombe sur Fanny arrivée quelques minutes avant lui. Il l'apostrophe rudement, lui reproche son absence. Fanny tente d'endiguer le flot, de lui expliquer la vérité, il ne veut rien entendre et la couvre d'insultes. Elle-même sent la rage la gagner, elle saisit une de ses brosses en ivoire et la lui casse sur la tête. Il se précipite sur l'autre brosse, fait le geste de la lancer sur Fanny puis la jette par la fenêtre. Il sort en fermant la porte à clé. Fanny est prisonnière.

Elle entend dehors les musiques entraînantes des régiments et le martèlement des sabots. Tant pis pour Nicolas, elle ne veut pas manquer le spectacle ! Par la fenêtre, elle avise un jeune groom, le hèle et, dans son meilleur russe aidé de gestes, elle lui demande de lui lancer les clés de la maison. Par miracle, le gamin comprend et la libère. Toujours portant livrée, elle s'empare du seul moyen de locomotion laissé à sa disposition, une voiture traînée par des poneys. Elle les fouette et ils partent au galop.

Quand elle arrive sur le champ de manœuvres, la retraite aux flambeaux vient de s'achever. Les régiments, musique en tête, reviennent vers leur cantonnement, alors qu'une somptueuse calèche précédée de gardes à cheval passe devant elle. C'est la grande-duchesse Alexandra qui s'en retourne chez elle avec son fils Nicolas. Fanny croise une seconde son regard et le voit pâlir comme s'il allait défaillir. La voiture de Fanny est immobilisée avec cent autres par le cortège de la famille impériale. Elle les voit tous défiler, avec en dernier Alexandre II sur un magnifique alezan qui accompagne sa femme l'impératrice dans sa Daumont.

Lorsque Fanny, trépignant d'impatience et d'appréhension, peut enfin faire demi-tour, elle se hâte de regagner la villa Constantin. Elle trouve la maison sens dessus dessous, les domestiques affolés courant partout.

Le grand-duc a eu une attaque, le sang lui est monté à la tête... Il faut appeler les médecins ! Sans s'affoler, Fanny fait apporter une bassine d'eau chaude et force Nicolas à prendre un bain de pieds. Elle lui applique des cataplasmes sur les mollets et lui verse de l'eau glacée sur la tête. « Je le soignais comme un enfant », racontera-t-elle dans son journal. Et c'est un enfant qui lui demande pardon.

— Ma chère Fanny, je croyais que tu m'avais quitté. Si un tel malheur m'arrivait, je pense que j'en deviendrais fou, que j'en mourrais.

— D'abord, je n'ai aucune intention de t'abandonner, et de toute façon si je le faisais, cela ne t'empêcherait pas de vivre ! réplique-t-elle plutôt fraîchement.

Elle sait qu'à suivre Nicolas dans les méandres de ses contradictions, elle s'y perdra. Il est irascible, exalté, mais son intelligence impitoyable à force de perspicacité va jusqu'au fond des êtres. C'est aussi un homme bon, aimant, protecteur des faibles. Quant à ses opinions politiques, tantôt il idolâtre l'empereur, tantôt il multiplie les critiques les plus acerbes contre le régime impérial et le gouvernement.

Ici, à Krasnoïe Selo, il avait été heureux parmi ses camarades officiers, parmi les soldats, mais il lui arrivait de vomir l'armée :

— Je ne veux pas m'y encroûter !

— Mais alors, que veux-tu faire ?

— De grandes choses dans de grands espaces. Je m'en sens capable pourvu qu'on m'en donne la possibilité...

Le plus étrange, c'est que Fanny le croyait.

Le lendemain, le camp de Krasnoïe Selo est levé, Nicolas et Fanny reviennent à Pavlovsk. A l'entrée du domaine, ils se séparent. Nicolas va saluer sa mère, et Fanny rentre dans leur datcha.

À peine y pénètre-t-elle qu'elle reste médusée. Tout ce qui faisait l'agrément de l'endroit, les tableaux, les bibelots, les fleurs, les vases, les photos, les livres, jusqu'à la courtepointe de son lit, a été enlevé ! Fanny commence à être habituée. Elle ordonne de fermer les portes et les fenêtres, de n'ouvrir à qui que ce soit. Elle déniche deux châles qu'on a oubliés dans le pillage et s'en sert comme couvertures pour s'endormir sur son matelas nu.

Alors qu'elle commence à sommeiller, elle entend les sonnettes carillonner, des poings frappent aux portes, aux volets, avec insistance, avec rage. Tout d'abord elle refuse de bouger, puis elle va elle-même ouvrir. C'est Nicolas, hors d'haleine. Froidement, elle lui demande des explications. Plutôt embarrassé, il lui avoue que lorsqu'il l'a vue la veille conduisant ses poneys à la fin de la retraite aux flambeaux, il a cru qu'elle le quittait. Alors il a télégraphié à Pavlovsk pour qu'on fasse disparaître tous ses objets familiers. Ensuite, il a oublié... Et ses gens ont manifestement fait du zèle en vidant carrément la maison !

Malgré elle, Fanny abandonne sa mine sévère pour éclater de rire :

— Comme Votre Altesse Impériale pourra le constater, il n'y a plus de courtepointe ! Si elle daigne accepter la moitié de mon lit, je l'échangerai contre la moitié de sa pelisse...

En quelques instants, il n'y eut plus besoin ni de pelisse ni de courtepointe, car dans la douceur de la nuit d'été les deux corps s'embrasèrent, et une fois de plus entre eux la volupté flamba.

La nuit blanche de Saint-Pétersbourg

Le lendemain, Fanny récupérait ses tableaux, ses bibelots, ses livres et ses photos, avec en prime un très long collier de très grosses perles. Elle les regarda longuement, les laissa couler dans ses mains et n'en éprouva aucun plaisir. Elle avait réussi à se faire adorer d'un grand-duc de Russie, beau, riche, et pourtant la lassitude l'accablait au point de lui enlever toute énergie, toute envie de lutter. Les sautes d'humeur de Nicolas, les coups de théâtre qu'il multipliait y étaient certes pour quelque chose mais elle s'interrogeait surtout sur l'avenir de leur liaison. De mariage il n'était pas question, le neveu de l'empereur ne pouvait épouser une courtisane américaine. Elle l'aimait assez pour rester uniquement sa maîtresse, mais combien de temps lui serait-il attaché ?

La Russie aussi avait fini par la décourager, ce pays magnifique mais imprévisible, bouleversant mais incertain : le sol sur lequel elle aurait aimé bâtir une fortune, une position, restait aussi mouvant que celui des marais sur lequel était construit Saint-Pétersbourg.

6

C'est alors que Nicolas décide d'emmener Fanny faire un long voyage. Il a demandé un congé de plusieurs mois pour restaurer sa santé chancelante, comme le lui a prescrit le docteur Havrowitz, celui-là même qui avait diagnostiqué la gravité de sa syphilis. Il doit cependant commencer par accompagner sa mère, qui se rend elle aussi en Europe occidentale. Il quitte donc Saint-Pétersbourg dans un train spécial qui suit de peu l'express emprunté par Fanny.

Ils se retrouvent à Varsovie, que Fanny a détesté tout de suite. Ils traversent Dresde et atteignent Vienne. Pour mieux jouir d'un grand repos, ils s'installent à Gritzig, agreste banlieue pleine de villas coquettes, de vergers opulents, d'auberges hospitalières et plutôt populaires où toute la société viennoise vient boire le petit blanc du cru.

Après les promenades dans la campagne, il fait bon s'attabler sous les treilles. On fait semblant de ne pas se voir mais Fanny, qui a reconnu aux tables voisines quelques archiducs, recueille leurs regards appuyés et éloquents. De même, Nicolas est le point de mire de toutes ces dames. Gritzig accueille pêle-mêle toutes les classes sociales, « y compris celle à laquelle j'appartiens » confie Fanny, celle hautement prisée des courtisanes.

Ce jour-là, elle est partie seule en promenade. Abandonnant rapidement les chemins fréquentés par les illustres promeneurs, elle s'est enfoncée dans un boqueteau et voilà que, sans avoir été repérée, elle tombe sur un couple. Elle reconnaît de dos la femme, une Hongroise de petite vertu, très belle, très sensuelle, et ainsi qu'elle l'avait remarqué très peu soignée. Elle tient la main d'un homme caché par un tronc d'arbre, mais cette main, même à quelque distance, Fanny la reconnaît, c'est celle de Nicolas.

Le couple est engagé dans le dialogue le plus intime. Fanny s'approche, toujours sans être vue. Elle comprend mal l'allemand qu'ils utilisent, suffisamment néanmoins pour attraper une adresse, une heure, un rendez-vous que la Hongroise donne à son compagnon. Le cœur brisé, elle parvient à s'éloigner.

Elle regagne la petite villa de Gritzig, et c'est une furie qui accueille plus tard son amant, vomissant des reproches. Devant son ébahissement, elle lui raconte la scène à laquelle elle vient d'assister. Pour toute réponse, Nicolas s'enflamme, l'accuse d'être une espionne, et avec désinvolture lui déclare que ceux qui écoutent aux portes entendent toujours des choses désagréables.

Alors Fanny lui rappelle tout ce qu'elle a fait pour lui depuis qu'ils se connaissent, son dévouement, son abnégation, sa fidélité, son amour. Elle a tellement raison que, selon la méthode habituelle, il le prend de haut, puis la gifle. D'ailleurs il part, annonce-t-il, et ne reviendra jamais. Adieu Fanny et vive la liberté! Restée seule, Fanny pleure à chaudes larmes, lui écrit dix, douze, quinze lettres qu'elle déchire l'une après l'autre.

La fidèle Joséphine frappe alors à la porte et annonce le prince Gagarine, le plus éminent représentant de la vieillesse dorée qui avait accueilli Fanny lors de son arrivée à Saint-Pétersbourg. Depuis longtemps, il lui fait la cour, sans succès jusque-là. Fanny le fait introduire et tout de go lui raconte ce qui vient de se passer. Bien entendu, il ne laisse pas passer l'aubaine… Il déplore l'attitude inexcusable de Son Altesse Impériale, ce n'est pas là un prince mais un goujat! Si Fanny voulait enfin combler ses vœux et le suivre, il lui promet une vie de rêve, tout le contraire de l'enfer qu'elle a traversé.

Fanny accepte sans hésiter. En quelques instants, ses bagages sont faits. Comme un automate, elle se laisse conduire à la petite gare de Gritzig, mais au moment de monter dans le train pour Vienne, elle hésite.

— Non, je ne pourrai jamais m'y décider. Je ne veux pas le quitter…

Le prince Gagarine lui prend doucement mais fermement le bras et la force à grimper dans le compartiment.

— C'est le grand-duc que j'aime, pas vous! hurle-t-elle alors que le convoi s'ébranle lentement.

— Cela m'est parfaitement égal. Il y a plus d'un an que je vous aime, j'ai enfin le bonheur de vous tenir et je ne vous lâcherai plus.

Arrivé à Vienne, Gagarine s'installe avec Fanny dans une suite somptueuse de l'*Hôtel Sacher*. Et l'y enferme.

Le lendemain matin, elle surprend une conversation en allemand entre lui et son valet de chambre. Elle comprend que Nicolas est venu à l'hôtel et l'a demandée, qu'il l'a même réclamée avec insistance mais qu'on lui a répondu qu'elle n'y résidait pas. Elle lui écrit encore une puis deux lettres, qu'elle cachette sous le couvert de l'ambassade des États-Unis puis de celle de Russie. Le prince Gagarine se garde bien de les poster, comme il «omet» de lui remettre plusieurs missives de Nicolas arrivées à l'hôtel. Il annonce à Fanny que, le soir même, ils partiront pour Cracovie, et de là pour la Russie. Ils quittent l'hôtel par un escalier de service et montent dans une voiture aux rideaux tirés.

Pendant le trajet jusqu'à la gare, Fanny embrasse frénétiquement les breloques, les bagues, les bracelets que Nicolas lui a offerts. Gagarine hausse les épaules :

— Je n'ai jamais vu une femme enlevée se lamenter de la sorte et pleurer ainsi l'amant qu'elle a quitté!

À Cracovie où ils demeurent une semaine, Fanny se calme. Ou affecte de se calmer. Elle paraît si soumise que le prince relâche sa surveillance. Ce n'est d'ailleurs pas de sa part uniquement comédie, elle trouve ce nouveau compagnon plutôt doux, affable, charmant, fort intelligent et, comme elle le confie dans son journal, elle éprouve pour lui «beaucoup d'amitié». Ils parviennent même à un accord : Fanny ira à Paris mettre ses affaires en ordre pour pouvoir le rejoindre par la suite en Russie et se consacrer définitivement à lui.

Le prince l'accompagne jusqu'à Dresde d'où elle poursuit seule vers la France.

Paris, septembre 1872. La ville a bien changé depuis que Fanny l'a quittée; elle se remet à peine des effroyables blessures de la guerre franco-prussienne et de la Commune, et pourtant la beauté, la séduction sont intactes. Comme un enfant retrouve ses jouets après une longue absence, Fanny court les restaurants, les magasins, les boîtes de nuit qu'elle a connus, elle rend visite à des «camarades», à d'anciens amants. Elle se détend, et s'amuse comme une folle. Elle aime Paris plus qu'elle n'a jamais aimé aucun homme. Elle en oublie Nicolas, le prince Gagarine, la Russie, elle veut surtout oublier qu'elle doit s'y rendre dans quelques semaines.

Un jour, on frappe à la porte de son appartement. Une voix russe demande à entrer. Elle imagine que c'est un envoyé du prince Gagarine, elle ouvre. C'est Vorpovsky, l'aide de camp de Nicolas. Il lui tend une grosse enveloppe fermée d'un cachet. Elle n'a qu'à y jeter un coup d'œil pour reconnaître le NK surmonté de la couronne impériale. Elle prend l'enveloppe mais ne l'ouvre pas. Vorpovsky se lance :

— Au nom du ciel, suivez-moi…

— Mais c'est impossible !

— Je vous supplie de prendre connaissance de sa lettre… Il est très malade, et si vous ne revenez pas, vous serez cause de sa mort.

Fanny brise le cachet et lit la longue missive. Nicolas se reconnaît tous les torts possibles, et cependant il aime Fanny de toute sa force, de toute son âme. Il l'adore, tellement qu'il a presque eu honte de ce sentiment et qu'il voulait le cacher… Il la supplie de lui donner au moins l'occasion de la revoir une fois. Après l'avoir serrée dans ses bras, après avoir pu prononcer une dernière fois « Fanny Lear », alors il pourra mourir en paix. Puisse-t-elle ne pas lui refuser cette ultime prière…

Fanny est convaincue, elle est prête à repartir. Mais elle ne veut pas le montrer tout de suite à Vorpovsky. Celui-ci se trompe sur son silence et se lance dans un plaidoyer passionné en faveur de son maître.

Tout en l'écoutant, Fanny l'observe. Il n'est pas mal, ce jeune officier ! Moins beau, moins séduisant que Nicolas, mais tout de même bien charmant, surtout après le vieux Gagarine. Fanny remarque également que tout en défendant Nicolas, Vorpovsky la dévore des yeux. Avec son expérience, elle sent qu'il s'en faudrait de peu pour que cet homme tombe amoureux d'elle mais que, retenu par sa loyauté, il n'osera jamais l'avouer. C'est donc avec un sourire irrésistible et un regard des plus provocateurs que Fanny annonce enfin :

— C'est bon, je me rends à vos arguments. Je vous suivrai.

Vorpovsky, fou de joie, s'empresse d'annoncer par télégraphe la réussite de sa mission. De son côté, Fanny reste secouée par le malheur des jours passés, elle a peur de se tromper, ne sait que croire. Dans l'express qui l'emmène vers Vienne, elle tombe par hasard sur le prince Esterhazy, qui appartient à la famille la plus illustre et la plus riche de Hongrie. Dans son désarroi, elle se confie à lui. Il tâche de la calmer et réussit si bien qu'elle s'endort.

Un arrêt du train la réveille brusquement, on est à Vienne. Fanny voit les porteurs prendre ses bagages pour les descendre sur le quai, elle s'affole, tourne dans le compartiment en prononçant des paroles incohérentes. Elle baisse la vitre avec l'intention de se jeter au-dehors ! Le prince Esterhazy lui prend le bras :

— Gardez votre présence d'esprit. Vous êtes aimée et vous ne devez rien appréhender... Puis il lui glisse à l'oreille : Le grand-duc est là sur le quai.

Fanny n'ose plus bouger. Esterhazy la soulève, lui fait descendre les marches du wagon. Devant elle se tient Nicolas. Il la prend dans ses bras et l'emmène. Fanny n'a même pas la force de remercier le prince.

Nicolas est aussi troublé qu'elle. Il fait des gestes désordonnés, bredouille des mots incompréhensibles. Il a même perdu le numéro du fiacre qu'il a loué, et si le cocher ne l'avait pas aperçu de loin, ils auraient dû rentrer à pied.

Lorsqu'ils sont tous les deux dans la voiture, Fanny retrouve un peu de calme :

— Voilà une belle façon de me souhaiter la bienvenue !

Aussitôt elle se sent serrée à étouffer, couverte de baisers passionnés.

— Tu ne me quitteras plus jamais, n'est-ce pas que tu ne me quitteras plus jamais ? Dis-le moi Fanny...

— Je ne compte rester que trois jours à Vienne.

— C'est ce que nous verrons. Je te tuerai plutôt que de te perdre !

Nicolas a réservé une suite à l'*Hôtel de l'Archiduc-Charles*. À peine chez eux, ils se jettent l'un sur l'autre. Plusieurs jours durant, ils ne quitteront pas leur suite.

Fanny éprouve tout de même quelques remords vis-à-vis du prince Gagarine. Elle ne souhaite pas lui avouer dès maintenant la vérité, pour ne pas rompre tout à fait. Avec Nicolas, sait-on jamais ? Aussi envoie-t-elle à Paris des lettres que l'on postera de là-bas pour lui annoncer que son retour est retardé...

Au bout de plusieurs jours, Nicolas et Fanny émergent de leur béatitude pour aller à l'Opéra assister à une représentation de *La Traviata*. Pendant le dernier acte, Fanny voit les larmes couler sur les joues de Nicolas. Il est en proie à une crise de nerfs si forte qu'il doit se lever et se retirer dans le petit salon situé derrière la loge. Fanny reste à sa place, croyant à une faiblesse passagère. Au bout d'un quart d'heure, il n'est toujours pas revenu.

Elle le trouve par terre, sur le tapis du petit salon, en proie à des spasmes. Il hoquète :

— Je sens, je prévois que nous serons de nouveau séparés, et c'est ce qui cause ma douleur.

Elle réussit à le calmer et à le ramener à l'hôtel.

— Inutile de prévoir des malheurs de si loin, lui affirmet-elle, et pendant le reste de la nuit elle s'applique à lui prouver que seul le présent compte.

L'harmonie revenue, le véritable voyage promis par Nicolas à Fanny peut enfin commencer.

Un grand-duc de Russie ne peut cependant voyager seul avec sa bien-aimée. Les accompagnent tout naturellement le docteur Havrowitz, ce gros Allemand dont Fanny se méfie instinctivement, et Victor Vorpovsky, l'artisan de la réconciliation, désormais l'esclave de Fanny qui n'est pas sans le mépriser légèrement. Savioloff, le fidèle serviteur, ne saurait manquer au groupe, non plus que les valets de chambre, l'indispensable Joséphine et quarante-neuf malles, auxquels se joindront deux chiens appelés Bologne et Venise, en souvenir des cités où ils ont été achetés.

À Rome, Fanny accompagne Nicolas chez les antiquaires où il dépense énormément. À Bari, elle fait avec lui ses dévotions devant les restes de saint Nicolas, son patron et celui de la Russie. À Brindisi, ils s'embarquent sur le vapeur *Amerigo Vespucci.*

Le lendemain, lorsqu'ils montent très tôt sur le pont, le bateau vient d'ancrer à Corfou. Le bleu pâle de la mer se confond avec celui du ciel, les rayons de l'aube avivent les couleurs de l'île éternellement verte et les montagnes de l'Albanie s'esquissent à l'horizon.

Bientôt, une frégate battant pavillon russe s'approche de l'*Amerigo Vespucci.* La présence d'un membre de la famille impériale ne pouvait passer inaperçue ! Nicolas et Fanny distinguent, au milieu d'officiers russes en grande tenue, le beau-frère de Nicolas, le roi de Grèce Georges Iᵉʳ. Fanny n'a plus qu'à disparaître, avec Nicolas d'ailleurs qui descend quatre à quatre endosser son uniforme.

Il remonte tout aussi vite pendant que Fanny reste cloîtrée

sans pourtant perdre une miette du spectacle. Les officiels russes et le roi de Grèce montent à bord pendant que le pavillon personnel du grand-duc est hissé au grand mât de l'*Amerigo Vespucci*.

Lorsque tous quittent le navire, Fanny entend des salves d'honneur tirées par les navires de guerre russes, anglais, français, italiens, turcs qui emplissent la baie. La chaloupe où son amant a pris place se range le long du quai. Une silhouette féminine se jette dans ses bras qu'elle identifie comme la sœur de Nicolas, la reine Olga. Des militaires, des femmes en voilettes et ombrelles montent dans des voitures et le cortège part à toute vitesse en direction de Monrepos, la villégiature des souverains grecs. Elle apprendra plus tard que Nicolas a refusé d'y habiter pour pouvoir la retrouver chaque nuit sur l'*Amerigo Vespucci*. C'en est cependant fini de son rêve de tourisme tranquille avec son amant. Ses journées, elle doit désormais les occuper toute seule. Elle a loué un fiacre et fait de longues promenades sur les routes sinueuses et étroites de l'île. Les oliviers, les lauriers, les lavandes, les romarins forment une symphonie de parfums et de couleurs à laquelle nul ne résiste, mais Fanny peut-elle apprécier cette nature enchanteresse sans Nicolas ?

Un matin, Nicolas lui annonce que sa sœur va la recevoir. Vorpovsky l'y conduira. L'audience n'aura pas lieu à Monrepos où séjourne la famille royale mais en ville, au palais de Saint-Georges et Saint-Michel, réservé aux cérémonies officielles. Pour l'occasion, Fanny, sachant qu'élégance rime avec simplicité, choisit une modeste robe bleue ourlée de blanc.

Lorsqu'elle traverse le vaste hall aux colonnes blanches, elle n'est pas sans éprouver quelque appréhension. La reine Olga est le premier membre de la famille de Nicolas qu'elle va rencontrer, et elle n'ignore pas l'hostilité qu'elle suscite. Une dame d'honneur, toute petite et noiraude, la conduit le long de vastes couloirs sonores.

Le palais lui paraît à peu près vide. La Cour de Grèce est bien loin d'être aussi riche que celle de Russie. Fanny est introduite dans une pièce d'angle, pas très grande mais inondée de lumière. Olga la relève de sa révérence. Elle porte une robe de lin écru à peine ornée de quelques dentelles. Elle ne ressemble pas du tout à Nicolas, son visage est plutôt rond, éclairé par de grands yeux bleus.

Fanny tombe instantanément sous le charme de cette femme jeune, belle et douce, au regard innocent, qui semble ignorer l'existence du mal et qui ne voit chez les êtres que le bien. Elle sait, elle sent que la reine idolâtre Nicolas et qu'en retour celui-ci a la plus sincère affection, la plus profonde confiance en cette sœur dont il ne cesse de vanter la bonté, la générosité, l'humanité.

Olga s'adresse à Fanny comme à une visiteuse de marque. Elle lui pose cent questions sur son voyage, sur les lieux qu'elle a visités. Elle lui suggère des buts de promenade, des monuments à découvrir. Elle l'emmène à la fenêtre d'où l'on découvre l'admirable baie de Corfou qui a inspiré tant de peintres et d'aquarellistes. La conversation se déroule en anglais, que la reine, polyglotte réputée, parle à la perfection tout comme cinq autres langues. Fanny se sent aussi à l'aise que si elle avait toujours connu la souveraine. Elle ne décèle chez elle aucune des réticences que celle-ci pourrait éprouver envers une courtisane, mais au contraire toute la chaleur, toute la sympathie d'une femme envers une autre.

Le nom de Nicolas ne vient pas une seule fois dans la conversation, mais par son attitude, la reine lui fait comprendre qu'elle croit en la sincérité de ses sentiments envers lui. D'ailleurs, au moment de prendre congé, Fanny entend Olga lui murmurer : « *Take care of him*[1] ».

Fanny sort tellement enchantée de sa rencontre qu'elle n'a aucune envie de revenir tout de suite à bord. Aussi propose-t-elle à Vorpovsky de faire une promenade en ville.

Tout lui paraît charmant, les maisons à arcades, les jardinets exubérants, les places biscornues où murmurent les fontaines de marbre, les églises à coupoles byzantines. Elle se sent comme une écolière en vacances. Elle confie à Vorpovsky l'impression que lui a faite la reine Olga et s'étend sur les liens tellement profonds, tellement beaux qui unissent le frère et la sœur.

L'aide de camp en profite :

— Vous vous imaginez la joie de la reine lorsque son frère montera sur le trône de Russie !

— Comment ? Vous aussi, vous cultivez cette chimère ? réplique Fanny qui se rappelle fort bien les propos tenus par le jeune et charmeur comte Savine le jour où elle l'a rencontré chez Mabel.

— Quelle chimère ? Le grand-duc Constantin a bien plus de droits au trône que son frère aîné. Et d'ailleurs il ferait un meilleur empereur. Quant à son fils et successeur, lui seul peut transformer notre empire, notre Russie, en un pays moderne ! Beaucoup de Russes le savent comme moi, car Son Altesse Impériale compte de nombreux partisans, dans l'armée, dans les corps de l'État, dans l'intelligentsia, et même parmi les révolutionnaires.

— Mon Nicolas sera empereur… chantonne Fanny sans se rendre tout à fait compte des paroles qu'elle prononce.

La douche froide, Fanny la reçoit dès le lendemain matin.

---

1. Prenez-soin de lui (en anglais).

Nicolas se trouve encore dans leur cabine lorsque le docteur Havrowitz s'y présente et commence son homélie. La présence de Fanny est devenue trop gênante, tout le monde sait qu'elle se cache à bord et que le grand-duc la rejoint chaque nuit. Les Grecs sont mortellement offensés que le frère de leur reine ait refusé leur hospitalité pour pouvoir coucher avec sa maîtresse ! Les Russes de la flotte en visite sont horrifiés de ce manque de tenue, les étrangers en font des gorges chaudes. Il y va de la dignité de la famille impériale !

Nicolas va pour protester, Fanny l'arrête d'un geste de la main. Elle propose de s'éloigner, elle partira le jour même pour Brindisi, y attendra que Nicolas en ait fini avec ses obligations familiales.

Arrivée en Italie, elle guette le vaisseau qui lui amènera son amant. Elle n'a d'ailleurs pas longtemps à attendre, et tous deux peuvent enfin reprendre leur tournée.

Leur grand divertissement, à Amalfi, est de s'installer à la table d'hôtes comme des touristes anonymes. À Sorrente, le spectacle de la tarentelle ne leur convient pas car la fameuse danse nationale est exécutée par des vieilles femmes hideuses. À Capri, pour monter du port au petit village, on les hisse sur deux ânons. Si petit est celui de Nicolas que ses pieds traînent par terre ! Fanny étouffant de rire le surnomme Don Quichotte, et lui ne l'appelle plus que Dulcinéé.

À Naples, ils courent les antiquaires où Nicolas achète quantité d'objets en albâtre, en porphyre. Tous deux intéressés par l'art contemporain, ils visitent l'atelier du sculpteur Solari dont ils ont feuilleté de nombreux catalogues. L'artiste, qui loue le dernier étage d'un palais aristocratique, s'y est construit un atelier sans rien demander à personne. Il se spécialise dans la représentation du corps humain. En contemplant tous ces nus féminins, Nicolas ravi s'exclame :

— De bien beaux corps, *maestro*, mais vous n'avez pas vu le plus beau !

Et tranquillement, il se met à déshabiller Fanny. Elle ne proteste pas… Emporté par la volupté de l'instant, Solari ne dit mot, ne bouge pas, lui aussi hypnotisé. Lorsque Fanny est entièrement nue, il la détaille lentement. Est-ce l'homme, ou l'artiste qui m'observe ? se demande Fanny. Probablement les deux.

— Altesse Impériale, il faut à tout prix immortaliser cette beauté !

— C'est bien ce que j'avais dans l'idée.

Cependant, comme Fanny ne pourra pas poser puisqu'ils doivent repartir, le sculpteur demande l'autorisation d'effectuer un moule. C'est une épreuve épouvantable, une torture que l'on imagine mal et que Fanny sera prête à déconseiller à toute autre femme ! Le chef-d'œuvre achevé sera envoyé en Russie. Entre-temps, les amants sont repartis pour Rome, Florence, Gênes, Milan, Venise, et enfin Trieste. Là, ils obtiennent l'autorisation de visiter le tout proche château de Miramare, la demeure inachevée du malheureux empereur Maximilien du Mexique. Malgré son incroyable somptuosité, Fanny le trouve aussi sinistre qu'un monument funéraire, elle ne cesse de penser à la veuve du souverain, cette Charlotte dont on ne sait à peu près rien sinon qu'elle est enfermée pour cause de folie dans un château en Belgique. Sur cette note mélancolique, le voyage s'achève.

Les amoureux repassent par Vienne, où ils ont failli se séparer à jamais et où ils reviennent plus unis que jamais. Alors que l'express entre lentement dans la gare de Varsovie, les accents d'une musique militaire se font entendre. Le Volynski, le régiment de Nicolas en garnison en Pologne, est venu l'accueillir. Les soldats sont impeccablement alignés sur le quai et

les officiers sabre au clair présentent les armes alors que retentissent les accents majestueux de l'hymne impérial russe.

Par la fenêtre du wagon, Fanny voit Nicolas descendre et
saluer ses hommes. Une fois de plus, elle est séduite par ce
mélange de noblesse innée, de grâce, d'élégance et de gentillesse. Elle se sent fière de lui.

7

À peine revenu à Pétersbourg, Nicolas est convoqué par son oncle l'empereur. Il se rend au palais d'Hiver, y pénètre par le portail réservé à la famille impériale. Des gardes le reconnaissant, se mettent au garde-à-vous. Lorsqu'il apparaît dans l'antichambre de son oncle, l'aide de camp de service se lève de son bureau, va frapper à une porte, l'ouvre et le laisse entrer.

Nicolas connaît bien la pièce de travail d'Alexandre II pour y avoir été convoqué souvent, la plupart du temps pour des semonces. Au-dessus d'un vaste bureau est accroché le merveilleux portrait par Winterhalter de l'impératrice Marie Alexandrovna, vêtue de soie blanche et couverte de perles. Les effigies des parents de l'empereur, Nicolas Ier et Alexandra Feodorovna, l'encadrent, puis des tableaux représentant des scènes de batailles ou des uniformes de différents régiments.

Peu de sièges mais des tables et des bureaux de toutes les tailles surchargés de dossiers.

Alexandre II porte l'uniforme de son régiment préféré, veste vert bouteille à brandebourgs d'argent, pantalon galonné de noir. Il n'est pas seul. À côté de lui se tient son frère Constantin.

Et Nicolas subit des deux hommes une avalanche de reproches, d'accusations, d'injonctions, avec ce leitmotiv qui revient à chaque phrase : Fanny... Fanny... Les amants n'avaient tout de même pas imaginé que leur liaison passerait inaperçue, surtout de la façon dont ils la menaient ! Nicolas d'ailleurs, avec son goût inné de la provocation, en avait évidemment profité, utilisant Fanny comme le plus beau défi de sa carrière ! L'opprobre de la famille, une honte pour le pays, un scandale sans précédent, une Américaine, une courtisane... Une seule conclusion : il faut rompre immédiatement.

Nicolas finit par rétorquer vertement, en se tournant vers son père :

— Je ne suis pas tant à blâmer, c'est dans le sang !

Et de citer Pierre le Grand, les tsarines Anne, Elisabeth, Catherine II, Paul Ier, Nicolas Ier, Alexandre Ier...

— À propos, papa, pardonnez-moi d'avoir oublié de vous féliciter !

— De quoi, Nicolas ?

— De la naissance de votre fils !

C'est-à-dire du dernier en date des bâtards que lui a donnés sa maîtresse. Le grand-duc Constantin ne peut que rougir jusqu'au blanc des yeux.

Fanny, lorsqu'il lui raconte la scène, jette de l'huile sur le feu car elle dit en avoir appris de belles sur la ladrerie de son père.

— Écoute cela, Nicolas, la Kuznetsova doit le supplier de

lui donner quelques kopecks afin qu'elle puisse acheter des citrons pour lui faire son thé, et s'il lui a finalement donné une villa, c'est parce qu'elle est située dans le parc de Pavlovsk et qu'elle ne lui a rien coûté !

Quant à l'empereur lui-même, il n'est pas plus vertueux que son frère Constantin, ni que ses père et ancêtres.

— Katia ? lance encore Fanny, tu ne lui parles pas de Katia quand il te convoque pour t'admonester ?

Katia, c'est Catherine Mikaïlovna Dolgorouky, qu'Alexandre II déjà quinquagénaire a rencontrée plusieurs années auparavant alors qu'elle n'était qu'un tendron. Elle l'a si bien ensorcelé que, pour elle, il a délaissé la douce impératrice déjà atteinte de phtisie. Il a installé Katia comme sa maîtresse officielle, lui a acheté un ravissant petit palais en ville et lui a donné deux beaux petits bâtards…

— C'est elle, poursuit Fanny, qui fait et défait les ministres. Elle mène ton oncle par le bout du nez. Ça, tu n'oses pas le lui dire quand il te reproche de m'aimer !

Ce que Nicolas n'ose pas non plus, c'est avouer à Fanny que lors de la scène que l'empereur lui a faite, celui-ci lui a jeté à la tête les rapports de la police secrète la concernant.

C'est ainsi qu'il a appris son passé, et d'abord son vrai nom de Hattie Ely. Elle est née à Philadelphie, fille d'un clergyman lui-même issu d'une longue lignée de puritains intraitables. D'un premier mariage avec une demoiselle bien née, il avait eu plusieurs filles. Sur le tard, il avait épousé une femme beaucoup plus jeune, beaucoup moins convenable, avec laquelle il avait eu Hattie. Elle avait grandi dans la frustration de ne pas appartenir à la bonne société de ses demi-sœurs et de ne pas posséder la fortune de ses camarades de classe. À seize ans, alors qu'elle voyageait en train avec sa mère, elle avait rencontré un étranger nommé Calvin Blackford. Elle s'était enfuie avec lui, l'avait épousé avant de découvrir que c'était un ivrogne, de plus tuberculeux. Elle en avait eu un enfant, une petite fille, décédée à quelques mois. Hattie avait alors quitté son mari qui, peu de temps après, était mort également. Bien des rumeurs circulaient sur ce décès. La plus plausible était que le mari abandonné s'était suicidé.

Revenue à Philadelphie, elle avait commencé par travailler à la Monnaie avant de céder aux avances d'un riche Texan, George Madison. Elle aurait bien voulu se faire épouser, mais le Texan se montrait réticent malgré les efforts de Hattie : « Tu es l'homme le plus scandaleux de la ville, moi j'en suis la femme la plus scandaleuse, nous sommes faits pour nous marier ! » Puisqu'il refusait de s'exécuter, elle avait conclu qu'un seul amant ne suffisait pas. Beaucoup d'hommes s'étaient mis à lui rendre visite, aussi avait-elle déménagé dans une maison plus vaste située dans le quartier à la mode de Rittenhouse Square. Avec ces messieurs comme clients, elle avait ouvert un véritable casino. Elle gardait, racontait-on, un gros bol en argent rempli de pièces d'un dollar pour les joueurs malchanceux qui pouvaient y puiser à volonté à condition de lui rembourser leurs pertes.

Dès cette époque, Hattie avait décidé de se cultiver. Pendant que ses amants jouaient aux cartes, elle se plongeait dans la littérature anglaise ou dans la poésie française. Des poètes français ! Dieu du ciel… C'était ce dernier trait qui avait le plus horrifié la société bien-pensante et ultra-puritaine de Philadelphie. Des dames à qui personne n'avait jamais envie de faire la cour firent savoir aux messieurs qu'il était fort mal vu de fréquenter la maison de la courtisane. Les messieurs désertèrent, la courtisane sentit qu'il était urgent de changer d'air.

Avec l'argent qu'elle avait amassé, elle partit pour Paris. Très vite, elle devint l'intime d'une camarade qui était aussi une compatriote, Cora Pearl. C'est elle qui lui conseilla de prendre un « nom de guerre ». Adieu Hattie Blackford, ce fut Fanny Lear qui se lança alors à l'assaut de la société parisienne, en particulier des hommes les plus titrés et les mieux nantis. Ayant appris sa leçon à Philadelphie, elle planifia désormais sa carrière avec méthode.

Elle devint célèbre dès son aventure avec le prince de Galles, le futur Edouard VII. Elle décrocha ensuite un protecteur sérieux, le duc de Bodenbach. Il fut fidèle pendant un certain temps, et extrêmement généreux. Lorsqu'il la quitta, il lui annonça que son nom était lui aussi un « nom de guerre », et que sous Bodenbach se cachait une authentique altesse d'une des innombrables dynasties allemandes. Il lui laissa en cadeau de rupture une somme considérable, que Fanny consacra à l'achat d'un petit hôtel boulevard Malesherbes. Elle y reçut tout ce qui comptait dans les arts et la littérature, tel Alexandre Dumas, un fidèle de la maison… Puis la guerre de 1870 interrompit cette existence prometteuse. Plus d'Empire, plus de ducs, plus d'argent, plus de réjouissances ! Fanny ne voulut cependant pas abandonner tout de suite Paris dont elle s'était éprise, ni les Français auxquels elle était reconnaissante. Elle prit ses repas au restaurant *Le Rendez-vous des obus* et choisit entre le « pâté de rat » et le « consommé de chien à la Bismarck » pendant que les Prussiens assiégeaient la capitale.

Toutefois, elle voyait bien qu'elle ne pouvait s'éterniser dans des conditions aussi désastreuses pour sa profession. Retourner en Amérique ? Il n'en était pas question. C'était son amie Cora Pearl qui lui avait parlé de la Russie. Les messieurs y avaient, disait-elle, le portefeuille reconnaissant et une propension à aimer les femmes légères. L'idéal pour Fanny, qui était partie pour Saint-Pétersbourg décidée à décrocher le gros lot. Et le gros lot, l'imbécile qui s'était laissé prendre dans ses filets, c'était lui ! conclut l'empereur.

Le coup fut rude pour Nicolas, qui mit quelques jours à s'en remettre. Calmé, il proposa un dérivatif à sa maîtresse : une grande expédition militaire se préparait pour coloniser l'Asie centrale et conquérir la ville de Khiva, dont le khan narguait la Russie. Il voulait s'y engager, déjà il rêvait de victoires dans cet Orient fabuleux, il imaginait son retour triomphal, les médailles de bravoure épinglées sur sa poitrine.

— Avec un tel bagage, on ne me traitera plus comme un enfant mais en homme ! Et on me laissera t'aimer en paix...

Fanny se souvint que plusieurs fois durant son voyage avec Nicolas, le docteur Havrowitz avait parlé de cette expédition et avait suggéré que le grand-duc y participât afin d'en recueillir les lauriers. Elle comprit aussitôt la manœuvre. Puisque, malgré les pressions, le grand-duc refusait de rompre avec elle, la seule solution consistait à l'éloigner en l'attirant par quelque mirage oriental, jusqu'à ce qu'il l'oublie — vieille méthode qui depuis des siècles faisait ses preuves dans les grandes familles.

— Ne me raconte pas de blagues, Nicolas, l'idée ne vient pas de toi, mais d'Havrowitz !

Nicolas dut reconnaître que son père et l'empereur lui avaient suggéré de s'engager.

— Certes, insista Fanny, mais c'est Havrowitz qui est derrière ce projet.

Alors Nicolas lâcha tout. Le jour même de leur retour à Saint-Pétersbourg, le bon docteur s'était précipité au palais et, ayant obtenu une audience auprès de l'empereur, s'était jeté à ses pieds en le suppliant de mettre fin au scandale que représentait la liaison de Nicolas avec Fanny. Mais auparavant il avait pris soin, pendant leur voyage même, d'envoyer plusieurs rapports à Alexandre II en lui conseillant d'envoyer Nicolas à Khiva.

— Tu vois, conclut amèrement Fanny, j'avais bien raison de me méfier de lui.

Elle ignorait que l'entourage de Nicolas se perdait en conjectures sur son attachement pour Fanny. Un jeune homme aussi volage, s'accrocher à une courtisane américaine ! On s'était persuadé que s'il s'entêtait, c'était uniquement à cause des pressions exercées sur lui. Dès lors, on avait insensiblement détourné le discours pour porter tout le poids sur le projet de Khiva, son entourage ayant compris que l'idée le séduisait. D'autres à la Cour estimaient plutôt judicieux d'expédier au diable — c'est-à-dire en Asie centrale — un grand-duc qui exprimait des idées par trop avancées... Il pourrait à loisir parler de réformes devant des sauvages aux yeux bridés.

Fanny sentit alors qu'elle n'était pas de taille à lutter, non seulement contre la famille impériale et la Cour liguées contre elle, mais surtout contre le désir de Nicolas de participer à cette expédition afin de sortir de son oisiveté dorée. Puisqu'il brûlait de se mettre à l'épreuve, il n'y avait rien d'autre à faire que de s'incliner.

— Tu verras qu'ils réussiront à nous séparer, murmura-t-elle.

Nicolas se précipita aussitôt chez son père mais, avant de s'engager, exigea toutes garanties concernant Fanny : on ne la toucherait pas, on ne tenterait pas de rompre leur liaison. Le père, trop content de sentir son fils ferré, promit tout ce qu'il voulut. De même l'empereur, auquel Nicolas eut l'audace de dire :

— Ma vie est aux ordres de Votre Majesté, mais il y a une

limite où le grand-duc s'arrête et où commence le cœur de l'homme.

Alexandre II comprenait son cher neveu et saurait respecter son vœu.

Le départ de Nicolas approche. Les jours défilent trop vite, dans la tristesse. Noël est là. Le matin du 24 décembre, Nicolas passe inopinément chercher Fanny à l'*Hôtel de France* où elle habite toujours. Il semble très excité. Il l'emmène sur la place qui s'étend devant le vaste palais Michel, lui fait monter trois étages d'un immeuble moderne, tire une clé de sa poche. Ils pénètrent dans un appartement spacieux et lumineux dont les fenêtres donnent sur le square. Les pièces sont élégamment décorées et meublées avec goût.

— C'est pour toi, annonce Nicolas, c'est pour que tu aies un chez-toi en attendant mon retour !

Un arbre de Noël est dressé dans un coin et, à côté, une table chargée de cadeaux, des livres, des bibelots, des tableaux, des porcelaines et aussi des écrins contenant de petits bijoux. Nicolas veut lui faire essayer le lit immédiatement. Ils s'y jettent et n'en sortent que pour réveillonner.

Le lendemain matin, Nicolas l'attire à la fenêtre. En bas attend une nouvelle surprise, un traîneau tendu de peaux d'ours attelé à deux splendides chevaux noirs avec un cocher, le nommé Vladimir, aux ordres de sa maîtresse. C'est le moment d'annoncer la mauvaise nouvelle : il doit accompagner sa mère, qui supporte mal l'hiver russe, à Nice pour l'aider à s'y installer. Et ce, juste avant son propre départ…

Encore une punition, se dit Fanny.

Ne se résignant pas à être séparée de Nicolas, elle tient à assister à son départ pour la Côte d'Azur. Elle se rend à la gare dite de Varsovie et se dissimule derrière d'autres voyageurs. Un train spécial a été retenu, dont la locomotive chauffe depuis des heures.

Bien que la grande-duchesse voyage incognito, Fanny voit monter dans le train le maréchal de sa cour, le baron Boye, deux dames d'honneur, son médecin personnel, sa masseuse, son coiffeur, le gardien de ses joyaux qui porte la grosse mallette en cuir contenant les simples bijoux de voyage, deux valets de pied, une femme chargée de la garde-robe, quatre femmes de chambre. Bien entendu, tous ont leurs propres valets et leurs femmes de chambre, quinze domestiques en tout, plus le docteur Havrowitz et enfin les bagages. Plusieurs dizaines d'énormes caisses sont hissées dans les fourgons, avec en dernier le piano de la grande-duchesse démonté pour la circonstance. Son Altesse Impériale en effet ne peut jouer que sur son instrument personnel, qui l'accompagne dans ses déplacements, avec le pianiste chargé de l'accorder. Les agents de la police secrète fourmillent, que Fanny a appris à reconnaître puisqu'ils ne quittent pas Nicolas d'un pas. Les gardes en uniforme défendent l'accès du salon d'attente de la Cour dont les rideaux sont tirés.

Soudain la locomotive siffle, les soldats se mettent au garde-à-vous, la porte du salon s'ouvre, la grande-duchesse paraît au bras de Nicolas. Elle est emmitouflée dans des zibelines et une agrafe en saphir retient sa voilette. Elle passe, superbe et majestueuse, inclinant gracieusement la tête pour répondre aux révérences des femmes et aux saluts des hommes. Nicolas sourit distraitement jusqu'à ce que ses yeux croisent ceux de Fanny. Aussitôt son sourire se fige. Il est passé mais il se retourne, cherchant à la voir encore. Déjà elle s'est éloignée. On ferme les portes des wagons frappés de l'aigle bicéphale et, sur un dernier sifflement de la locomotive, le convoi lentement s'ébranle.

Nicolas ne reste que quelques jours à Nice. Assez cependant pour écrire à Fanny plusieurs lettres qui partent par courrier spécial. Elles sont remplies de leur séparation proche : « *Quand je songe que dans quelques jours je te donnerai le dernier baiser, mon cœur est prêt à se déchirer. Je sens que le sang coule moins vite dans mon malheureux corps, c'est horrible !* » Ce qui ne l'empêche pas d'aller à Monte-Carlo et de tenter sa chance sur le tapis vert… Il gagne plusieurs fois, et avec une partie de ses gains achète une couverture turque en velours pourpre aux lourdes broderies d'or qu'il s'empresse d'offrir à Fanny dès son retour, ainsi que plusieurs rouleaux de cinquante louis portant encore le cachet du casino, à quoi s'ajoute un cadeau plus personnel, un bracelet en diamants.

Fanny sourit, Fanny remercie, mais elle est triste car ces présents n'effacent pas l'inévitable. Nicolas va à la caserne faire ses adieux à son régiment. « *Je leur ai exprimé mes regrets de les quitter. Je leur ai dit que je m'étais attaché à eux comme à une famille. Au fur et à mesure que je parlais, je remarquais dans les yeux de nombreux soldats des larmes, et au fond cela m'a beaucoup plus touché que le cadeau que m'ont fait les officiers, une icône. Franchement, j'ai aimé les soldats beaucoup plus que les officiers, et cela explique beaucoup…* »

La veille du départ, il doit aller prendre congé des différents membres de sa famille. Fanny reçoit un billet lui donnant rendez-vous dans l'église de la forteresse Pierre-et-Paul où, selon l'usage, il ira s'incliner sur la tombe de ses ancêtres. Elle monte dans le traîneau qu'il lui a offert, il est à peine deux heures et demie de l'après-midi et déjà la nuit s'annonce. La neige s'est arrêtée de tomber mais une épaisse grisaille demeure. Elle retrouve Nicolas dans le sanctuaire glacial, elle frissonne. Son amant la serre dans ses bras pour la réchauffer. Ils s'arrêtent devant les tombes de Paul Ier, son héros, du tsar Nicolas son grand-père, et enfin devant celle du plus illustre ancêtre des Romanov, Pierre le Grand. Nicolas sort de sa poche une petite croix en or hérissée de cabochons de pierreries :

— Dans mon enfance, mes parents m'ont donné cette croix en ces lieux mêmes. Je te l'offre pour que tu ne m'oublies jamais.

Fanny éclate en sanglots.

De retour chez elle, Nicolas lui donne plutôt froidement des instructions précises sur le comportement qu'elle devra adopter, sur qui voir ou ne pas voir pendant son absence. Il coupe une mèche de ses cheveux et la glisse dans un médaillon d'or qu'il se passe au cou. Fanny lui tend une de ses photographies, il la refuse.

— Avoir ton portrait devant moi m'affecterait vraiment trop.

L'heure approche, il prend Fanny dans ses bras et met sa joue contre la sienne. Elle sent couler ses larmes et elle ne peut plus se retenir : elle le supplie de ne pas l'abandonner. Elle lit dans son regard la tentation de renoncer, mais il se reprend.

Six heures sonnent. Il doit se rendre au palais de Marbre pour dîner avec son père avant d'aller directement à la gare attraper l'express de Moscou.

Ils se séparent sans une parole, sans un baiser.

Nicolas, à peine parti, se met à bombarder Fanny de télégrammes, de lettres.

« *Tiens ferme* », lui demande-t-il du Kremlin à Moscou où il fait escale quelques heures.

« *Malgré longue séparation, suis sûr que ce n'est pas la fin* », lui télégraphie-t-il de Saratov, la ville où le train s'arrête et où commence la véritable expédition.

« *Je t'aime comme un fou* », lui assure-t-il alors qu'il navigue sur la Volga et que son navire arrive à destination.

« *Je sens que je ne supporterai pas un adieu éternel avec toi, c'est plus fort que moi… Les chevaux attendent, je dois partir pour Orenbourg où je serai dans deux ou trois jours.* »

Il atteint cette ville située à 1 700 kilomètres de Moscou. Le voyage l'a tout de même fatigué. Nuit et jour le traîneau a glissé sur la neige, la route était affreuse, mais sa consolation, il l'a puisée dans l'enthousiasme avec lequel il a été partout accueilli. Il est vrai qu'il est le premier membre de la famille impériale à s'aventurer si loin, aussi dans chaque ville, dans chaque village, ce sont des réceptions, des présentations, des gardes d'honneur, des hourras et des acclamations.

Nicolas n'est pas vaniteux, il ne s'attribue pas cette popularité, mais il se grise « *de la puissance de l'empereur de Russie, de cette adoration qu'on a pour sa personne et pour tout ce qui l'entoure* ». Un accès de nationalisme, bien excusable dans sa position et à son âge, lui masque la vérité sur le féroce impérialisme russe. Pierre le Grand l'avait bien compris deux siècles plus tôt : l'empire ne pouvait s'étendre à l'ouest où l'Europe montait la garde. À l'est, il atteignait déjà le Pacifique. En revanche vers le sud-est, il y avait beaucoup à gagner ! À cela près que la majorité de ces territoires infinis qui s'étendaient entre la Russie, la Chine, l'Afghanistan, l'Iran, étaient inhospitaliers et désertiques, recelant cependant des ressources incalculables. Par ailleurs, la présence russe était indispensable pour contrer la sournoise avance des Anglais à partir de leur base indienne.

Pierre le Grand avait envoyé, justement à Khiva, un corps expéditionnaire qui s'était fait massacrer jusqu'au dernier homme, d'où un appétit de vengeance encore virulent deux siècles plus tard. Ses successeurs avaient agi plus méthodiquement, grignotant l'un après l'autre les sultanats qui se partageaient la région et qui en étaient restés au Moyen Âge. Boukhara, Samarkand, Kokand, Tachkent étaient entrés dans le giron russe sous le couvert de traités d'alliance avec les potentats locaux qui n'étaient que des actes d'annexion à peine déguisés. Ne restait plus, pour tenir tête à l'Empire russe, que le khan de Khiva.

Ce roitelet n'imaginait tout de même pas vaincre les troupes du tsar avec sa misérable armée, mais il savait que le désert était pour lui un allié providentiel. Pour l'atteindre, il fallait traverser des milliers de kilomètres dans une des régions les plus redoutables, les plus meurtrières du monde. Aucune armée n'avait réussi à franchir impunément ce rempart, ce qui lui permettait, du haut de ses murs de boue séchée, de narguer l'écrasante puissance russe.

« *Je me figure d'avance les émotions que je vais éprouver pour la première fois de ma vie en voyant dans le lointain, au milieu de steppes sans limites, une bande de brigands à cheval,* écrit encore Nicolas. *Tout mon sang est en ébullition quand je songe à cela... Une autre pensée me fait bouillir aussi, plus fort, c'est quand je vois devant moi une ravissante blonde en costume oriental, les bras derrière la tête, avec un type plutôt occidental. C'est Fanny Lear, mon idole charmante ! Je t'adore. Je t'appartiens tout à fait comme un enfant. Comme un esclave. À toi toujours...* »

L'armée repartie d'Orenbourg atteint Orsk, où l'Europe s'arrête, et le télégraphe aussi. Il envoie un dernier télégramme : « *Sommes en Asie, adieu Europe. Adieu cher Pavlovsk, adieu Fanny Lear, adieu mon amour, adieu chère patrie. Salut pour la dernière fois...* »

On avale des centaines de kilomètres vers le sud avant l'étape d'Irghiz, un simple village au bord d'une rivière. Nicolas ne peut plus télégraphier mais il écrit toujours, sans savoir quand ses lettres parviendront à sa belle.

« *J'ai la fièvre comme autrefois. Mes pensées me tourmentent.*

Mais non, non, me dis-je, il est impossible que ma petite Fanny Lear soit infidèle... Pendant quelques heures, je deviens plus calme. De temps en temps, j'imagine que tu pars avec quelqu'un d'autre pour ne jamais revenir... Quand je suis plus raisonnable, je reprends confiance en toi. Je sais que tu m'aimes et m'aimes beaucoup car tu l'as prouvé quand je suis tombé malade l'année dernière, et au camp lorsque j'étais insupportable...»

Fanny de son côté croit ne jamais recevoir de nouvelles, et pense que leurs ennemis ont gagné. Cette fois, elle a perdu Nicolas! Dans son désespoir, elle ne veut pas attendre, et sur une impulsion elle retourne à Paris, sa ville préférée.

Nicolas, qui forcément l'ignore, lui écrit encore à l'adresse de la place du Palais-Michel à Pétersbourg. Cependant les mornes et pâles steppes d'Asie lui inspirent un retour sur lui-même :

«Lorsque je devins majeur, je sentis que je n'avais pas de famille. Le palais de Marbre m'était devenu odieux. Je me dis alors : je trouverai une famille autre part. Je rencontrai une princesse, je voulus l'épouser, ce projet a échoué. Je continuai à chercher parmi toutes les femmes de Saint-Pétersbourg. Bientôt je fus puni et désenchanté... Enfin je rencontrai la jolie petite blonde Fanny Lear (je n'aime que les blondes), spirituelle et, ce qui est plus grave, tenant à moi. C'en était fait! La mauvaise éducation que j'avais reçue, les déceptions, les systèmes sans fin que j'avais pour me faire aimer, firent que je gâtai toute une année. Comme nous aurions pu être heureux alors, triple insensé que je fus! Et pourtant, voilà bientôt un an et demi que nous sommes ensemble. Puisse le sort nous aider et prolonger notre bonheur...»

L'armée atteint Kazalinsk, le dernier point encore vaguement civilisé. Les colonnes vont s'y regrouper, attendre que l'hiver s'achève et se préparer à la campagne de printemps. Nicolas est ravi parce qu'on lui a donné la responsabilité de faire construire un fort capable d'abriter trois cents soldats. On lui a aussi promis le commandement de l'avant-garde. Il s'occupe de trouver des montures, ces chevaux indigènes, petits, laids mais très résistants, qui peuvent rester plusieurs jours sans manger. Nicolas rassemble les chameaux que l'on chargera des bagages. Il observe les nomades qui représentent tant de races à la fois, les Kirghiz, les Turkmènes, les Ouzbeks, les Karakalpaks. Tous ces Asiatiques ne rêvent que de voir humiliée et domptée Khiva, la ville détestée et enviée, la ville des brigands et des pillards.

Ses supérieurs l'apprécient, ses camarades l'admirent. Seule ombre au tableau, le cousin Georges, duc de Leuchtenberg, un lointain parent. Nicolas le juge sot, insinuant, flatteur, et sa présence l'agace.

Sa distraction consiste à raconter son existence quotidienne à Fanny, un prétexte pour penser à elle... « *Ma petite grande-duchesse de toutes les Russies... J'ai tellement soif d'avoir des nouvelles de toi dans ce désert terrible. Depuis un mois entier, je ne vois que des sables, jaunes ou rouges, des tortues, des serpents et toutes sortes d'insectes plus ou moins dangereux... Tu es ma femme bien aimée, mon épouse, ma moitié. Je t'aime tellement plus que je n'aurais pu aimer ma véritable femme, la princesse. Je t'étouffe dans mes bras, je t'écrase dans mes jambes, je t'embrasse partout et je tombe à tes pieds...* » La distance ne fait qu'aviver sa passion.

Fin mars, l'armée s'ébranle et s'engage dans l'inconnu. Ce désert, on l'imaginait fournaise, c'est un univers de glace. Tout le monde souffre du froid dans les tentes, de la difficulté d'avancer dans les steppes sablonneuses, où même les chevaux et les chameaux habitués au terrain s'épuisent. La tempête s'en mêle, qui souffle cinq jours d'affilée. La température baisse encore, on grelotte. Après la traversée à pied du Syr-Daria gelé, voilà maintenant des pluies torrentielles qui se déversent sur la troupe. Et l'armée du khan de Khiva reste toujours invisible...

Puis un beau jour, les espions annoncent à trois jours de marche cinq mille cavaliers. Nicolas en tressaille de joie ! Enfin le baptême du feu pour ce jeune homme de vingt-trois ans qui brûle d'en découdre. Mais entre l'ennemi et eux s'étend le Kyzyl Koum, « les sables rouges », le désert le plus redouté du monde.

Les pluies sont devenues rares et les puits ont été empoisonnés sur l'ordre du khan. Une chaleur étouffante remplace le froid alors qu'il n'y a presque plus d'eau potable. Un vent infernal souffle sans interruption. Il soulève la poussière rouge qui gifle, pique, aveugle, pénètre partout, dans les vêtements, dans les tentes, dans les bagages, dans les yeux. En même temps, le soleil brûle ces peaux pâles de nordiques. Ils attrapent d'effrayants coups de soleil sur la figure, le cou, les mains. La lumière est à ce point éblouissante que les yeux épargnés par les sables rouges en sont aveuglés.

Chaque jour, la température monte un peu plus. Elle atteint vers midi cinquante degrés. Les hommes sont à bout. Chaque jour, par dizaines, ils s'écroulent sur le sol rougeâtre. On parvient à Adam Krylghan, un simple point sur la carte mais bien nommé, car en dialecte local il signifie « la mort d'homme ».

Nicolas supporte mieux que les autres les conditions ambiantes. Malgré un tempérament nerveux, plutôt fragile, il possède une constitution forte et résistante. De plus, il sait que tous les yeux sont tournés vers lui et qu'il doit donner l'exemple. La poussière, la chaleur, la fatigue, la faim et la soif ne doivent pas avoir prise sur le neveu de l'empereur ! Ses hommes l'adorent car il est toujours de bonne humeur, il se mêle à eux, et il est toujours là pour leur redonner du courage lorsqu'ils en manquent.

À l'approche du fleuve Amyn-Daria, son rêve se réalise enfin : « *Hier, c'était une grande journée, nous avons livré bataille !* » Plus de trois cent mille cavaliers, coiffés de hauts bonnets à poils noirs, ont enveloppé les Russes de toutes parts, galopant en cercle, poussant des cris et tirant au hasard.

La nuit tombée, les deux armées ont campé, l'une en face de l'autre. Le lendemain matin, les ennemis se sont jetés sur les tirailleurs russes avec des cris féroces, les plus hardis s'approchant à quarante pas pour mieux viser. Malgré la disproportion de nombre, l'armement russe et les cinquante canons du général Kaufman ont fait merveille : les ennemis ont été mis en déroute, les Russes se sont emparés de leur camp et les ont poursuivis. Nicolas a vu des cavaliers se jeter à l'eau et se noyer plutôt que de se rendre : « *J'avoue franchement que j'eus des battements de cœur quand les balles sifflaient tout autour de nous. Heureusement, l'ennemi tirait mal, nous subîmes peu de pertes. En général, ce fut une journée terriblement émouvante.* »

Ce qu'il ne dit pas, c'est que tous, depuis le commandant en chef jusqu'au dernier des soldats, ont remarqué son sang-froid, son courage et son énergie. Beaucoup avaient supposé qu'il n'était, comme le cousin Leuchtenberg, qu'un officier de parade envoyé en promenade militaire. On aurait bien soin de ne pas l'exposer au danger que lui-même éviterait soigneusement. Un membre de la famille impériale, ça n'essuie pas les balles ! Or, en une bataille, Nicolas a gagné ses galons. C'est un guerrier, un meneur d'hommes. C'est un héros !

Ils ne sont plus très loin de Khiva. Nicolas suppose que la ville tombera dans quelques jours, mais l'ennemi a encore de la ressource. Alors que l'on touche l'Amyn-Daria, l'artillerie du khan, massée sur l'autre rive, attaque. Un premier boulet tombe non loin de Nicolas, un second se rapproche, soulevant un énorme nuage de terre. Les boulets soudain se succèdent, deux de ses chevaux sont tués avant que l'artillerie russe ne riposte et ne mette l'ennemi en fuite.

Alors, les Russes aperçoivent avec un indicible bonheur l'eau bleue et claire de l'Amyn-Daria. Sans écouter les ordres, les soldats hurlant de joie se jettent dans le fleuve. Ils savent qu'ils ont gagné, que le pari a été tenu, que l'ennemi n'a plus aucune défense. Effectivement, le khan s'est enfui, et la ville de Khiva se rend le 29 mai 1873.

Nicolas n'assiste pas à ce qu'il considère comme une formalité. Il a demandé une permission, que son commandant lui a accordée sans en référer à Saint-Pétersbourg, et il a déjà quitté l'armée.

Revenu à la civilisation et au télégraphe, son premier soin est de donner rendez-vous à Fanny : « *Je t'attends le 6 juillet à Samara, je pars à l'instant, je brûle d'impatience !* »

Ce télégramme, adressé à Saint-Pétersbourg, a été relayé à Paris. Le recevant, Fanny se précipite sur un atlas à la recherche de la ville de Samara. C'est très loin dans l'Oural, à plusieurs centaines de kilomètres à l'est d'Orenbourg. Sans attendre une seconde — Joséphine suivra avec les bagages — elle prend seule le Nord-Express.

Elle ne fait qu'entrevoir Berlin, puis Varsovie... La traversée de la plaine russe la fait bouillir d'impatience. Pressée de retrouver son amant, elle trouve le paysage monotone, ennuyeux. Il fait encore nuit lorsque l'express s'arrête à Moscou. Elle a toute la journée devant elle avant de pouvoir continuer son voyage. Elle profite de ses loisirs forcés pour visiter le Kremlin et les églises, avant de monter dans l'express pour Nijni-Novgorod. Arrivée à destination, elle a juste le temps de grimper sur un bateau à vapeur qui descend la Volga.

Le navire est bondé, plus une seule cabine de première ni de seconde classes. Fanny frémit à l'idée d'être cantonnée dans les troisièmes avec les moujiks, mais le capitaine, galant, lui laisse sa propre cabine. Le voyage est pénible, la chaleur effrayante. Les mouches, les moustiques dévorent Fanny jour et nuit. Les voyageurs ont amené leurs propres provisions de bouche, ils pique-niquent un peu partout. Son regard s'arrête sur un malheureux atteint de tuberculose, qui s'en va vers le sud parce qu'on lui a recommandé pour sa santé le lait de jument fermenté, le *kimus*, une des boissons préférées de Nicolas qu'elle-même trouve ignoble. Les moujiks, eux, sont parqués comme des bestiaux, et Fanny prend une moue de dégoût lorsqu'elle doit traverser leur foule grouillante pour monter jusqu'au pont.

Le navire atteint Kazan. Fanny descend à l'*Hôtel Komengo*, qu'on lui a recommandé. Aucun signe de Nicolas. Aucun télégramme ni message... La chaleur qui ne cède pas l'empêche de dormir et lui coupe l'appétit. De plus, pas un seul livre autre qu'écrit en russe dans toute la ville. Bref, les ressources de Kazan sont limitées au point que la seule distraction pour Fanny consiste à assister par hasard à un enterrement.

Les jours passent, augmentant son exaspération. Toujours pas de nouvelles de Nicolas. Finalement, elle repart vers le nord. Elle reprend le bateau à vapeur, mais cette fois-ci pourvu d'un confort parfait et d'une société charmante. La cabine donne sur le pont et un air frais pénètre entre les persiennes à demi ouvertes. Accoudée au bastingage, elle contemple les méandres verdoyants de la Volga. Elle côtoie un courrier qui va à Saint-Pétersbourg annoncer au tsar la prise de Khiva.

Fanny surprend chez les voyageurs des regards curieux. Elle est certaine qu'ils connaissent son identité mais font semblant de rien. Pour le thé, pour le dîner, elle se retrouve à côté d'une vieille dame qui paraît une habituée. Les deux femmes se prennent de sympathie et bientôt la vieille dame raconte sa vie. Les voyages sur la Volga, elle ne connaît que cela… Elle est très riche et a tellement peur que ses neveux l'empoisonnent pour hériter qu'elle passe l'hiver dans le train entre Moscou et Saratov, et l'été sur la Volga à descendre et à remonter le fleuve. «Même si la nourriture est souvent immangeable dans ces transports en commun, du moins ne risque-t-on pas d'y mourir empoisonné!» Fanny la surnomme «la reine de la Volga», elles sont devenues inséparables. À l'arrivée à Nijni-Novgorod, elles se jettent dans les bras l'une de l'autre. Alors la vieille dame plonge son regard dans celui de Fanny, et la voix tremblante d'émotion lui murmure :

— Que Dieu vous rende bientôt votre prince, et puissiez-vous être heureuse avec lui.

Au bout de quatre jours d'attente, Fanny décide de retourner à Saint-Pétersbourg. Elle est à peine arrivée chez·elle qu'elle reçoit un télégramme de Nicolas, envoyé de Orsk. Il lui donne un nouveau rendez-vous à Samara. L'amour étant plus fort que la fatigue, Fanny refait le même chemin en sens inverse, Saint-Pétersbourg, Moscou, Nijni-Novgorod, la Volga, Kazan… De là, une journée de bateau la mènera à destination.

L'arrivée à Samara est prévue à cinq heures du matin. Dès quatre heures, Fanny est habillée, maquillée, coiffée. Trouver des fers à friser et réussir à travailler sa chevelure dans l'étroite cabine d'un vapeur qui descend la Volga constitue un véritable exploit! Elle scrute avidement la nuit qui commence à laisser poindre l'aube et aperçoit sur le quai, non pas Nicolas, mais deux de ses amis, qui lui tendent une lettre :

« Enfin, après cinq mois, je vais te revoir… Il me semblait déjà que j'étais enterré et que tout était fini, et voilà que je reviens à

la vie… Je suis persuadé que tu avais bien raison, me voilà comme tu disais devenu un homme… »

Il lui demande de suivre ses amis jusqu'au meilleur hôtel de la ville, et là de prendre la chambre numéro 16, car lui-même occupera l'appartement voisin. Elle arrive à l'hôtel, monte dans sa chambre. Le garçon d'étage qui l'a accompagnée sort par la porte de communication et la ferme à clé.

Dans son impatience, Fanny retouche cent fois son maquillage, refait sa coiffure, prend un livre qu'elle est incapable de lire. Elle marche de long en large, elle va au balcon, mais rien. Soudain, elle entend, venus de la rue, des hourras frénétiques, elle reconnaît de loin Nicolas à sa taille et à sa démarche. Une foule enthousiaste, qu'il salue gracieusement, l'entoure sans vouloir le lâcher. Pour un rendez-vous secret…

Il entre dans l'hôtel, bientôt elle entend la porte de l'appartement voisin s'ouvrir, elle reconnaît son pas. Elle tremble d'excitation. La foule massée devant l'hôtel réclame « le vainqueur de Khiva ». Il paraît au balcon, il salue, la foule l'applaudit. Elle entend la fenêtre se refermer. Les pas s'approchent de la porte de communication, elle voit la poignée tourner, mais la porte ne s'ouvre pas.

— Fanny, ouvre la porte !

Le ton est impatient et amusé à la fois.

— Mais je ne peux pas, le garçon d'étage l'a fermée et a emporté la clé.

Il faut encore chercher le garçon, attendre qu'il tourne la clé dans la serrure, et Nicolas se tient devant elle. Elle est tellement bouleversée qu'elle se cache à moitié derrière un rideau. Il la regarde comme s'il allait la dévorer, et elle remarque ses yeux remplis de larmes. Il traverse la pièce pour l'attirer dans ses bras.

Serrés l'un contre l'autre, ils s'embrassent, incapables de

prononcer un mot. Puis Fanny s'écarte un peu et le dévisage. Il est bronzé au point d'avoir la peau presque noire, et maigre à faire peur. Il paraît tellement fatigué... Elle sait trouver les mots pour lui exprimer combien elle est fière de lui. Sans aucun doute recevra-t-il la médaille tant convoitée, la croix de Saint-Georges dont elle a acheté le bijou avant son départ pour l'épingler le moment venu sur sa poitrine.

Ils sentent l'un et l'autre le désir monter en eux mais Nicolas n'est pas libre. Il doit assister au déjeuner que lui offre la municipalité, puis passer en revue les pompiers de la ville ! D'ailleurs ils ne pourront pas s'attarder à Samara, car le père de Nicolas l'a réclamé par dépêche. Au moins auront-ils cette première nuit de retrouvailles tout à eux dans la chambre numéro 16.

Le lendemain, ils embarquent sur le vapeur mais n'ont pas le droit de se montrer ensemble. Fanny monte très tôt à bord pour ne pas éveiller l'attention. Plus tard, arrive Nicolas entouré des autorités et d'une foule d'admirateurs. À chaque escale, une réception officielle attend le vainqueur de Khiva : discours, arcs de triomphe, ovations, roulements de tambour.

La nuit venue, les villes et les villages traversés s'illuminent et, continuellement, Nicolas doit saluer, remercier, faire un petit discours, serrer des mains, embrasser des joues, trouver des compliments. Enfin, dans un moment de calme, il peut se précipiter dans la cabine de Fanny. Il est tellement épuisé qu'il pose son visage sur ses genoux et s'endort.

Une réception triomphale l'attend à Moscou. Plus que le déjeuner officiel chez le gouverneur, c'est l'enthousiasme populaire qui le touche par sa spontanéité et sa sincérité. Le peuple russe, comme Fanny, est fier de Nicolas.

8

Le 12 juillet, Fanny et Nicolas reviennent à Pavlovsk et s'installent dans la datcha de la jeune femme. Ils sont tout à leur bonheur mais n'ont que trois jours pour en profiter, car de nouveau le grand-duc Constantin réclame impérativement son fils à Varsovie pour y saluer l'empereur qui réside en son royaume de Pologne. À cette occasion, il est prévu qu'Alexandre II, reconnaissant les mérites de son neveu, le décore.

Aussitôt Nicolas saute dans un train. Fanny suivra dans quelques jours.

Elle s'apprête à partir lorsqu'une dépêche l'avise que le rendez-vous est déplacé à Vilno, où l'empereur a dû se rendre. Désormais blasée et de plus en plus soumise, Fanny suit les instructions. Elle arrive dans la capitale de la Lituanie sous un violent orage. À la gare l'attend Vorpovsky, l'aide de camp, qui l'emmène dans le meilleur hôtel de la ville. Là, elle commande un dîner qu'elle fait servir dans sa suite, juste au moment où on lui apporte un billet de Nicolas lui demandant de se rendre sur l'heure au palais des anciens grands-ducs de Lituanie : « *Tu entreras par la porte du jardin où se tient la sentinelle qui n'osera pas te retenir.* »

En pleine nuit et sous une pluie diluvienne, Fanny se voit obligée de ressortir. Elle trouve un fiacre qui la conduit à destination mais elle tremble d'appréhension. La laissera-t-on passer ? Heureusement, le nain Karpych se matérialise, qui l'emmène par une porte de service à l'étage noble et la laisse dans un grand salon tendu de damas jaune. C'est dans cette pièce même que le tsar Alexandre Ier avait décidé d'opérer sa retraite vers Moscou et que, le lendemain, Napoléon avait lancé son attaque en étalant ses plans sur cette table ronde au dessus de malachite où Fanny boit son thé.

Nicolas tarde, il assiste à un banquet officiel qui se déroule à quelques salons de là. Enfin, il la rejoint… Fanny se précipite dans ses bras :

— Alors, tu l'as eue, ta croix de Saint-Georges ?

Nicolas a un sourire triste :

— Regarde toi-même.

Fanny reconnaît sur la poitrine de son amant la croix de Saint-Vladimir, un « honneur » de seconde classe. Mais il y a pire. Car c'est le cousin, ce crétin de Leuchtenberg, qui, malgré sa piètre prestation militaire, a obtenu à force de flatteries la croix de Saint-Georges.

— Mais c'est toi le vainqueur de Khiva que toute la Russie acclame !

Elle le sent profondément blessé mais, en même temps, elle a l'impression qu'il cache quelque chose. Elle le questionne, cherche une explication. Finalement, Nicolas avoue : ayant accompli son devoir, et la ville de Khiva étant sur le point de se rendre, il s'était senti si pressé de retrouver sa Fanny qu'il avait quitté le théâtre des opérations sans permission, ou plutôt il s'était contenté de la demander à son commandant direct. Or, avant son départ, l'empereur et son père lui avaient fait jurer de ne pas revenir sans leur autorisation expresse. Ils comptaient évidemment retenir le récalcitrant jeune homme en Asie centrale assez longtemps pour qu'il oublie son Américaine. Il avait donc désobéi, et l'empereur outré avait refusé de lui octroyer la croix tant désirée.

— Vois-tu, Fanny, j'avais projeté de profiter de cette occasion où je serais félicité et décoré pour demander à l'empereur ma plus belle récompense, l'autorisation de t'épouser.

Presque assommée par cette révélation, Fanny tombe dans un fauteuil raide et inconfortable, à la fois transportée et accablée. Il avait beau l'appeler ma grande-duchesse, ma femme, elle savait que c'était autant par plaisanterie que par amour, et jamais elle n'aurait imaginé qu'il oserait braver tous les interdits pour elle. La petite Hattie Ely Blackford de Philadelphie, la gamine dont la mère tirait le diable par la queue, la cadette méprisée par ses demi-sœurs et ignorée par ses camarades, la courtisane vouée aux gémonies par les gens respectables, la paria, entrerait dans la famille impériale et deviendrait la nièce du tsar de toutes les Russies ! C'était impossible.

— Mais, Nicolas, un grand-duc ne peut pas épouser une putain !

Nicolas a un geste agacé.

— Oublie une fois pour toutes ton ancien métier. Nous nous aimons, cela suffit. J'en ai assez de l'hypocrisie des autres, de celle de mon père qui entretient sa danseuse sous le nez de ma mère, de celle de l'empereur qui oblige l'impératrice à supporter sa Katia…

— En m'épousant, tu perdrais tous tes privilèges…

— Au contraire, je gagnerais la liberté !

Fanny est encore trop sous le coup de la surprise pour pouvoir réfléchir. Distraitement elle regarde autour d'elle, le salon d'apparat mal éclairé et froid, dont les lourds meubles Empire s'alignent contre les parois. La pudeur l'empêche, pendant un long silence, de poser la question qui lui brûle les lèvres et qu'elle finit par murmurer :

— Quel a été le verdict de l'empereur à la requête de son neveu ?

— Il ne m'a pas laissé parler, il m'a tout de suite reproché violemment d'avoir abandonné la campagne de Khiva sans son autorisation.

Et à cet instant, le grand-duc héritier avait surgi, Alexandre Alexandrovitch, le géant réputé borné et brutal. Il ne pouvait souffrir son élégant cousin, le chéri des dames, et profitant de sa position il ne manquait jamais une occasion de le contrecarrer, de l'humilier. Se mêlant de la partie, il avait lancé à la tête de Nicolas ses opinions, ses fréquentations. Il l'avait plus ou moins accusé d'être un mutin. L'entrevue s'était si mal passée que Nicolas avait finalement renoncer à demander l'autorisation d'épouser Fanny.

La tête penchée, celle-ci tord nerveusement ses mains :

— Jamais l'empereur ne te l'accordera et...

— Aucune importance, l'interrompt Nicolas, nous irons à Vienne nous marier incognito.

Sa voix devient soudain claironnante :

— Dans mes bras, Fanny, ma petite épouse !

Il l'enlève littéralement à son siège et, l'enlaçant, esquisse un pas de bal. Elle se met à l'unisson, et les voilà qui tournoient dans le silence du vaste salon assiégé par la nuit.

Dès le lendemain matin ils quittent Vilno, non sans avoir pris leurs précautions. Fanny, suivie de la fidèle Joséphine, s'installe dans un wagon de première pendant que Nicolas, solennellement, monte dans son wagon privé attaché en queue de l'express. Alors que le convoi se met à rouler et prend de la vitesse, les deux amants, chacun à leur fenêtre, voient des gendarmes russes courir sur le quai pour tenter d'arrêter la locomotive, preuve que leur départ n'avait pas eu l'heur de plaire à l'empereur. Il s'en faut de peu qu'ils soient retenus, mais désormais plus rien ne les menace.

Fanny rejoint tranquillement Nicolas dans son wagon. Ils sont tout à leurs amours lorsque le convoi s'arrête à la frontière qui sépare la Russie de l'Autriche. Pour Nicolas, pas de problèmes bien sûr, mais la pauvre Joséphine restée dans le wagon de première a maille à partir avec les douaniers car elle ne possède aucun document. Elle est en effet portée sur le passeport de Fanny. Or, point de Fanny. « Où est-elle ? » demandent les douaniers. Joséphine ne peut pas répondre qu'elle est dans le wagon du grand-duc ! Les douaniers, soupçonneux, se mettent à chercher frénétiquement l'absente. Entre-temps, Joséphine réussit à attirer l'attention d'un domestique du grand-duc Nicolas qui aussitôt prévient les amoureux. Fanny descend du wagon de Nicolas à contre-voie, longe les rails entre deux trains à l'arrêt et rejoint son wagon. Lorsque les douaniers reviennent bredouilles, ils ont la stupéfaction de voir la disparue à sa place comme si de rien n'était ! Ils tamponnent les passeports sans rien y comprendre. Les amants en rient encore lorsque le train arrive à Vienne.

À peine installés à l'*Hôtel de l'Archiduc-Charles*, ils se précipitent à l'Exposition internationale. Fanny se sent particulièrement attirée par les joyaux exposés, car l'éclat des pierreries exerce sur elle une fascination presque sensuelle. Elle tombe en arrêt devant un bracelet en diamants ayant appartenu à l'impératrice Eugénie, et une parure de diamants d'une somp-

tuosité, d'une élégance incomparables, qui elle aussi a été portée par l'ancienne impératrice des Français avant que, l'Empire tombé, la République s'empresse de vendre, fort mal
d'ailleurs, les joyaux de la Couronne.

Les amants ne sont pourtant pas là pour faire du tourisme.
Nicolas s'est en effet décidé pour un mariage secret. Fanny
mesure tout ce que cela implique. Elle devra rester dans
l'ombre sans jamais paraître à ses côtés... au mieux. Au pire,
s'ils réussissent à éviter la prison, ce sera l'exil définitif, avec
pour Nicolas la perte de son rang, de ses honneurs et surtout
de sa fortune. Fanny n'en a cure. La courtisane a fait place à
une jeune femme amoureuse pleine d'appréhension.

— Fais attention. Tes parents sont tout près d'ici, à
Munich, je l'ai lu dans le journal. Ils pourraient apprendre
notre présence à Vienne et nos intentions.

— Ne t'en fais pas ! Ma mère a déniché une guérisseuse
bavaroise qui la flatte, qui de ce fait a pris sur elle un profond
ascendant et dont elle ne peut plus se passer. Mon père ne la
lâche pas d'une semelle, pour veiller sur elle et limiter les
dégâts. Aussi ont-ils d'autres soucis que nous en tête.

Et de ce pas, Nicolas va trouver le pope de l'ambassade russe
pour l'obliger à les marier. Le saint homme, qui n'est qu'une
sorte de fonctionnaire, lève les bras au ciel et se récrie en objec-
tant que sa carrière serait brisée, sa liberté menacée, et son avenir ruiné à tout jamais.

Donc pas de mariage religieux, reste un mariage civil,
conclut Nicolas qui se rabat sur les autorités municipales. Il
convoque incontinent un représentant de la mairie de Vienne
et lui demande de préparer les documents nécessaires. Il se présente comme le comte Herder. Le fonctionnaire, soupçonneux, demande à voir les actes de naissance des futurs époux.
Nicolas, évidemment, ne peut les lui fournir, mais propose en

contrepartie des fonds, et d'agiter une bourse bien garnie sous le nez de l'honnête édile autrichien. Celui-ci fait prestement disparaître la bourse et promet de revenir le lendemain avec les documents nécessaires.

Dans vingt-quatre heures, Nicolas et Fanny seront mari et femme devant la loi, sinon devant Dieu.

C'est alors que la porte de leur salon s'ouvre brusquement, et que le grand-duc Constantin apparaît devant eux ! Il salue aimablement Fanny comme s'il s'agissait d'une vieille connaissance, et assène à son fils un discours de sa composition : Nicolas a été vraiment naïf d'imaginer un instant que ses manœuvres allaient réussir... La police autrichienne informe la police secrète russe, laquelle fait son rapport à l'empereur et au grand-duc sur les moindres mouvements du couple ! Le pope de l'ambassade a été mis en garde d'avance, et le représentant de la mairie de Vienne a remis la bourse offerte à qui de droit. Autrement dit, aucun espoir d'aucun côté, toutes les précautions ont été prises pour empêcher un mariage secret.

En revanche, si Nicolas acceptait de se calmer, de se montrer discret et soumis pendant un certain temps, alors il se pourrait que l'empereur le laissât épouser Fanny. Quelques mois seulement à attendre.

— Vous voulez dire, papa, jusqu'après le mariage de Maria.

La grande-duchesse Maria Alexandrovna, la fille unique et chérie de l'empereur Alexandre II, doit en effet bientôt épouser un des fils de la reine Victoria, Alfred, duc d'Edimbourg. Il faut à tout prix éviter un mariage morganatique ou autre scandale dans la famille impériale avant cette union.

— Reviens avec moi en Russie, on verra après le mariage de Maria, insiste le grand-duc Constantin.

— Aurai-je au moins le droit de ramener Fanny ?

Le grand-duc acquiesce avec un soupir, et se retire.

— Au moins ma famille a-t-elle compris qu'il est inutile de tâcher de nous séparer, commente Nicolas.

Et aussitôt de peser le pour et le contre... Repousser la proposition du grand-duc, c'était la possibilité d'être marié au plus vite, car si l'Autriche refusait de coopérer, un pays plus libéral le ferait, mais c'était aussi se condamner à vivre pour toujours en proscrit. Accepter, c'était recevoir éventuellement la bénédiction de l'empereur, mais c'était également se jeter dans la gueule du loup.

Nicolas choisit de croire en la promesse de son oncle et à la sincérité de son père.

Fanny se garde bien d'exprimer son opinion.

De retour à Saint-Pétersbourg, Nicolas a la bonne surprise d'apprendre qu'une nouvelle expédition lui est proposée en Asie centrale, cette fois plus scientifique que militaire, l'exploration du fleuve Amou-Daria.

Ses parents, peu satisfaits du résultat de sa participation à la campagne de Khiva — qui n'a fait que renforcer son amour pour Fanny —, ne sont pour rien dans ce nouveau projet. C'est l'État-Major, impressionné par les capacités de Nicolas, qui lui offre une autre occasion de les utiliser.

Le jeune homme est emballé. L'Asie centrale lui a laissé un souvenir inoubliable et l'attire irrésistiblement. Il a même parfois l'impression impalpable que son destin l'y attend. Mais l'organisation de ce voyage n'en est qu'à ses débuts, il faut attendre.

Le grand-duc Constantin en profite pour lui faire part d'une intention beaucoup plus immédiate. Il a décidé, en accord avec la grande-duchesse, de lui donner son indépendance, de l'installer dans sa propre demeure, qu'ils lui offriront. L'argent ne compte pas, il est libre de choisir le palais de ses rêves !

— C'est-à-dire qu'ils ont décidé de te marier, remarque Fanny.

— Me marier, oui, avec toi !

— Parce que tu imagines que tes parents vont t'offrir un palais pour que tu m'y installes comme ton épouse...

Le trouble de Nicolas n'échappe pas à Fanny et elle n'insiste pas.

Aussitôt, Nicolas se met en quête d'une demeure. Il y a en marge de la société de Saint-Pétersbourg une très ancienne catin, une fille de paysans qui, par sa beauté et à coups de mariages savamment calculés, a acquis une fortune et même un titre princier. Un de ses époux lui a permis d'acquérir un splendide palais, un autre l'a ruinée qui la force à le vendre. Nicolas le visite, en tombe amoureux, et instantanément l'achète. Il interdit à Fanny d'y mettre les pieds, car il veut d'abord débarrasser sa nouvelle demeure de toutes les vieilleries qui y sont entassées. Il souhaite la redécorer de fond en comble, la meubler et la remplir de ses collections afin qu'elle soit digne d'accueillir sa bien-aimée.

Or la bien-aimée est malheureuse, car Nicolas n'a pas pensé un instant à ce qu'elle deviendrait s'il partait à nouveau pour l'Asie centrale. Et il a acheté cette maison sans la consulter. D'ailleurs il la délaisse au profit de son nouveau jouet. Il ne parle que de son palais et des travaux qu'il y entreprend. Il y consacre un temps de plus en plus long, au point de la négliger. Lui qui jusqu'alors se montrait tellement empressé de la voir, arrive parfois très en retard à leurs rendez-vous. Bref, Fanny est jalouse, jalouse d'une maison.

Ce jour-là, Nicolas lui a donné rendez-vous pour déjeuner à *L'Aurore*, le restaurant à la mode situé près de la cathédrale de Kazan, presque au coin de la perspective Nevski. Retenu par les peintres, les menuisiers, les tapissiers, il apparaît avec plus d'une heure de retard.

Seulement Fanny n'est plus seule à sa table. Nicolas aperçoit avec étonnement un très jeune officier de son régiment Volynski, le cornette Savine. Il le connaît, bien entendu, puisqu'ils se côtoient quotidiennement à la caserne, mais il n'a jamais fait grande attention à lui.

Très calmement, Fanny lui explique que le comte Savine, arrivé au restaurant et la voyant seule, s'est approché de sa table, s'est présenté et a proposé de lui tenir compagnie en attendant l'arrivée de son commandant, afin qu'elle ne reste pas sans défense aux regards des curieux.

Nicolas, bien entendu, prie le jeune Savine qui fait déjà un mouvement vers la sortie de rester déjeuner avec eux. Ils sont jeunes, ils ont faim, ils dévorent. Sauternes, vouvray, chambertin, champagne se succèdent.

Comment la conversation en vient-elle à la politique ? Probablement Savine l'a-t-il imperceptiblement orientée en ce sens, et Nicolas, qui n'a pas oublié l'injustice de l'empereur après Khiva ni la façon dont sa famille traite son amour pour Fanny, exprime sa rancœur sous forme de critiques violentes.

Non seulement Savine approuve mais il en rajoute. Ce n'est plus le régime, la Cour ou le gouvernement auxquels ils s'en prennent, mais à la famille impériale elle-même. Tout ce que Nicolas a subi depuis l'enfance du fait de ses oncles autoritaires et étroits d'esprit, de ses cousins arrogants et brutaux, remonte à la surface. C'est à qui dénoncera le plus crûment les vices des grands-ducs, leur manque de patriotisme, leur paresse, leur inhumanité, en fait leur inutilité... et de mettre en doute la légitimité même de la dynastie ! De là à conclure qu'il faut renverser la monarchie, il n'y a qu'un pas.

Fanny, qui se tait, se contente de regarder l'un et l'autre avec un amusement parfois choqué et un étonnement teinté de tendresse.

Nicolas a tiré de sa poche un carnet et griffonne de mauvais vers :

> *Je ne peux être un lâche, alors que mes parents couronnés,*
> *Despotes, tyrans et imposteurs, cruels tsars*
> *Veulent la liberté et le bonheur du pauvre peuple russe.*
> *Travaillons pour la chute du trône du pouvoir des tsars*
> *Et si mon travail et mes plans s'écroulent*
> *C'était la volonté de Dieu qui n'a pas entendu mon appel.*

Toujours provocant, Nicolas le récite à voix bien trop haute pour ne pas être entendu des tables voisines.

— En resterez-vous à la poésie, Altesse Impériale ? lui susurre Savine.

— Cornette, écoute-moi bien. Ce pays ne progressera que par des moyens démocratiques…

Et de citer les libéraux bon teint, les démocrates chevronnés qu'il fréquente, dont les noms seuls feraient sursauter les conservateurs de la Cour.

— À ce train là, commente Savine, et avec des vieillards aussi cacochymes, la Russie n'aura pas bougé dans mille ans ! Si Votre Altesse Impériale le souhaite, je lui ferai rencontrer mes amis, ils prônent des méthodes plus rapides, plus radicales.

— Vous voulez dire que vous fréquentez les révolutionnaires, les nihilistes et autres terroristes ?

Savine sent l'intérêt de Nicolas éveillé. Avec cette intensité qui lui est propre, celui-ci le mitraille de questions sur ses amis et leur programme.

— Ceux-ci vous l'expliqueront bien mieux que moi.

Le déjeuner achevé, les deux jeunes gens se séparent les meilleurs amis du monde.

Nicolas s'empressa de prendre des renseignements sur Savine. Le personnage se résumait en trois mots : le jeu, les dettes, les femmes... Son sang charriait le vice du joueur. Et il perdait. N'ayant aucune fortune personnelle, il se faisait entretenir par les femmes. Il avait acquis un don incomparable et atteignait dans la débauche comme dans l'escroquerie des sommets qui le rendaient peu banal. Il savait tirer de l'argent des usuriers autant que de ses maîtresses. Lorsque les unes renâclaient, il s'adressait aux autres, et vice versa. Sa victime préférée était le plus riche, le plus coriace prêteur à gages de la ville, Rudolf Erholz. Il lui devait des sommes colossales, et pourtant chaque fois il parvenait à obtenir de nouveaux prêts, se jouant du snobisme de l'usurier, mais surtout par ses hâbleries ébouriffantes. Pour résumer, une tête brûlée qui ne reculait devant rien parce qu'il n'avait rien à perdre !

Le grand-duc était aussi une tête brûlée, mais lui avait tout à perdre. Cependant il se sentait attiré par le cornette, non seulement pour ses opinions politiques mais par le personnage lui-même, qui le fascinait.

Enfin le jour arrive où Nicolas invite Fanny chez lui, en son palais de la rue Gatchina. Elle n'a pas envie d'y aller, elle grogne, elle est de mauvaise humeur. Sans y prêter attention, elle s'habille de noir.

Nicolas la reçoit dans le vestibule. Elle fait un effort pour afficher un sourire. Ils gravissent un escalier de marbre rose décoré de vases splendides, traversent une vaste salle de bal blanc et or, un salon Louis XIV, puis par une galerie suspendue au-dessus du grand escalier ils atteignent un fumoir mauresque, auquel fait suite un salon Louis XV que Fanny critique, car les tapisseries en sont fanées. Suit un boudoir Pompadour tendu de dentelle rouge et de soie rose.

Par caprice, Nicolas demande à Fanny de s'asseoir sur le canapé et d'imiter la pose de l'ancienne propriétaire. Lui-même joue les jeunes galants de l'antique courtisane, et finit par déclarer à Fanny que désormais cette pièce sera « sa chambrette ».

— Merci bien, mais auparavant, il faudra recouvrir ce sofa témoin des ébats érotiques de la vieille !

Ils passent dans la chambre à coucher de Nicolas — reps gris et meubles médiévaux — ils visitent la salle à manger éclairée par des vitraux coloriés ; Fanny découvre ensuite la salle de spectacle et la chapelle à demi délaissée, avant de revenir dans les appartements privés pour se mettre à table en tête-à-tête.

Ils boivent énormément, à la santé l'un de l'autre, à la santé du palais, au bonheur qu'ils connaîtront dans ses murs. Puis Nicolas se lève et va ouvrir une petite porte que Fanny n'avait pas remarquée. Elle pousse un cri d'émerveillement car elle a l'impression de pénétrer dans la caverne d'Ali Baba.

Deux statues de femme encadrent la porte, l'une tenant une coupe de champagne, l'autre avec un doigt sur la bouche. « Amusez-vous tant que vous voulez, mais une fois sortis, taisez-vous », semblent-elles insinuer. La cheminée digne d'un château médiéval peut contenir plusieurs personnes. Devant les murs tapissés de cuir de Cordoue s'étalent des faïences, des majoliques, des cristaux de Venise, des chinoiseries, des porcelaines de Saxe, de Berlin, de Vienne. Les chaises début XVIIᵉ sont recouvertes du même cuir de Cordoue. Une rampe en pierre soutient des sculptures en marbre, des vases chinois. La table en bois sculpté vient des collections de M. Thiers. Plusieurs vitrines regorgent de montres, de tabatières, d'objets précieux, de médailles.

Fanny a le temps de remarquer un cruchon de cristal monté en or et pierres précieuses qui a appartenu à Pierre le Grand. Elle voudrait détailler tranquillement ces merveilles, mais Nicolas est pressé de lui décrire les travaux qu'il projette.

— Tu auras toute une vie pour achever ce palais, proteste Fanny, pourquoi te presser ?

— Je veux que tout le monde puisse l'admirer avant mon départ.

— Mais à ton retour, tu n'auras plus rien à faire !

— Si, je pourrai vendre des objets qui me déplairont et en acheter d'autres !

Et le voilà parti dans son rêve d'une galerie de peinture. Il achètera des Greuze, des Rubens, des Wouwermans et autres Flamands ou Hollandais. Il ne peut pas attendre, tout doit se concrétiser immédiatement et les tableaux apparaître comme par miracle.

— On ne forme pas une collection en une semaine, interrompt Fanny, il faut des années pour rassembler un bel ensemble !

— Tu es très gentille, mais tu le serais davantage si tu me laissais à mes chers caprices pour t'occuper de tes chiffons.

Justement, dans le vestibule, ils tombent sur un brocanteur qui apporte sous le bras un Rubens à vendre. Un Rubens, cette croûte ! Fanny éclate de rire. Nicolas se fâche. Fanny lui conseille de demander au marchand un certificat d'authenticité. Évidemment, celui-ci ne peut en fournir. Déçu, Nicolas le laisse repartir avec son Rubens.

Fanny a gagné, mais cet incident la laisse songeuse. Son amant s'amuse à remplir son palais comme si elle ne comptait pas, comme si elle n'existait pas. Qui sera la maîtresse de maison ? Nicolas semble avoir deviné sa question, il lui déclare :

— Cette demeure est désormais la tienne.

En gage, il lui tend une clé d'argent qui en ouvre la porte principale.

Fanny éprouve un sombre pressentiment, elle se met à pleurer.

— Cette habitation est ma rivale et j'en suis jalouse, explique-t-elle.

— J'aime mon palais, c'est vrai, mais je lui préfère de beaucoup ma Fanny Lear...

Cependant, Fanny est perplexe et vaguement mal à l'aise, elle s'interroge sur cette nouvelle manie. Certes, il a toujours été un connaisseur avisé, un collectionneur passionné, mais cette soudaine boulimie d'objets d'art est déconcertante. Elle y décèle une sorte de frustration. Son service à l'armée l'ennuie, l'expédition en Asie centrale semble toujours plus lointaine, alors pour passer le temps il engrange, mais cette rage d'acheter et de vendre ne saurait longtemps le combler.

9

« En resterez-vous à la poésie, Altesse Impériale ? » Cette question de Savine ne cessait de trotter dans la tête de Nicolas, au point qu'il en parla à Fanny, qui elle-même prévint le cornette. Ce dernier devait être singulièrement bien introduit, car le Comité central de la révolution accepta de déléguer un de ses membres les plus éminents pour rencontrer le neveu du tsar.

Le rendez-vous devait avoir lieu en fin d'après-midi, dans l'appartement de Fanny. Nicolas arriva peu avant l'heure dite, tout de même assez nerveux à la perspective de connaître l'un de ces fanatiques indomptables qui, le couteau entre les dents, rêvaient matin et soir de tuer toute sa famille, lui inclus.

À sept heures du soir, on sonna. Joséphine annonça :

— La professeur de musique.

Apparut une jeune femme, ou plutôt une jeune fille, pâle et

menue. Sa simple robe grise à col blanc prouvait qu'elle ne s'intéressait ni à l'élégance ni à la mode, ses chaussures couvertes de poussière témoignaient d'une longue marche à pied.

Nicolas, en expert, remarqua la finesse de ses traits, le visage plutôt rond, le grand front, la bouche enfantine étroitement serrée — elle a peur de laisser échapper des mots superflus, pensa-t-il. Lorsqu'elle releva ses longs cils qu'elle tenait baissés, l'inflexibilité de ses yeux bleu-gris le frappa. Il l'identifia à sa chevelure ; elle avait en effet les cheveux coupés court à la garçonne, ainsi qu'aimaient s'afficher les libéraux. C'était donc cette intellectuelle fragile, le terroriste promis ! Savine, qu'elle salua comme une connaissance mais plutôt froidement, se contenta de la présenter sous son prénom, Sophia. De loin, elle inclina légèrement la tête en direction de Nicolas et, souriante, serra chaleureusement la main de Fanny, la remerciant de la recevoir en quelques phrases prononcées dans un anglais impeccable.

— Vous parlez étonnamment bien notre langue, remarqua l'Américaine, avez-vous jamais été aux États-Unis ?

— Non, madame, mais j'espère aller un jour découvrir ce paradis de la liberté, de l'égalité, et étudier cette démocratie qui est un modèle.

Elle avait parlé d'un ton retenu qui laissait soupçonner une extraordinaire obstination.

Fanny la pria de s'asseoir et fit servir le thé, tandis que Savine et surtout Nicolas se tenaient curieusement en retrait.

— Vous avez parfaitement raison, mademoiselle. Liberté et égalité ont fait des États-Unis une grande nation, et en feront un jour le premier pays du monde.

— Nous aimerions bien vous imiter, mais ce n'est pas si aisé. Il est extrêmement difficile d'entreprendre une révolution ici, dans ce pays de fanatisme et d'esclavage.

Soudain, l'intellectuelle repliée sur elle-même s'anima, s'échauffa au point que son visage rougit :

— Nous devons combattre non seulement les usurpateurs qui occupent le trône mais aussi le peuple et son ignorance. La stupidité du peuple russe le rend aveugle ! Il ne comprend pas que son pire ennemi, son maître et son voleur, ce sont le tsar et son régime. Au contraire, il voit le tsar comme son protecteur et son bienfaiteur. Quel aveuglement !

Nicolas intervint. Il n'était pas énervé, il était sincère :

— Ne parlez pas ainsi, mademoiselle. Alexandre II a fait beaucoup pour le peuple, il l'a libéré du servage, de ce que vous appelez l'esclavage.

— Libéré le peuple russe du servage ! Quelle erreur, quelle hypocrisie ! On l'a libéré des propriétaires terriens, puis on a ramassé tous leurs knouts et on les a donnés à des bureaucrates bourreaux, à des officiers de police exploiteurs, à des prêtres escrocs, à des juges lâches, à des gendarmes bestiaux ! Alexandre a aboli le servage pour inventer en fait un nouvel esclavage encore pire que l'ancien, et encore plus immoral parce que dissimulé sous de fausses bonnes intentions !

Dans le feu de son discours, Sophia devenait presque belle, elle perdait la terne grisaille qui l'enveloppait pour prendre les couleurs chatoyantes d'une sorcière superbe.

Fanny ne savait plus quoi dire, Savine observait la scène avec attention.

Nicolas, à la fois véhément et fasciné, interrogea la révolutionnaire :

— Qu'attendez-vous ? Que voulez-vous ?

— Nous n'attendons rien, nous voulons tout ! Tout d'abord renverser la monarchie et instaurer la république. Ensuite, ouvrir les portes des prisons, établir le vote égalitaire, la liberté de la presse...

Elle devenait volubile, énonçant tous les grands principes qui lui tenaient à cœur, devenus depuis des poncifs rabâchés, mais qui à l'époque constituaient des idéaux enthousiasmants, des projets invraisemblablement audacieux, des concepts extrêmes et magnifiques. Nicolas en partageait bon nombre, mais restait sceptique quant à leur concrétisation.

— Jusqu'ici, vous et vos amis, vous vous êtes plutôt contentés de palabrer…

Sophia serra les lèvres et ses yeux pâles transpercèrent Nicolas.

— Justement, le temps des discussions est passé. Rappelez-vous ce que je vous dis. L'heure de l'action a sonné !

Elle s'était adressée aux trois avec une détermination impressionnante.

— Qu'attendez-vous pour agir ? demanda Nicolas.

— Nous sommes prêts, mais nous avons besoin d'argent…

Sophia avait prononcé cette dernière phrase d'une voix quasi inaudible. Elle avait perdu son animation et redevenait l'intellectuelle timide du début de leur discussion. Savine s'en mêla :

— L'argent, c'est le moteur de tout, c'est le nerf de la guerre ! Et qu'est-ce qu'une révolution, sinon une guerre ! Que vous faut-il pour commencer ?

La voix de Sophia n'était plus qu'un murmure :

— Un million de roubles.

Savine s'approcha, se campa devant Nicolas et le regarda droit dans les yeux sans dire un mot. Ce dernier eut un petit rire nerveux :

— Je voudrais bien vous le donner, ce million, mais je ne l'ai pas. Jamais le service des apanages ne me consentira une telle avance ! C'est plutôt vous, mon cher Savine, qui pourriez le trouver, ce million. Vous connaissez tous les usuriers de la ville et vous vous vantez de leur soutirer tout ce que vous voulez! Pourquoi n'allez-vous pas demander cette somme à ce Erholz dont vous nous rebattez les oreilles?

— Parce que, malgré tout le savoir-faire que vous voulez bien me prêter, Erholz ne me confiera jamais autant d'argent. Il n'avancera un million de roubles, ou même beaucoup plus, qu'à vous. Il me l'a répété souvent. Il a même précisé qu'il le ferait à un taux de 5 % par mois, la moitié donc du taux habituel. Évidemment, il demande en contrepartie des garanties que vous seul pouvez lui donner...

Savine s'interrompit. Tous s'étaient tus, figés comme si le temps s'était arrêté. Le silence se prolongea pendant que les ombres du soir envahissaient la pièce. Personne ne songea à allumer les lampes à pétrole. Ce fut dans une semi-obscurité qu'on entendit un soupir profond, puis la voix claire de Nicolas :

— C'est bon. Vous aurez votre million, je vous le promets.

Il s'était adressé à la fois à la jeune révolutionnaire, à Savine et à Fanny. Sophia attrapa son sac d'un geste brusque, se leva gauchement et, presque sans dire au revoir, elle disparut.

L'hiver s'est durci lorsque Nicolas propose à Fanny une chasse aux loups. Elle renâcle car, le soir de la chasse, elle a retenu une loge à l'Opéra, mais elle veut faire plaisir à son amant.

La veille, elle endosse une tenue masculine exactement semblable à celle de Nicolas. Elle enfile des bottes très hautes et beaucoup trop serrées, ce qui la met de très mauvaise humeur. Elle proteste, bien que l'aventure commence à l'amuser.

À la gare dite de Moscou, Fanny pénètre pour la première fois dans le salon d'attente réservé à la Cour. Les employés prennent cet adolescent imberbe, cigare aux lèvres, pour un

155

jeune prince anglais venu assister au mariage imminent de la grande-duchesse Marie. Ils la saluent militairement et elle répond de même. À deux heures du matin, les deux amants atteignent une petite gare de campagne. Ils montent dans un traîneau qui s'élance à grande vitesse dans la nuit enneigée.

Fanny aperçoit au loin les lumières d'un village et entend les paysans chanter joyeusement, car c'est la fête de la Chandeleur… Ils s'arrêtent dans une chaumière pour y passer le reste de la nuit. Un domestique a déjà dressé un étroit lit de camp sur lequel ils se jettent aussitôt. Pas pour longtemps, car à six heures ils doivent être prêts.

Ils empruntent une dormeuse, un vaste traîneau utilisé pour traverser la steppe. Arrivés au rendez-vous de chasse, ils continuent à pied. Fanny glisse, tombe, s'enfonce dans la neige, elle en a jusqu'aux reins ! Elle est heureuse car elle a toujours aimé l'hiver, et la beauté de la campagne qui l'entoure, la lumière rose et grise de l'aube, puis celle orange du soleil levant la transportent de bonheur.

Soudain les paysans signalent la piste d'un lynx. Ils la suivent pendant plus d'une heure, sans difficulté mais non sans danger car ces félins ont l'habitude de se cacher dans les arbres pour tomber sur le chasseur imprudent et l'égorger. C'est avec une certaine appréhension que Fanny lève les yeux vers les branches qui la surplombent. Soudain, elle y aperçoit une sorte de boule de fourrure fauve d'où émergent deux pupilles chatoyantes. Elle pousse du coude Nicolas, qui vise et tire. Le félin, ses griffes incrustées dans le tronc de l'arbre, ne bouge pas. Une seconde balle l'abat.

Ils remontent dans une troïka et, pendant trois heures, parcourent la campagne jusqu'à Pavlovsk où commence la véritable chasse. Des éclaireurs ont signalé cinq loups, et cent paysans serviront de rabatteurs. Nicolas se place à côté de Fanny dans un poste proche de la piste. Au signal donné, les paysans commencent à hurler et à battre les buissons.

Alors un énorme loup bondit sur la droite. Nicolas ne fait que le blesser, la bête poursuit sa course en laissant derrière elle une rigole de sang. Quelques secondes après, un deuxième loup passe si près de Fanny qu'elle sursaute de terreur. Trois autres suivent, que Nicolas tue l'un après l'autre. Ils partent alors à la poursuite du loup blessé auquel Nicolas donne le coup de grâce. Un seul fauve s'est échappé.

Les rabatteurs ramassent les quatre dépouilles et les jettent aux pieds du grand-duc. Celui-ci casse une branche de sapin, la présente à Fanny qui place sur les loups morts cette marque du chasseur. Les rabatteurs poussent des hourras frénétiques, s'emparent de Fanny et la lancent en l'air pour la rattraper avec maestria. Elle n'a qu'une seule peur, c'est que son bonnet tombe et que ses longs cheveux blonds se défassent, révélant son identité.

Sans prendre le temps de respirer, ils repartent juste à temps pour attraper le train du soir pour Saint-Pétersbourg. Deux heures plus tard, Fanny, en grand décolleté, tous ses bijoux sur elle, maquillée et coiffée à ravir, entre dans sa loge à l'Opéra. Cette journée lui a semblé un entracte aussi lumineux que les débuts de sa liaison avec Nicolas.

Fanny a pris ses quartiers au palais de la rue Gatchina mais elle n'en garde pas moins l'appartement de la place du Palais-Michel. Elle y passe plusieurs heures par jour lorsque Nicolas est retenu par quelque fonction à la Cour, ou par ses devoirs à l'armée. Elle y reste même la nuit, quand il la prévient qu'il rentrera trop tard.

Presque tous les jours, ils déjeunent et dînent ensemble, ils se promènent en traîneau, jouent au billard, sirotent leur thé en lisant, mais sans cesse Nicolas la quitte pour surveiller les nouveaux travaux qu'il a entrepris ou pour recevoir antiquaires et brocanteurs. Rien ne lui semble trop beau pour sa demeure. Une serre chaude l'occupe maintenant. Il construit des fontaines, des grottes, un lac miniature qu'il peuple de poissons, une volière qu'il remplit d'oiseaux chanteurs.

Les objets d'art arrivent au palais à un tel rythme qu'il n'a pas le temps de les déballer. D'autres disparaissent à la même vitesse, donnés, vendus, échangés... Il achète à des prix nettement exagérés, il vend pour des prix beaucoup trop bas. Fanny proteste lorsqu'il veut se débarrasser pour une somme dérisoire d'une extraordinaire collection de médailles d'or rappelant les grands personnages et les grands moments de la dynastie :

— Trois mille roubles, c'est tout ce qu'ils t'offrent ! Mais c'est du vol, Niki !

— Tu as raison comme toujours, ma Fanny Lear... Je ne vais pas les vendre, je vais les engager au clou.

Un jour, Nicolas l'a quittée pour se rendre à une convocation familiale. Était-ce un déjeuner au palais de Marbre avec son père, une audience avec l'empereur au palais d'Hiver ? Quoi qu'il en soit, au dernier moment le rendez-vous est annulé. Il décide de se rendre chez Fanny et de lui faire la surprise de sa visite.

Ce n'est que le début de l'après-midi mais en cet hiver la nuit tombe déjà lorsque Nicolas arrive devant l'immeuble. Il sonne, un valet lui ouvre, et il voit la stupéfaction sur le visage de Joséphine, la camériste.

Il ouvre la porte du boudoir de Fanny et... les trouve. Ils sont tous les deux enlacés sur le sofa, Fanny dans un déshabillé moiré bordé de dentelles, sous lequel visiblement elle ne porte rien, lui torse nu.

Lui, c'est Savine. Dans son regard, il n'y a aucune peur, juste de la surprise, et même une sorte d'amusement. Il salue Nicolas militairement en se présentant comme il le fait quotidiennement à la caserne :

— Cornette Nicolas Ierassimovitch Savine, aux ordres de Votre Altesse Impériale.

Malgré sa tenue succincte, il met tant de grâce et de courtoisie dans son salut qu'il n'a rien de ridicule. Fanny ne bouge pas, elle s'est contentée de baisser les yeux.

La rage fait rougir Nicolas jusqu'au blanc des yeux. Il met pourtant quelques secondes avant de réagir. Puis il serre les poings et son souffle se fait court. Il y a du meurtre dans son regard, il veut casser, il veut tuer ! Il esquisse un pas vers le jeune homme, Fanny intervient d'une voix languide :

— Arrêtez, Monseigneur, et écoutez-moi avant de commettre une bêtise...

Tout de même étonné par le sang-froid et l'audace de sa maîtresse, Nicolas la regarde, attend. Toujours alanguie sur le sofa et d'une voix douce, elle entreprend de s'expliquer. Nicolas l'a trompée bien des fois, n'est-il pas vrai, et probablement continue-t-il à le faire car c'est dans son tempérament. Elle en a été attristée, voire fâchée, elle en a même souffert, mais mon Dieu ! comme c'était inutile... Aussi a-t-elle fini par prendre la situation avec philosophie, et puisque l'occasion s'est présentée, pourquoi ne pas s'offrir un plaisir extra-conjugal comme le grand-duc en a abusé si souvent ? Que Monseigneur se rassure, elle n'a pas eu d'autre amant, Savine est le premier ! Il lui a déclaré son amour avec tant de conviction qu'elle n'a pas su refuser. Permettre à ce jeune homme quelques privautés ne signifie pas qu'elle en soit tombée amoureuse. Elle n'aime et elle n'aimera qu'un seul homme, vous, Monseigneur. Aussi, au lieu de faire un esclandre et de claquer la porte comme vous en êtes visiblement tenté, vous devriez rester. On peut faire beaucoup de choses agréables à trois ! Deux hommes et une femme, c'est la combinaison idéale. Comment ! Monseigneur l'ignore ! Qu'il laisse donc sa petite Fanny Lear lui apprendre, qu'il lui permette de le guider...

Un étrange sourire étire la bouche de Nicolas.

— Venez donc, Monseigneur, n'ayez pas peur... Asseyez-vous à côté de moi, à droite bien sûr, n'êtes-vous pas le maître de ces lieux, de ma vie, de moi-même ? Et vous, Savine, mettez-vous à ma gauche...

Fanny prend la main large et musculeuse de Nicolas, la glisse dans l'entrebâillement de son déshabillé et la pose sur l'un de ses seins. À ce contact, le grand-duc frémit, son corps entier semble électrisé. Puis Fanny prend la main de Savine et la pose sur son autre sein...

Lorsque, à l'heure du souper, ils se séparent, ils sont tous les trois grisés par l'expérience, et sans se le dire se promettent de récidiver à la première occasion.

Grâce aux bons soins de Fanny, cette occasion ne tarda pas à se présenter. De nouveau l'expérience, l'imagination, la sensualité de ces trois êtres beaux et pervers firent naître un feu d'artifice d'érotisme. À présent, ils ne pouvaient plus se passer de leurs batifolages triangulaires.

Nicolas traversait par ailleurs une période d'incertitude, de confusion, de souffrance, comme en témoignent ses notes griffonnées hâtivement :

« Je ne sais ce qu'il m'arrive. Ma tête brûle. Mes pensées sont en pleine confusion. Je veux quelque chose mais je ne sais pas moi-même ce que je veux. Mon sang bout tellement et je sens en moi tellement de force... Je suis probablement comme un de ces officiers de l'armée de Napoléon, je pourrais galoper à cheval cent kilomètres par jour et me souvenir, jusqu'au moindre détail, de

tout ce que j'aurai vu en chemin. Malheureusement, ceci n'est qu'un jeu de mon esprit.

« Je me sens très excité, et pendant que je suis dans cet état je peux accomplir beaucoup, puis soudain c'est fini, toutes mes forces me quittent, et mon cerveau n'est plus capable de travailler. Mes pensées se succèdent en désordre dans ma tête. Par exemple, je suis attablé, occupé à préparer ma prochaine expédition dans l'Amou-Daria. Je devrais donc laisser tout le reste de côté. Mais non... Je dois penser au vase de Chine, à la chasse, aux cerfs, aux travaux de Pavlovsk, à différents plans de jardins d'hiver, à des meubles anciens pour les chambres.

« À huit heures, je suis encore au lit. C'est l'heure où je me lève pour prendre une douche froide, puis droit au palais de Marbre pour dire bonjour à papa. Ensuite, je reviens à la maison. Glazounov est déjà là avec les comptes, Toniolati avec les antiquités dans la salle de billard, le tailleur avec les nouveaux costumes dans le cabinet de toilette, Savioloff avec des affaires domestiques dans ma chambre, pendant que les officiers, mes camarades de l'expédition de Khiva m'attendent dans le salon. Vorpovsky m'attend aussi, mais dans la salle des Gobelins. Des architectes m'attendent avec leurs plans dans les jardins. À deux heures de l'après-midi, je sors à cheval. À quatre heures, je me retrouve dans le petit appartement de la place du Palais-Michel. À six heures, dîner de famille. À sept heures, je ne me rappelle pas ce qui s'est passé... »

De son côté, Fanny — qui curieusement n'était pas mentionnée dans ces pages — succombait chaque jour un peu plus à la séduction de Savine, presque sans s'en rendre compte, et sous les yeux de Nicolas. Pourtant celui-ci n'était pas jaloux, car la faiblesse de sa maîtresse envers le jeune cornette ne remettait pas leurs liens en cause. Tous deux se laissaient simultanément séduire par le chérubin inventif et sensuel.

Entre ce dernier et Nicolas s'établit vite une sorte de compétition, un jeu subtil pour gagner les faveurs de leur maîtresse. C'est à celui des deux hommes qui lui offrira le plus d'attention, le plus de plaisir, le plus de présents. D'abord, ce fut Savine qui plaça dans la main de Fanny une montre de poche du XVIIIᵉ siècle. Le fermoir en or dissimulait une scène érotique où trois minuscules automates, deux hommes et une femme, se livraient à des jeux compliqués. L'allusion les fit sourire :

— Mais comment as-tu fait, tu n'as pas un sou ? demanda Fanny.

— J'ai une fois de plus embobiné mon ami Rudolf Erholz !

Il raconta son dialogue avec ce dernier, imitant le lourd accent du vieil usurier et faisant rire Fanny aux larmes.

À son tour Nicolas tendit un écrin à sa maîtresse. Il contenait une broche, un trèfle dont chacune des quatre feuilles était composée d'une énorme perle de couleur différente, blanche, rose, grise, dorée, entourée de diamants.

Bien que la valeur du cadeau de Nicolas fût dix fois supérieure à celui de Savine, Fanny fit la moue. Le grand-duc n'avait qu'à entrer chez le premier joaillier venu, choisir ce qu'il y avait de plus cher et faire envoyer la note au palais ! Le cornette, lui, avait dû ferrailler avec l'usurier et obtenir de haute main de quoi offrir à sa belle un présent digne d'elle. Piqué, Nicolas promit de faire bien mieux que Savine.

Malgré sa liaison désormais connue de tout l'empire avec la belle Katia, l'empereur Alexandre II maintient les apparences, même s'il le fait avec de plus en plus de désinvolture. Sa parenté continue à se réunir pour des dîners familiaux qui ont lieu dans l'appartement de l'impératrice Marie Alexandrovna, l'épouse délaissée. On n'invite pas toute la famille, car alors il aurait fallu utiliser la grande salle à manger du palais, mais sim-

plement les préférés, et parmi eux toujours « les Constantin »,
comme on appelle le frère chéri de l'empereur et les siens.

On se réunit dans le boudoir rouge et or de l'impératrice,
on bavarde, on se rend dans le salon voisin, on entre, on sort
sans façon, on dîne dans la petite salle à manger qui donne sur
une cour intérieure. On revient dans le boudoir pour boire un
verre de liqueur, on ne s'attarde pas, la santé déclinante de
l'impératrice l'interdit. En effet, la phtisie gagne à grands pas.
Et puis l'empereur comme son frère Constantin sont impa-
tients de retrouver leur seconde famille, l'un sa Katia, l'autre
sa Kutznetzova.

À la fin d'un de ces dîners, l'impératrice, après avoir salué
ses parents, revient à sa table écrire et constate la disparition
d'un cachet taillé dans une seule topaze qu'elle se rappelle fort
bien avoir vu à sa place avant le dîner. Déconcertée, elle rappelle son mari qui ne s'est pas encore éloigné. L'étonnement
d'Alexandre II est tout aussi grand mais, pressé, il ne prête pas
trop attention à l'incident.

Cependant, le lendemain, la disparition lui revient en
mémoire et il la raconte à son frère Constantin. Tous deux se
perdent en conjectures, car l'objet ne peut avoir été subtilisé
que par un des membres de la famille ayant assisté au dîner.

— C'est Georges Leuchtenberg, affirme en fin de compte
le grand-duc Constantin.

Le duc de Leuchtenberg, c'est le cousin qui accompagnait
Nicolas dans l'expédition de Khiva et qui, lui, avait obtenu la
croix de Saint-Georges, injustice exaspérante pour Nicolas
mais tout autant pour son père qui ne lui pardonne pas, et
d'ailleurs le méprise.

— C'est Georges Leuchtenberg, répète-t-il à sa femme en
lui racontant le mystère de la disparition du cachet.

— C'est Nicolas ! s'écrie la grande-duchesse Alexandra.

Constantin explose. Comment ose-t-elle porter une accusation pareille ? Est-elle devenue folle ? Bien sûr, Nicolas est un peu bizarre, c'est un enfant rebelle, indiscipliné, mais de là à chiper un objet sur le bureau de l'impératrice ! D'ailleurs, sa mère l'a trop gâté… Et sur cette accusation, Constantin quitte la pièce, furieux.

Pendant ce temps, Nicolas dépose dans les mains de Fanny le cachet de topaze aux armes de l'impératrice. La belle est dans le ravissement, le rival dans l'admiration, Nicolas comblé raconte son haut fait.

Avant le dîner, il avait repéré l'objet qu'il comptait subtiliser. Toute la difficulté consistait à s'approcher de la table de travail de l'impératrice sans être remarqué. Il s'était penché comme pour admirer une des nombreuses photographies qui encombraient le meuble, s'était emparé du cachet et l'avait glissé dans sa poche. Son cœur battait à tout rompre. Il avait réussi à rester tout à fait naturel pour bavarder posément avec l'un ou l'autre.

Nicolas raconte avec verve, avec esprit, les autres s'émerveillent. Tout de même, conclut-il, voler un objet dans un des lieux les mieux gardés du monde, le boudoir de l'impératrice de Russie, c'est plus fort que d'embobiner l'usurier habitué à se laisser escroquer !

C'est au tour de Savine de se piquer. Il court chez Erholz et parvient à lui soutirer une somme encore plus importante que la dernière fois, qui disparaît aussitôt dans l'achat d'un nouveau bijou pour Fanny.

Dans le fumoir oriental du palais de Marbre, se trouve parmi les curiosités de valeur une tasse avec sa soucoupe en porcelaine de Saxe XVIIIe à décor chinois de la qualité rarissime marquée A. R. — Auguste Rex, c'est-à-dire commandée pour l'électeur Auguste le Fort. Un beau jour, le grand-duc

Constantin s'aperçoit de sa disparition. On interroge à droite et à gauche sans trop insister. Un des membres de la cour du grand-duc, le baron Taube, raconte avoir vu la tasse dans les mains de Nicolas juste après l'un des déjeuners auxquels celui-ci assiste régulièrement au palais.

Quelques jours plus tard, un domestique du nom de Zerdiniene se présente au grand-duc Constantin et, d'un air gêné, lui raconte ce qui suit. La veille au soir, il se tenait dans une petite pièce attenante au salon de famille lorsque le grand-duc, la grande-duchesse et leurs enfants étaient passés dans la salle à manger voisine. Lui, Zerdiniene, a vu Nicolas rester en arrière, se pencher sur le bureau de son père, prendre un crayon en or à l'extrémité enchâssée d'un cabochon de rubis et le mettre dans sa poche. Constantin fronce les sourcils. Il va à son bureau, se penche sur le petit plateau d'argent. Effectivement, le crayon précieux a disparu.

«Il n'y a que le premier pas qui coûte», dit Nicolas en remettant la tasse en Saxe et le crayon en or à Fanny.

Si on lui avait jeté à la tête qu'il était un voleur, il se serait récrié. Il se jugeait en effet parfaitement honnête, et bien qu'il se considérât comme l'égal de tous, son atavisme, pensait-il, le mettait au-dessus des lois du commun. Un grand-duc pouvait se permettre quelques modestes écarts vis-à-vis de la moralité, mais surtout l'enthousiasme de Fanny lorsqu'il déposait sur ses genoux ces objets doublement précieux, par leur valeur intrinsèque et parce qu'ils avaient été «soustraits» à sa famille, lui donnait cette confiance en lui que jusqu'alors tous s'étaient appliqués à lui enlever, sa mère la première. Comme il le résumait lui-même : «J'ai fait mon devoir, je me suis battu comme un soldat, on m'a méprisé. Je vole, on m'admire!»

La compétition entre Nicolas et Savine s'intensifie. Chaque jour, ils offrent à leur belle des cadeaux de plus en plus somptueux, fruits l'un d'une escroquerie, l'autre d'un larcin, et chacun de raconter avec force vantardise son haut fait sous les applaudissements de Fanny.

Nicolas remporte un avantage lorsqu'il décrit sa confrontation avec son père. Celui-ci l'a en effet convoqué, et entre quatre yeux lui a jeté à la tête l'accusation de chapardage. Il a tout simplement nié en bloc. « Je suis resté très calme, je n'étais pas du tout nerveux. » Et Fanny de lui lancer le regard attendri que l'on a pour un enfant qui vient de réussir son examen. Leur récompense, la jeune femme la leur distribue en nature et par de nouvelles inventions qui pimentent leurs jeux érotiques.

Et pourtant, la mécanique désormais bien établie du trio connaît quelques revers. Nicolas commence à mal supporter cet équilibre pervers, il en arrive même à vouloir renvoyer Fanny chez son rival :

« *Madame, au nom de tout ce que vous avez encore de sacré, je viens vous prier de quitter le toit impérial sous lequel vous vous trouvez, et qui doit rougir pour vous ; allez dans la maison qui a dû si bien vous recevoir ce matin… Tâchez seulement de lui donner moins de honte, ou plus d'honneur, comme il vous plaira, que vous m'avez donné à moi. J'espère que vous ne me refuserez pas ma dernière prière. Le sang qui s'est jeté à ma tête seul m'empêche de venir vous prier personnellement et vous baiser la main. À vos pieds.* »

10

Sur ces entrefaites commencent les fêtes du mariage de la grande-duchesse Maria. La Russie n'a pas marié une fille d'empereur depuis des décennies, aussi Saint-Pétersbourg est en ébullition.

Bien entendu, Nicolas n'a plus un instant de libre. Il est chargé d'accueillir les princes étrangers à la gare, de servir de guide à des hôtes augustes, d'assister à des banquets, à des représentations d'opéra et autres soirées. Il a obtenu pour Fanny un billet afin qu'elle puisse assister à la cérémonie.

Ce matin-là, l'hiver s'est adouci et une grisaille humide remplace la glace étincelante. La voiture de Fanny est prise dans un long cortège qui se dirige vers le palais d'Hiver. Les véhicules sont si nombreux qu'ils avancent au pas. Les soldats alignés dégagent un passage au milieu de la foule très dense.

Enfin Fanny atteint le péristyle du palais. Elle montre son

billet, un valet le passe à un aide de camp qui lui donne ses instructions. Elle gravit l'escalier d'honneur, dit l'« escalier du Jourdain », aux colonnes de marbre vert et aux stucs dorés. Elle traverse plusieurs salons déjà bondés et atteint une salle colossale. À droite et à gauche, des galeries surélevées ont été édifiées pour des spectateurs comme elle. Beaucoup de bourgeois et de notables, aucun négociant ni marchand de sa connaissance, la Cour ne les admet pas. Les invités ont fait des efforts de toilette, Fanny remarque des parures étincelantes, des rubans aux couleurs variées, des éventails qui lui semblent des papillons magiques. Elle reconnaît aussi plusieurs acteurs et surtout des actrices, qui appartiennent moins au théâtre qu'à sa propre catégorie, celle de la haute galanterie.

En bas, dans la salle proprement dite, les membres de la Cour prennent place. Les hommes en uniformes de toutes les couleurs, bleu, blanc, noir, rouge, soutachés d'or et d'argent, scintillent de grands cordons et de décorations. Les femmes portent la tenue traditionnelle, robe brodée au grand décolleté, longue traîne de velours de couleur différente selon la fonction, diadème russe dit *kokochnik* et long voile de dentelle. Toutes ruissellent de perles, de diamants et de pierreries. Mais ces élégances, comme le note Fanny, accompagnent des figures jaunes, des visages ridés, des nez poudrés, des joues passées au pinceau. De temps en temps, une beauté fraîche et vermeille relève un peu le niveau.

La salle, par le bruit, ressemble à une volière en folie. On bavarde, on cancane, on observe, on rit un peu trop haut, on se tourne à droite et à gauche, on se penche. Soudain, la haute porte s'ouvre à deux battants et paraît le ministre de la Cour impériale qui, de son long bâton blanc, frappe trois fois le sol de marbre. Aussitôt le silence se fait. Les dames de cour forment deux haies de velours et de bijoux. Derrière elles, un mur d'uniformes. Tout le monde se tient au garde-à-vous. Paraissent l'empereur et l'impératrice, aussitôt les dames plongent dans une révérence pendant que les hommes inclinent la tête.

L'empereur a les traits tirés. Il semble avoir pleuré. On raconte en ville que c'est avec le plus grand chagrin qu'il se sépare de son unique fille, de loin la préférée de ses enfants. L'impératrice amaigrie est pâle à faire peur. Elle porte une robe de satin crème bordée de zibeline et un très haut diadème de brillants au milieu desquels scintille un gros diamant rose. D'autres diamants ornent ses oreilles, son cou, ses bras, son corsage et même sa traîne, au point que Fanny se demande comment elle en supporte le poids. Au prix d'un effort prodigieux, elle incline gracieusement la tête à droite et à gauche, mais la crispation de ses traits révèle sa souffrance.

Derrière le couple impérial s'avancent les héritiers de Russie, d'Angleterre, de Danemark et de Prusse avec leurs épouses. La plus belle bien sûr, c'est la princesse de Galles, la plus laide de l'avis de Fanny la princesse de Prusse, la fille de la reine Victoria, une petite grosse qui paraît le repoussoir de ses voisines. À côté d'elle, la sœur de la princesse de Galles, la grande-duchesse héritière de Russie, paraît à la fois pimpante et majestueuse. Malgré sa petite taille, on ne voit qu'elle. Elle porte avec aisance une robe et des bijoux d'une magnificence inimaginable.

Enfin s'avancent les mariés. Lui, le duc d'Edimbourg, Alfred, le second fils de la reine Victoria, engoncé dans un uniforme d'amiral russe, a plutôt l'air revêche. Ses yeux bleus ont une expression désagréable et il ne sourit pas. La grande-duchesse Maria a revêtu la tenue de toutes les mariées de la famille impériale, robe de drap argent, traîne de velours pourpre bordée d'hermine. Elle est si longue et si pesante que quatre chambellans suffisent à peine à la porter. Au cou trois rangs d'énormes diamants, aux oreilles des boucles de diamants si lourdes qu'elles distendent les lobes. Sur la tête une couronne de diamants, ravissante, aérienne, qui semble une boule de feu. Maria est très jeune, plutôt jolie. Fanny remarque cependant qu'elle a le bas du visage un peu épais et qu'elle garde un air bougon. On murmure qu'elle n'est pas du tout contente de quitter sa famille et la Russie.

Suivent tous les membres de la famille impériale. Fanny reconnaît au passage, à sa petite taille, le père de Nicolas, ainsi que sa mère, le port imposant, arborant plus d'émeraudes et de saphirs que toutes les autres grandes-duchesses réunies.

Mais Fanny n'a d'yeux que pour Nicolas… Il domine de sa taille les autres grands-ducs dont il est certainement le plus beau. La mine arrogante, le sourire railleur, au fond il déteste ces cérémonies. Il combine l'attitude la plus noble et la démarche d'un sportif. Son uniforme barré du cordon bleu pâle de l'ordre de Saint-André lui sied à ravir.

Revenue fourbue chez elle, Fanny y trouve un message de Nicolas. Il est trop fatigué pour venir la voir, mais il lui enverra un de ses domestiques avec un passe pour qu'elle assiste au bal du mariage.

Fanny ne manquerait le spectacle pour rien au monde ! Aussi, à l'heure dite, pénètre-t-elle à la suite de son guide dans le palais d'Hiver par une porte de service. Ils empruntent un escalier plutôt étroit, passent devant les offices. Fanny, par la porte entrouverte, voit une armée de valets de pied en livrées surbrodées d'or qui s'activent autour de tables rondes prêtes pour le souper. Les assiettes sont en porcelaine de Sèvres, les cristaux gravés d'or, et chacun des vastes chandeliers d'argent est un chef-d'œuvre d'orfèvrerie. Fanny entre dans la salle Saint-Nicolas, une des plus grandes du palais.

Aussitôt les tables sont amenées et les invités s'y asseyent selon l'ordre prescrit. Au-dessus d'eux, sur une estrade, la famille impériale a pris place autour d'une table en demi-cercle. En face de l'empereur et de l'impératrice, siège le métropolite de Saint-Pétersbourg qui prononce le bénédicité orthodoxe.

Toutes les délicatesses de la gastronomie ont été réunies à l'occasion de ce mariage, depuis des montagnes de caviar jusqu'aux fruits frais, cerises et fraises arrivées par train spécial de la Côte d'Azur. Fanny ne se trouve pas parmi les convives privilégiés, mais parmi les spectateurs du souper. Cependant un valet lui apporte une assiette garnie de glaces, de gâteaux, de quartiers d'orange, ainsi qu'une poignée de bonbons et un verre de vin, délicate attention de Nicolas.

Des toasts, pas moins de cinq, sont portés, un orchestre militaire joue les hymnes nationaux, enfin la plus grande diva de l'époque, Adelina Patti, justement placée non loin de Fanny, se lève et entonne plusieurs arias. Puis une armée de valets de pied enlève les tables en un rien de temps, et le bal proprement dit peut commencer.

L'empereur l'ouvre au bras de sa fille la mariée, suivi de l'impératrice au bras du marié, sur l'air solennel et ancien d'une polonaise. Suivent des danses un peu plus modernes, polkas, valses et quadrilles. C'est à peine si Fanny peut apercevoir Nicolas de loin, perdu dans la foule, car il y a plus de mille invités. Au moins pourra-t-elle dire qu'elle a assisté à un bal à la Cour de Russie, le rêve de toutes les Américaines et même de toutes les Européennes.

Ce n'est qu'en remettant au coffre les bijoux sortis pour le mariage de sa nièce que la grande-duchesse Alexandra s'aperçoit de la disparition de ses boucles d'oreilles en émeraudes. Pour la grande-duchesse, le coupable ne peut être que Nicolas. Si forte est sa conviction qu'elle déclare à son entourage qu'elle lui en parlera à la première occasion. Seulement Nicolas est tombé malade, il est cloîtré en son palais, au fond de son lit, atteint d'une affection intestinale. Il est trop faible pour recevoir des visites, même celle de sa mère...

Pas assez faible néanmoins pour ne pas supporter la présence de Fanny et du cornette. Négligemment, il jette sur la courtepointe la paire de boucles d'oreilles que sa maîtresse saisit avec ravissement. Deux émeraudes rondes et entourées de diamants soutiennent deux autres émeraudes cabochon, taillées en poire et d'un vert merveilleux, entourées aussi de diamants. Fanny bat des mains comme une enfant et essaye les bijoux sur ses oreilles. Hélas, elle ne pourra les porter qu'en présence de son amant car, en public, ils seraient instantanément reconnus.

Toujours provocateur, Savine interrompt la scène :

— Ce n'est pas en mettant au clou ces babióles que nous obtiendrons le million que Votre Altesse Impériale a promis à la cause de la révolution !

— Je pourrais vendre mes médailles d'or, répond distraitement Nicolas, celles-là même que ma chère Fanny Lear m'a empêché de brader.

Il envoie Savine et Fanny les chercher dans son cabinet de curiosités où elles sont déposées dans un meuble. Ils reviennent bredouilles, les médailles ont disparu.

— Alors j'ai dû les mettre au clou, mais je ne m'en souviens pas...

Il se promet de les chercher à la première occasion.

— Que valent-elles, lance Savine, tout au plus trois cent mille roubles ? On est loin du million !

— Et où veux-tu que je trouve cette somme ? réplique Nicolas. Mon père possède des millions en actions en Bourse, bons d'État, obligations, mais cette fortune est déposée en banque. Ma mère a d'autres millions en bijoux, mais jamais elle ne me les donnera. Il se peut qu'elle ne fasse pas un drame pour une paire d'émeraudes «perdue», mais je ne peux tout de même pas escamoter sa parure de gros diamants !

Fanny prend son air le plus mutin :

— Que me donnerais-tu, Niki, si je te trouvais les garanties nécessaires pour obtenir du vieux Erholz un prêt d'un million ?

Et la belle Américaine de s'expliquer. Lors de certaines fêtes religieuses, la chapelle privée du palais de Marbre est ouverte au public qui peut venir y faire ses dévotions. Ainsi l'usurier y est-il plus d'une fois allé fureter. Non seulement il est passionné de tout ce qui touche à la famille impériale, mais c'est un connaisseur émérite. De plus, comme tant de juifs convertis, il est épris d'objets religieux. Aussi a-t-il remarqué dans les recoins de la chapelle nombre d'icônes d'une très grande antiquité, certaines portant encore leur revêtement de métal précieux noirci par les siècles, enchâssées de gros cabochons ternis, bijoux de peu de valeur intrinsèque mais artistiquement inestimables.

— Tu veux parler, remarque Nicolas, de ces vieilleries dont nous ne savons même pas d'où elles viennent ?

Car, à l'instar des membres de sa famille et en général de l'aristocratie, Nicolas apprécie les icônes de facture récente, peintes avec ce réalisme inspiré de l'Italie, au revêtement précieux ciselé par les orfèvres à la mode, Fabergé et autres, scintillantes de pierreries nouvellement taillées. S'il se montre un fin connaisseur dans tous les domaines de l'Art, et un collectionneur acharné, ce libre penseur reste indifférent aux vieilles icônes.

— Ces vieilleries, comme vous dites, Erholz est tombé en arrêt devant, reprend Fanny, il ne pense plus qu'à elles...

173

— ... au point qu'il est prêt à lâcher une somme énorme pour les avoir, continue Savine.

— Rien de plus facile, répond Nicolas, personne n'y fait attention. Personne ne remarquera leur disparition.

S'emparer de ces «vieilleries» se révéla fort aisé. À peine rétabli, Nicolas n'eut qu'à aller dîner au palais de Marbre et attendre que la nuit fût avancée pour descendre dans la chapelle décrocher les icônes et les remonter dans son appartement. Effectivement, il y avait tellement d'images pieuses de toutes tailles, de tous genres, de toutes valeurs accrochées en désordre un peu partout dans ce sanctuaire que la soustraction d'une vingtaine ou d'une trentaine d'entre elles, surtout les moins à l'honneur, les moins dorées, pouvait ne pas se remarquer.

Les transporter fut nettement plus éprouvant. Nicolas dut lui-même les emballer dans des caisses, qu'avec Savioloff ils descendirent pour les mettre dans sa voiture, pour ensuite les remonter jusqu'à l'appartement de la place du Palais-Michel. Les caisses empilées dans le salon de Fanny, la curiosité féminine fut trop forte. Elle voulut contempler les trésors auxquels elle donnait l'hospitalité. Les caisses furent ouvertes, les icônes sorties, et Fanny s'extasia, tant sur leur beauté car elle avait le goût artistique, que sur leur valeur car elle avait tout autant le sens de l'argent.

À quelques jours de là, Savine fit beaucoup rire Fanny et Nicolas en racontant la remise des icônes à l'usurier. Il était arrivé au milieu de la nuit devant une maison basse aux étroites fenêtres garnies de gros barreaux, munie d'une seule porte matelassée de fer comme une prison. Et c'est dans une prison qu'il avait eu l'impression d'être introduit après avoir été longuement scruté par un gigantesque portier et par plusieurs valets qui ressemblaient plutôt à des fiers-à-bras. Erholz l'at-

tendait dans son cabinet de travail au milieu d'un invraisem-
blable capharnaüm. Le vieillard laissait pousser une longue et
respectable barbe blanche, son nez avait la couleur rouge lilas
de celui d'un alcoolique. La plupart du temps, il gardait baissés ses petits yeux bleuâtres et glacés. Il avait endossé une
pelisse de vieux velours fort sale et portait des chaussons de
laine « brodés par Rivka », sa femme Rébecca.

— Qu'y a-t-il donc dans ces caisses ? avait-il demandé.

— Je n'en sais rien, Herr Erholz, c'est Son Altesse Impériale qui me les a confiées...

Savine imitait à la perfection les expressions, l'accent de
l'usurier. Il se surpassa en reproduisant la joie et l'avidité du
vieillard en découvrant les icônes qu'il désirait depuis si longtemps.

— Elles valent dix fois cette somme, Herr Erholz, mais on
ne vous demande qu'un million, et uniquement pour trois
mois.

L'usurier avait poussé des cris :

— Un million ! C'est une somme effarante ! Jamais je n'ai
eu autant d'argent chez moi, il faudra beaucoup de temps pour
réunir ce million.

Et aussitôt le marchandage avait commencé, qui avait duré
une partie de la nuit. L'intérêt de 5 % promis par Erholz était
monté à 6 % à cause de la rapidité exigée... Il faudrait aussi
déduire les vingt mille roubles qu'il lui devait. Savine avait fini
par obtenir un peu plus de neuf cent mille roubles et, la somme
en poche, il s'était empressé de la remettre à Sophia. Le million promis était enfin tombé dans la caisse de la révolution !

Pendant la Semaine sainte, les services quotidiens — au
moins cinq heures d'affilée — se déroulent pour la famille du
grand-duc Constantin et ses familiers dans la chapelle du palais
de Marbre. Selon l'étrange coutume des palais impériaux

russes, elle se trouve au dernier étage. Plutôt qu'à un sanctuaire, elle ressemble à un salon, avec ses dorures pimpantes, son iconostase scintillant d'or, la lumière qui l'inonde.

Jeudi saint est dans la religion orthodoxe le jour réservé à la sainte communion. Chacun s'approche de l'iconostase pour recevoir de l'archiprêtre le morceau de pain bénit et boire dans le calice d'or et de diamants. Bien que la sainteté des lieux et du moment eût dû les absorber, plusieurs vieilles dames d'honneur et antiques aides de camp remarquent alors que plusieurs des icônes manquent. Après le service, les assistants se retrouvent dans le salon de famille autour d'un buffet de carême, ni viande ni poisson mais du caviar à la louche. Avec emphase, et ce zèle si caractéristique de leur âge et de leur condition, les anciens courtisans font part de la disparition des Saintes Images. Tout en continuant de manger et de boire, on commente, on s'interroge, on interroge les domestiques qui font presque partie de la famille.

— C'est peut-être Son Altesse Impériale Nicolas Konstantinovitch qui a emprunté ces objets ? suppose le laquais Sarytchev, il aime tellement les antiquités, il aura voulu les étudier de plus près, ou les faire copier comme il en a l'habitude.

La grande-duchesse Alexandra prend un air outragé. Comment un simple domestique ose-t-il soupçonner son fils ?

Ces « vieilleries » n'intéressent personne, comme l'avait prédit Nicolas, mais leur disparition intéresse tout de même son père. Il ne s'agit plus d'un petit bibelot disparu dans des lieux aussi réservés, aussi inaccessibles que le boudoir de l'impératrice ou son propre bureau, mais de plusieurs objets enlevés d'un lieu saint. Voulant en avoir le cœur net, le grand duc Constantin convoque le chef de la police de Saint-Pétersbourg, Trepoff. Il l'informe du vol et le charge de l'enquête, car il

176

s'agit pour lui d'une vulgaire affaire criminelle et certainement d'un minable voleur.

Autant le vol a été aisé, autant l'assumer se révèle malaisé. Avec une sorte de morbidité, Nicolas tourne et retourne le problème dans sa tête. Il s'entend de moins en moins avec ses parents, avec son milieu, et les pressions s'accentuent pour le séparer de Fanny. Il se trouve écartelé entre son devoir, ses obligations militaires et son désir d'être avec elle. Enfin, pas un instant ne sort de son esprit la certitude d'être condamné à courte échéance, comme le lui a annoncé le docteur Havrowitz.

Ils ont fini de dîner, Fanny, Savine et lui, et se retrouvent comme chaque soir dans la pièce de travail de Nicolas. La lumière est tamisée, faisant scintiller çà et là un objet de cristal, l'or d'un bronze, une reliure armoriée. L'odeur des alcools qui se répand par les bouteilles ouvertes se mêle aux encens que Nicolas fait brûler dans des cassolettes précieuses, au parfum entêtant de Fanny, à l'arôme des cigares des deux hommes. Tous trois sont perdus dans leurs pensées qui, sans qu'ils le sachent, vont dans la même direction, et que soudain Fanny résume par une question inattendue :

— Et maintenant, messieurs ?

— Maintenant, nous partons toi et moi pour Paris, rétorque Nicolas.

Fanny a un haut-le-cœur.

— Et ton expédition en Asie centrale, tu l'abandonnes ?

— Tu ne me vois tout de même pas m'engageant au service du tsar alors que je viens de donner un million pour le renverser !

— Tu sacrifies ainsi ton avenir ? insiste Fanny.

— Quel avenir ? Peut-être me laisserait-on participer à quelques expéditions dans des déserts inexplorés, mais rien de plus. Jamais on ne me permettra de faire ce que je veux, à commencer par t'épouser. Et je veux t'épouser, ma Fanny Lear.

— Ne vaut-il pas mieux attendre encore un peu puisque l'empereur t'a promis de donner cette autorisation après le mariage de ta cousine !

— Encore un leurre, ma pauvre Fanny... Aussi, c'est décidé, dans une semaine nous partons tous les trois pour Paris. Là-bas nous nous marierons sans demander la permission à personne, comme j'avais voulu sans succès le faire à Vienne... Cette fois, nous réussirons. Les Français sont en république, et de tout temps ils ont protégé les amoureux.

Nicolas ne perçoit pas le regard angoissé que Fanny lance à Savine. Celui-ci ne bouge pas, n'ouvre pas la bouche et semble se recroqueviller sur lui-même.

— Comment vas-tu partir ainsi à l'étranger ? demande-t-elle encore. Je croyais que les déplacements des grands-ducs étaient soumis à des démarches interminables ?

— Je les ai déjà accomplies. Comme l'usage le veut, j'ai demandé à l'empereur l'autorisation de voyager pendant deux ou trois mois en France ou en Angleterre. Il a bien voulu me l'accorder. Et comme d'habitude, j'ai sollicité du service des apanages une somme importante pour mes dépenses. On vient de me la remettre. J'emporte donc assez d'argent pour que nous puissions vivre confortablement un certain temps.

— Et Savine ?

Fanny n'a pu s'empêcher de poser cette question.

— Il nous rejoindra à la première occasion, conclut désinvoltement Nicolas.

Fanny reste enfermée dans son mutisme, dont il ne comprend pas les raisons. Savine doit faire un visible effort sur lui-même pour ajouter :

— L'avenir vous sourira.

— Si Dieu veut bien prolonger ma vie… Sinon, Fanny ma veuve t'épousera toi, le cornette, et vous vous aimerez dans mon souvenir.

Ce soir-là, ils s'abstinrent de se livrer à leurs jeux érotiques, aucun des trois n'en avait envie.

Le général Trepoff, chef de la police de Saint-Pétersbourg, avait des informateurs partout, et en particulier parmi la domesticité des grands, des riches, car il savait que ceux-ci considéraient leurs serviteurs comme faisant partie des meubles, aussi agissaient-ils, parlaient-ils devant eux comme s'ils n'existaient pas, en ne cachant rien.

C'est ainsi que Trepoff entendit parler d'une certaine Katya, seconde femme de chambre chez Mme Hattie Blackford, dite Fanny Lear, américaine. Katya racontait à ses amis, au service d'autres «huiles», qu'elle avait aidé sa maîtresse et ses amis à ouvrir des caisses et à en extraire de grandes icônes. Pour se donner de l'importance, elle décrivait à l'envi la richesse des images pieuses. Or Katya avait un petit ami, un certain Andrei, fiché par la police pour opinions politiques subversives.

Il ne fut pas difficile à Trepoff de faire parler Katya, déjà terrorisée par sa convocation à la police. Un léger chantage sur son «fiancé» qui risquait la prison, sinon pire, fit le reste. Elle raconta tout ce qu'on voulut, et nomma Erholz dont Savine avait plusieurs fois prononcé le nom devant elle.

Aussitôt, Trepoff se rendit chez l'usurier. Là aussi, il lui fut facile de se faire remettre les icônes. Erholz avait beau être avare, il savait où était son intérêt et préféra perdre neuf cent mille roubles plutôt que de risquer une inculpation et la ruine.

Lorsque le grand-duc Constantin revient au palais de Marbre, il trouve le général Trepoff qui l'attend dans son bureau. C'est un homme au visage creusé, aux moustaches sombres, fournies et très longues. Le grand-duc Constantin s'est toujours méfié de ce conservateur trop respectueux, trop doux, qui sourit toujours d'un air peiné.

— Nous avons retrouvé les icônes de la chapelle de Votre Altesse Impériale !

— Où sont-elles ?

— Mes agents les ont déjà remises à leur place...

— Qui est le voleur ?

— Nous n'avons pas trouvé les voleurs pour la simple et bonne raison qu'il n'y a pas eu vol. Pas de vol, pas de voleur !

Le grand-duc se permet d'ironiser :

— Pas de voleur ! Les icônes se sont-elles envolées par la fenêtre de la chapelle ? Serait-ce un miracle ?

— Pas de miracle, Altesse Impériale, mais pas de vol non plus.

— Excusez-moi, général, mais je ne comprends absolument pas. Soyez assez bon pour m'expliquer comment ces icônes ont disparu...

— Je supplie Votre Altesse Impériale de me délivrer de l'obligation de répondre ! Considérez-moi comme le fidèle et sincère serviteur de Sa Majesté Impériale, l'empereur votre frère. Il n'y a pas eu de vol, il y a eu simplement frivolité.

Le grand-duc croit comprendre et blêmit.

— Cela signifie que le coup a été fait par mon fils Nicolas !

— Aussi pénible que cela me soit de briser le cœur d'un père, je me vois forcé de confirmer vos soupçons. Oui, c'est lui.

— J'imagine qu'il a dû engager les icônes chez quelque usurier et donner l'argent à son Américaine pour ses folles dépenses !

Trepoff voit le moment de son triomphe arriver. Il déteste Constantin et Nicolas pour leurs idées libérales. Au moins les révolutionnaires sont-ils des ennemis déclarés, tandis que ces démocrates de pacotille font beaucoup plus de mal sans en avoir l'air.

— Le grand-duc Nicolas n'a pas donné l'argent à Mme Fanny Lear. Il l'a remis à ces fous qui s'intitulent les amis du peuple et qui prônent la révolution.

Comprenant l'attaque, le grand-duc Constantin redevient glacial :

— Mais avez-vous attrapé ces gens, général, et les avez-vous enfermés à la forteresse Pierre-et-Paul ?

— Ce n'est pas encore nécessaire. Nous connaissons l'identité de ces illuminés, nous les surveillons étroitement, en particulier Sophia Perovskaïa qui a servi d'intermédiaire entre votre fils et eux. Bien sûr, ils sont dangereux, car capables de tout. Mais ils sont aussi imprudents, et ne prennent aucune précaution. Nous préférons les laisser encore courir pour connaître leurs complices, leurs ramifications, leurs projets. Nous interviendrons pour les neutraliser lorsque cela sera devenu indispensable, c'est-à-dire lorsqu'ils seront à la veille de commettre quelque regrettable forfait.

Pendant que Trepoff parle, le grand-duc Constantin réfléchit. Il voit le piège tendu. Son fils finançant les révolutionnaires, c'est lui qui sera accusé. Un libéral, voyons, on peut tout attendre de ces irresponsables ! Les conservateurs triompheront et le projet de réforme que, de toutes ses forces, il pousse l'empereur à adopter tombera à l'eau.

— J'imagine, général, que vous allez de ce pas faire votre rapport à Sa Majesté.

— Vous vous trompez, Altesse Impériale. J'ai pour vous beaucoup plus d'estime que vous ne croyez. Je ne veux pas salir votre famille. Je le répète : seule la frivolité a inspiré le vol de vos icônes. Aussi mieux vaut passer l'éponge... pour cette fois.

L'auteur du vol et la destination de son produit resteront un secret entre vous et moi.

Le grand-duc Constantin comprend que Trepoff renonce à le détruire maintenant pour garder contre lui une arme qu'il utilisera quand bon lui semblera. À tout moment il lui sera facile de prétendre devant l'empereur avoir découvert de nouveaux éléments à propos du vol d'icônes incriminant Nicolas. Désormais, il tient cette épée de Damoclès au-dessus de la tête du père et du fils. Que le père file doux, qu'il n'exagère pas dans son libéralisme, qu'il s'abstienne de pousser son frère dans des réformes par trop excessives, sinon le fils sera accusé, et le père irrémédiablement compromis.

En attendant, le grand-duc a gagné du temps. Il se lève de son fauteuil et il conclut l'entretien avec une sécheresse sans appel :

— Merci de votre zèle, général. Le principal, c'est que les icônes aient été retrouvées.

À sa femme, Constantin ne dira rien : elle répète tout. À son fils non plus, il n'en a pas le courage. L'affaire est donc enterrée… pour l'instant.

11

Rien de bien marquant ne s'est produit en cette journée du 7 avril 1874. Un calme nocturne règne sur Pétersbourg, seulement dérangé par des fêtards attardés. Tout semble dormir au palais du grand-duc Nicolas Konstantinovitch. Pourtant, les trois compères, enfermés dans cette pièce que Nicolas appelle « la chambrette de Fanny » sont bien éveillés.

Nicolas a dû assister à un dîner de famille au palais d'Hiver. Pour se venger de la corvée, il en a profité pour commettre un nouveau larcin. Il a subtilisé sur le bureau de la tsarine un autre de ses cachets, son préféré, taillé dans une seule gigantesque améthyste.

Cette farce, cependant, ne les a pas déridés comme les précédentes. Ils boivent sec, et même beaucoup plus que d'habitude. Ils sont tristes car, dans quelques jours, Nicolas et Fanny partiront pour l'Occident, ils quitteront la Russie pour longtemps, peut-être pour toujours. Et accessoirement, leur trio va se séparer, tout au moins provisoirement.

Avec l'heure qui tourne et les consommations de cognac, l'humeur de Nicolas s'assombrit. Tout cela, c'est de la faute de sa famille, du régime, de ce contexte qu'il en est venu à haïr. Ce sont ses parents qui le forcent à s'exiler, qui l'empêchent d'agir, d'accomplir quelque chose qui soit digne de lui.

Pour combattre la morosité de son amant, Fanny fait comprendre que l'heure a sonné pour eux de se livrer à leurs jeux habituels…

— Droit au palais de Marbre! s'écrie brusquement Nicolas.

L'orgie, il veut s'y livrer chez ses parents, justement pour se venger d'eux, pour souiller la demeure familiale de leurs ébats et pour y laisser le parfum de leur immoralité.

La voie est libre, ses parents, aussitôt le dîner de famille au palais d'Hiver achevé, se sont directement rendus par train spécial à Pavlovsk. Comme des écoliers, ils sont soudain pressés de faire cette farce énorme. Ils enfilent leurs manteaux, quittent la demeure de Nicolas sans être vus, arrêtent un fiacre et se font conduire non loin du palais de Marbre. Ils poursuivent à pied le long du quai, les sentinelles se trouvant de l'autre côté pour garder la porte principale. Avec sa clé, Nicolas ouvre la petite porte, ils grimpent l'étroit escalier, atteignent au second étage l'appartement de Nicolas.

Ils se remettent à boire car des bouteilles traînent toujours partout où le grand-duc réside.

Trois heures du matin sonnent. Le silence le plus total règne dans le vaste palais et ils ne risquent plus de tomber sur un domestique attardé. Ils se mettent en marche, tâchant de faire le moins de bruit possible, mais ils sont ivres, se cognent aux meubles, font grincer les portes. Ils étouffent leurs fous rires…

personne n'est là pour les entendre. Ils atteignent l'anti-chambre de la grande-duchesse Alexandra.

C'est Nicolas qui ouvre la porte de la chambre à coucher de sa mère. Les rideaux n'ont pas été tirés, et la pâle luminosité de la nuit éclaire à peine la pièce. Le parfum si particulier de la grande-duchesse, un mélange de tubéreuses et de roses, qui flotte dans la pièce donne à son fils l'impression qu'elle est endormie dans son lit, ce lit sur lequel ils se jettent pour se livrer à toutes les fantaisies de leur érotisme plus débridé que jamais. Lorsque leurs corps sont repus, ils demeurent nus sur la courtepointe de dentelle, les yeux grands ouverts. Au-dessus d'eux s'alignent les icônes les plus précieuses d'Alexandra, des images du Christ, de la Vierge et des saints, aux revêtements enchâssés de pierreries qui scintillent vaguement à la lueur tremblotante des veilleuses d'or et d'argent.

Ils ne peuvent détacher leur regard de la magie de ces lumières multicolores et fugaces. D'avoir violé la chambre de sa mère, et d'avoir fait l'amour sur son lit, procure à Nicolas la délicieuse impression d'un sacrilège. Il se lève péniblement car la tête lui tourne. Debout, toujours nu, titubant, son doigt pointé désigne l'icône accrochée au centre de la paroi, juste au-dessus du lit, une grande Vierge recouverte d'or incrusté de diamants :

— Celle-là, c'est la préférée de ma mère. C'est celle que mon grand-père, Nicolas Ier, lui a donnée le jour de son mariage.

Là-dessus, il semble faire un tour sur lui-même et s'écroule sur le tapis, inconscient.

Lorsqu'il émerge, la matinée est déjà bien avancée. Il se retrouve sur son propre lit, dans la chambre à coucher de son palais. À demi étendue à côté de lui, Fanny, habillée pour sortir, le contemple avec amour. Il ne se souvient de rien.

Elle lui rafraîchit la mémoire. Quelle affaire pour le ramener ici ! Ni elle ni Savine ne savaient comment sortir du palais de Marbre, surtout dans l'obscurité. En se trompant plusieurs fois, ils ont tout de même réussi à retrouver l'étroit escalier qu'ils avaient emprunté. Ils l'ont remis debout et l'ont traîné. À chaque marche, il menaçait de dégringoler. Ils ont dû presque le porter le long du quai jusqu'à ce qu'ils trouvent un fiacre. Ils ne savaient pas comment entrer dans le palais de Nicolas et ne voulaient pas réveiller le personnel en sonnant. Ils l'avaient appuyé contre le mur et se demandaient ce qu'ils allaient faire lorsque le fidèle Savioloff était apparu à une fenêtre. Jamais il ne s'endormait avant son maître. Par signes, Fanny et Savine lui avaient demandé de descendre et de les assister. C'est Savioloff qui, malgré son âge, avait porté son maître jusqu'à sa chambre. C'était il y a deux jours.

Le 10 avril, onze heures du matin sonnent lorsque, dans la chapelle du palais d'Hiver, s'achève le service d'action de grâces célébré pour l'anniversaire du grand-duc Vladimir, second fils de l'empereur. Toute la famille impériale se trouve réunie. Le grand-duc Constantin, son épouse et leurs enfants sont revenus spécialement de Pavlovsk le matin même, et de la gare se sont fait conduire directement au palais d'Hiver.

Bien qu'il eût reçu la convocation habituelle signée du ministre de la Cour impériale, Nicolas avait complètement oublié cet anniversaire, comme il avait oublié que ses parents devaient revenir en ville pour assister à la cérémonie. Elle est suivie d'un breakfast à l'anglaise, puis on se sépare.

De retour au palais de Marbre, la grande-duchesse Alexandra monte dans ses appartements, suivie de sa dame d'honneur, la comtesse von Keller. Elle entre dans sa chambre avec l'intention d'enlever sa toilette de cérémonie pour revêtir une robe plus légère. Aussitôt, elle note quelque chose d'étrange.

Au-dessus de son lit, l'auréole en pierreries d'une de ses icônes a été enlevée et placée sur l'étoile en diamants d'une autre icône, la plus précieuse de toutes par le souvenir, celle que lui a donnée son beau-père Nicolas Iᵉʳ. Elle se hisse pour retirer l'auréole incongrûment placée, et découvre que les pierreries enchâssées sur l'étoile ont été arrachées.

La stupeur le dispute chez elle à l'horreur de ce sacrilège. Elle pousse un cri si effrayant que sa dame d'honneur en a un choc et tremble de terreur. La grande-duchesse pense d'abord à calmer cette fidèle amie :

— Il fallait que je pousse ce cri pour me libérer, pour extirper toute l'horreur de ma découverte, car c'est Nicolas, c'est mon Niki qui a commis ce crime !

Puis la grande-duchesse a un sursaut d'amour maternel. Personne ne doit savoir ce qui s'est passé. Elle laissera l'auréole sur l'étoile pour cacher le vol. La comtesse von Keller, de tout son cœur, l'encourage dans sa décision.

C'est compter sans les femmes de chambre. Elles ont suivi la grande-duchesse pour l'aider à se changer, elles ont tout vu, elles sont affolées, elles craignent qu'on leur reproche le vol. La grande-duchesse et la dame d'honneur tâchent de les rassurer, sans succès.

Nicolas a été fort étonné d'être convoqué par son père. Il ignorait qu'il fût revenu en ville. Mon Dieu ! l'anniversaire de cousin Vladimir ! Cette corvée lui est complètement sortie de l'esprit et sa « gueule de bois » ne l'a pas aidé à s'en souvenir...

Le bureau du grand-duc Constantin ne possède pas cette vue magnifique sur la Neva qui enrichit tant de pièces du palais de Marbre. Peut-être parce qu'elle se situe dans la partie du palais la plus éloignée des appartements de sa femme, il a élu une grande pièce plutôt sombre qui donne sur une rue maussade. À son étonnement, Nicolas trouve son père et sa mère réunis.

Comme toujours lorsqu'il entre dans la pièce, ses yeux sont attirés par le splendide portrait de jeunesse de la grande-duchesse. Winterhalter l'a peint alors qu'elle avait à peine vingt ans, une beauté resplendissante aux longues boucles brunes et au décolleté suggestif, parée de soies bleues, de dentelles et de perles. Elle a bien changé depuis… Belle, elle l'est toujours, mais le nez est devenu beaucoup plus aquilin et l'allure gracieuse a été remplacée par une attitude majestueuse. Elle intimide, elle le sait et elle en profite.

Nicolas perçoit une certaine gêne derrière la cordialité avec laquelle son père l'accueille.

— Mama est venue me dire qu'on a volé les diamants sur l'icône de l'empereur Nicolas Ier.

Nicolas est sincèrement abasourdi. Le grand-duc Constantin poursuit avec les confidences que lui a faites son frère :

— L'empereur m'a dit ce matin au palais qu'un autre cachet de l'impératrice a disparu de sa table, tu sais, le gros en améthyste… C'est la deuxième fois qu'un tel incident se produit en quelques mois, et toujours après un dîner de famille.

Nicolas parvient à afficher le plus grand étonnement.

— Mais les diamants de l'icône de mama, quand ont-ils disparu ? Quand mama s'en est-elle aperçue ?

Le père fournit les rares informations qu'il possède. Nicolas et lui se perdent en conjectures, jusqu'à ce que le fils s'exclame :

— C'est comme chez moi. Ma collection de pièces d'or a disparu !

— Tu devrais prévenir la police, Niki, et tout de suite.

Nicolas promet de le faire dès qu'il sera de retour chez lui.

188

À peine a-t-il quitté la pièce que la grande-duchesse sort de son mutisme :

— C'est lui, pour l'étoile en diamants, j'en suis sûre !

— Mais non, Sannie, son étonnement n'était absolument pas feint. Notre fils n'est pas un voleur, je vous le répète depuis le début !

Ni l'un ni l'autre n'en démordent. Le grand-duc Constantin enrage de l'acharnement de sa femme. D'autant plus que sa conviction de l'innocence de Nicolas, déjà ébranlée par la disparition d'objets chez l'impératrice et chez lui-même, a été écrasée par la révélation du général Trepoff.

Si son fils est un voleur, et surtout si cela se sait, alors le fragile barrage ne tiendra pas et le torrent renversera tout, le coupable, sa famille, et tous ses efforts pour libéraliser la Russie. Personne ne doit savoir, et surtout pas l'empereur ! Il mènera donc sa propre enquête. Et si Nicolas se révèle véritablement coupable, alors il décidera d'un châtiment à la mesure du forfait. En attendant, pas un mot.

— En tout cas, Sannie, je vous demande le secret absolu.

— À une condition, Kostia.

Le grand-duc lève la tête et, en plissant les yeux, la fixe derrière les verres de son lorgnon.

La grande-duchesse darde ses magnifiques yeux bleus sur son mari :

— À la condition que vous juriez de renoncer à tout jamais à l'autre !

L'autre, Constantin l'a compris, c'est son épouse inofficielle Kutznetzova. Le chantage de sa femme l'écartèle. C'est elle qui, si longtemps, a trop gâté Nicolas, c'est lui en ce moment qui veut le protéger et lui éviter l'opprobre. Or, il ne pourrait le faire qu'en se séparant pour toujours de la femme qu'il aime et des enfants qu'elle lui a donnés.

Le petit homme assis dans le vaste fauteuil devant sa table surchargée de papiers, et la femme debout, imposante, superbe et si longtemps humiliée, se toisent. Pour finir, le grand-duc murmure :

— Je n'ai pas la force de renoncer à elle.

Sa femme sans un mot fait demi-tour et quitte la pièce.

La grande-duchesse Alexandra doit partir le soir même pour l'Allemagne. En fin d'après-midi, elle reçoit la visite de son beau-frère l'empereur venu lui souhaiter bon voyage. Incapable de prononcer un mot, elle le prend par la main, le mène dans sa chambre et lui montre l'icône dont le revêtement d'or a été tordu et où des trous noirs marquent l'emplacement des diamants arrachés. Alexandre II s'indigne et promet de convoquer le général Trepoff dès son retour au palais et de le charger de l'enquête sur ce vol inqualifiable.

La grande-duchesse reçoit d'autres membres de la famille avec lesquels elle se montre bien moins discrète, en particulier avec sa nièce préférée, la grande-duchesse héritière Maria Feodorovna — Mini pour la famille. Elle est l'épouse de Sacha l'Ours que personne n'aime vraiment, mais cette Danoise d'origine, vive, gracieuse, spontanée et affectueuse, a conquis toute sa belle-famille. Devant elle, tante Sannie peut s'épancher.

— Je suppose, ma pauvre Mini, que tous les membres de la famille vont soupçonner Nicolas !

Mini ne répond rien, mais des larmes perlent à ses yeux et Alexandra prend son silence pour un acquiescement.

Elle peut désormais partir tranquille. Elle a commencé à raconter sous le sceau du secret, mais à qui voulait l'entendre, le vol dont elle a été victime. Elle a utilisé la mauvaise réputation de Nicolas pour concentrer les soupçons de la famille sur lui. Elle a suffisamment élargi le scandale menaçant pour rendre le grand-duc Constantin incapable de l'étouffer. En condamnant son fils, elle se venge de son mari.

Revenu chez lui, Nicolas raconte à Fanny le vol des diamants sur l'icône préférée de sa mère. Elle sursaute, le regarde affolée, cherche sa respiration comme une noyée, puis tombe dans une sorte d'apathie. Il n'insiste pas et pourtant l'envie le démange de lui demander si ce sont elle et Savine les responsables. L'idée lui en était passée par la tête.

Nicolas éprouve tout de même le besoin de questionner Savine et l'envoie chercher. Le cornette n'est pas à son domicile, son domestique déclare ne pas savoir où il se trouve. Message lui est laissé d'accourir au plus vite au palais du grand-duc, mais Savine reste invisible. Fanny de son côté lui envoie plusieurs billets le suppliant de la rencontrer. Ils restent sans réponse.

Nicolas et Fanny passent les jours suivants dans un étrange état. L'esprit comme anesthésié, ils sont incapables d'agir. Ils mènent une vie à peu près normale mais ne prévoient rien, ne décident rien. Il s'est replié sur lui-même, elle ressemble à un automate.

Nicolas était retourné au palais de Marbre. Son père lui avait demandé s'il avait prévenu la police du vol de ses médailles d'or. Nicolas avait oublié de le faire, mais revenu chez lui, il s'était empressé d'envoyer Vorpovsky au commissariat du quartier déclarer la disparition de son trésor. Il y avait ajouté l'inventaire et la description exacte des médailles. À plusieurs reprises, son père lui avait demandé s'il les avait retrouvées. Nicolas n'avait pu répondre que par la négative.

Alexandre II a donc confié l'enquête sur le vol des diamants à Trepoff. Le chef de la police de Saint-Pétersbourg mérite bien la confiance de l'empereur. Il sait que dans une affaire aussi délicate qu'un vol commis dans une demeure impériale, il faut agir avec la plus grande discrétion. Il l'a déjà prouvé dans l'affaire du vol des icônes...

Pas question d'envoyer des policiers envahir le palais de Marbre et interroger ses habitants. Le retentissement d'une telle initiative eut été désastreux.

Aussi commence-t-il son enquête par l'autre extrémité de l'écheveau. Ses policiers sont chargés d'aller interroger tous les usuriers de la capitale. Deux jours suffisent pour que l'un d'eux tombe dans le mille. Un des prêteurs à gages ne fait aucune difficulté pour raconter qu'un officier est venu le trouver avec des diamants dessertis, petits mais d'une merveilleuse qualité. Quel jour cet officier est-il venu ? Le 8 avril au soir, c'est-à-dire cinq jours plus tôt. Mais l'usurier était prêt à fermer boutique et il l'avait renvoyé, d'autant qu'il soupçonna immédiatement que la provenance des pierreries pouvait ne pas être nette.

L'officier s'était pourtant représenté le lendemain, dès l'ouverture du magasin. Du coup, l'usurier avait proposé en échange des pierreries une somme dérisoire, certain que l'autre refuserait. À son étonnement, il s'en était contenté, avait empoché les roubles et lui avait remis les pierreries. L'usurier sort de son coffre le sac de peau qui les contient et les montre au policier. Celui-ci, d'après l'inventaire et la description qu'il en possède, les reconnaît immédiatement.

Il bombarde l'usurier de questions sur l'officier mais ce dernier ne l'avait jamais vu auparavant et n'a aucun moyen de l'identifier. Un autre militaire se trouve dans l'officine, qui se mêle à l'entretien. Lui, c'est un habitué que l'usurier connaît bien. Il se trouvait là le jour où les diamants ont été amenés. Il ne parvient pas à mettre un nom sur l'officier suspect, en revanche il est certain de l'avoir déjà vu. Où ? Le policier

C'est à Saint-Pétersbourg, en 1850,
qu'est né Nicolas, l'aîné des enfants
du grand-duc Constantin, frère du tsar.

© AKG Paris

© Coll. de l'auteur

© Coll. de l'auteur

Le grand-duc Constantin est envers ses
enfants beaucoup plus un camarade
qu'un censeur. Il est souvent absent, pris
par ses obligations officielles auprès du
tsar, mais Nicolas est très sensible à ses
idées libérales, et voit en lui un modèle.

Nicolas idolâtre sa mère, Alexandra, une très belle femme
férue de spiritisme. En retour elle lui manifeste un amour
débordant, le favorisant même ostensiblement au détriment
de ses frères et sœurs. Mais, quelques années plus tard,
l'infidélité de son mari le grand-duc Constantin va aigrir son
caractère : elle se détourne de son fils, lui reprochant la
frivolité de sa vie de jeune homme.

Olga, la sœur chérie de Nicolas, la seule qui lui est restée fidèle toute sa vie. Par son mariage avec George Ier, elle devint reine de Grèce ; elle est aussi la grand-mère de Michel de Grèce...

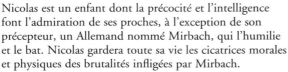

Nicolas est un enfant dont la précocité et l'intelligence font l'admiration de ses proches, à l'exception de son précepteur, un Allemand nommé Mirbach, qui l'humilie et le bat. Nicolas gardera toute sa vie les cicatrices morales et physiques des brutalités infligées par Mirbach.

Le palais de Pavlovsk, à quelques dizaines de kilomètres de Saint-Pétersbourg, est un refuge pour Nicolas, qui doit en hériter. Il lui sera confisqué à la suite du scandale, comme tous ses biens.

© Souvenirs du Gotha

© Coll. de l'auteur

Fanny, de son vrai nom Hattie Blackford, est la responsable de la chute de Nicolas. Sa beauté et sa sensualité ont rendu fou le jeune grand-duc. Il va jusqu'à accepter de la partager avec un autre, Savine. Et c'est le beau Savine qui présente à Nicolas de jeunes révolutionnaires rêvant de la chute du tsarisme. Parce qu'il trouve leurs idées généreuses et aussi pour les beaux yeux de Fanny, Nicolas vole de vieilles icônes dans une chapelle du palais de ses parents, qui seront vendues au profit de leur mouvement.

Nicolas, devenu jeune homme, par ennui, par désespoir, se plonge dans la débauche et le cynisme: les femmes, l'alcool, les provocations... Un soir, à l'Opéra, il croise la belle Fanny Lear. C'est le coup de foudre. Il ne la quittera plus avant d'y être forcé.

C'est pour une icône que la vie de Nicolas bascule: une nuit de débauche dans le palais de ses parents, il s'effondre, assommé par l'alcool et peut-être drogué par Savine. Lorsqu'il se réveille, les diamants qui ornent l'icône préférée de sa mère, un cadeau du tsar pour son mariage, ont disparu.

© Virginia Museum of Fine Arts, Richmond, leg. Lillian Thomas Pratt

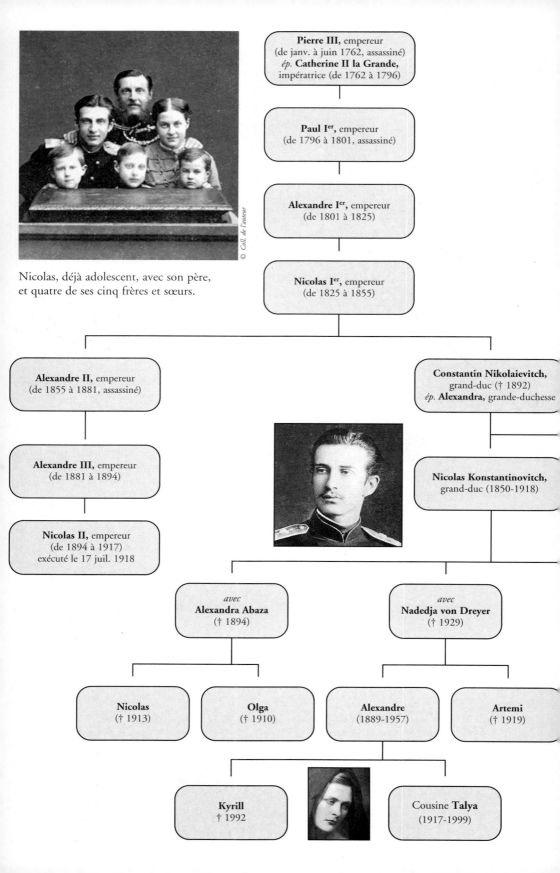

Nicolas, déjà adolescent, avec son père,
et quatre de ses cinq frères et sœurs.

© Coll. de l'auteur

Pierre III, empereur
(de janv. à juin 1762, assassiné)
ép. **Catherine II la Grande,**
impératrice (de 1762 à 1796)

Paul Iᵉʳ, empereur
(de 1796 à 1801, assassiné)

Alexandre Iᵉʳ, empereur
(de 1801 à 1825)

Nicolas Iᵉʳ, empereur
(de 1825 à 1855)

Alexandre II, empereur
(de 1855 à 1881, assassiné)

Constantin Nikolaievitch,
grand-duc († 1892)
ép. **Alexandra,** grande-duchesse

Alexandre III, empereur
(de 1881 à 1894)

Nicolas Konstantinovitch,
grand-duc (1850-1918)

Nicolas II, empereur
(de 1894 à 1917)
exécuté le 17 juil. 1918

avec
Alexandra Abaza
(† 1894)

avec
Nadedja von Dreyer
(† 1929)

Nicolas
(† 1913)

Olga
(† 1910)

Alexandre
(1889-1957)

Artemi
(† 1919)

Kyrill
† 1992

Cousine **Talya**
(1917-1999)

Alexandre III et sa famille. Le tsar n'aime pas
Nicolas et, sous son règne, le châtiment du grand-
duc est particulièrement sévère.

Nicolas II, le troisième tsar de l'exil de Nicolas,
avec sa famille.

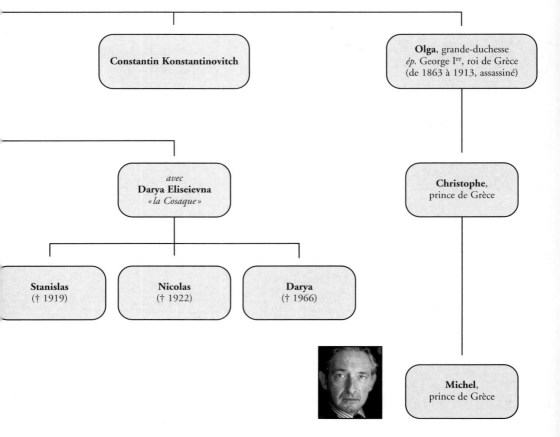

| **Constantin Konstantinovitch** | **Olga**, grande-duchesse
ép. George Ier, roi de Grèce
(de 1863 à 1913, assassiné) |

avec
Darya Eliseievna
« la Cosaque »

Christophe,
prince de Grèce

Stanislas
(† 1919)

Nicolas
(† 1922)

Darya
(† 1966)

Michel,
prince de Grèce

C'est dans le palais d'Hiver,
dans le bureau du tsar, que
se joue le destin du grand-duc
Nicolas Konstantinovitch :
accusé du vol, il nie jusqu'au
moment où il comprend que
Fanny et Savine l'ont trahi.
Ils ont volé les diamants, ils
comptaient s'enfuir ensemble…
Mais il aime trop Fanny pour la
dénoncer. Il avoue.

Le tsar Alexandre II est désemparé face au vol
des diamants : juger Nicolas, c'est déclarer aux
yeux de tous qu'il y a un voleur chez les
Romanov… Mais la rumeur courant déjà, il
ne peut pas ne rien faire. Alors, quand un
médecin suggère que Nicolas pourrait être
fou, le tsar est soulagé : on va l'enfermer,
comme un fou, le déchoir de ses droits, et
puis on l'oubliera…

La grande-duchesse Alexandra, la mère de Nicolas,
ne fait rien pour sauver son fils de la disgrâce,
bien au contraire : en rage contre lui, elle exige
un châtiment. Elle ne se préoccupera quasiment
plus de lui jusqu'à sa mort.

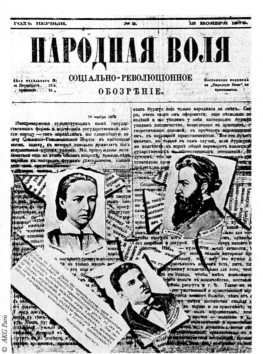

© AKG Paris

Le 1er mars 1881, Alexandre II paie de sa vie ses projets de réforme libérale, assassiné par des révolutionnaires, parmi lesquels Sophie Petrovskaïa (à gauche sur la photo), à qui Nicolas avait donné des fonds... Nicolas est effondré: son argent aurait-il servi au meurtre ? Il ne le saura jamais.

© Coll. de l'auteur

Nicolas avec sa femme Nadedja à Tachkent où Alexandre III, le nouveau tsar, plus sévère encore que son père, l'a expédié : Nicolas, avec ses Cosaques, irrigue les terres, construit des villages, cultive les champs... Il fait des miracles pour cette région déshéritée. En 1917, le tsar Nicolas II abdique: après quarante ans d'exil, Nicolas est libre! Il s'éteint à Tachkent, le 26 février 1918.

Après l'enfermement, Nicolas connaît l'exil en Crimée, puis dans l'Oural où il sympathise avec des Cosaques, partage leurs expéditions, étudie la construction d'une ligne de chemin de fer... et épouse en secret la fille du chef de la police d'Orenbourg, Nadedja von Dreyer.

© Souvenirs du Gotha

Natalya, dite Talya, petite-fille
de Nicolas, a elle-même eu
une vie tumultueuse : adolescente,
elle a été engagée comme
acrobate dans un cirque à Moscou,
et a connu un grand succès.
Elle n'a jamais oublié ce grand-père
banni qui eut le temps
de venir la porter sur les fonts
baptismaux avant de mourir...

© Coll. de l'auteur

Lorsque Michel de Grèce la rencontre, en 1998, «cousine Talya»
lui parle de Nicolas, dont il ignore tout. Il lui fait alors la promesse
de mener une enquête et de raconter, un jour, à son tour, l'histoire
de ce grand-duc qui fut rayé des mémoires pour avoir trop aimé...

le presse. Le militaire redouble d'efforts pour creuser sa mémoire :

— Je me rappelle, maintenant. J'ai rencontré l'homme que vous cherchez dans l'entourage des enfants de Son Altesse Impériale le grand-duc Constantin Nicolaïevitch…

Le militaire ne se souvient d'aucun autre détail.

Le policier retourne faire son rapport au général Trepoff. Immédiatement, celui-ci dépêche ses hommes les plus expérimentés pour interroger de nouveau l'usurier et le militaire qui se trouvait dans sa boutique. L'usurier n'a rien à ajouter, aussi les sbires se concentrent-ils sur le militaire. Ne se souvient-il vraiment d'aucun détail qui puisse permettre d'identifier l'officier suspect ? Par exemple, quel uniforme portait-il ? L'interrogé ne s'en souvient que vaguement, il essaie de revivre la scène. Il se tenait debout à côté du comptoir, attendant son tour. Il revoit le petit sac de peau de chamois que l'officier desserre, les diamants qui roulent sur la table, l'usurier qui fait la moue. À cet instant, l'officier s'était penché pour désigner une pierre particulièrement belle et il avait remarqué, c'est vrai, une de ses épaulettes, l'œil attiré par deux minuscules canons croisés qui y étaient brodés en fil d'or. Il en fait la description la plus exacte.

Deux canons d'or croisés ? Trepoff entreprend des recherches et identifie rapidement le régiment d'artillerie dont les officiers portent ce signe de reconnaissance. Seulement, ce régiment n'appartient à aucun des nombreux corps que commandent le grand-duc Constantin ou ses fils, et aucun membre de leur maison n'y sert.

La perplexité de Trepoff est totale. L'homme n'a pas pu se tromper, ce sont bien deux canons d'or croisés qu'il a vus sur les épaulettes du suspect.

— Et pourtant personne dans l'entourage du grand-duc ne

porte l'uniforme de ce diable de régiment, conclut-il devant son état-major.

— Votre Excellence se trompe, intervient un des plus anciens limiers de la maison. Un homme sert dans ce régiment. Le capitaine Victor Vorpovsky.

— Quelle est sa fonction?

— Aide de camp de Son Altesse Impériale le grand-duc Nicolas Konstantinovitch.

Le lendemain, 14 avril, Nicolas est encore au lit lorsqu'un messager de son père le convoque au palais. Fanny, aussitôt éveillée, l'aide à s'habiller. Il part l'esprit complètement vide.

Il trouve le grand-duc Constantin en compagnie du général Trepoff:

— Niki, je t'ai fait venir parce que ce que m'annonce le général te concerne de près.

Nicolas frissonne. Trepoff va ouvrir la porte, Vorpovsky apparaît, encadré par deux policiers. Nicolas ne peut en croire ses yeux.

Trepoff demande à l'aide de camp s'il a bien engagé chez un usurier des diamants volés sur une icône de la grande-duchesse Alexandra ainsi que les médailles d'or disparues chez son fils. Vorpovsky nie avec véhémence:

— Vous avez pourtant été reconnu à vos épaulettes...

— Beaucoup d'officiers en portent de semblables!

L'interrogatoire se poursuit sans aucun progrès. Trepoff finit par hausser les épaules.

— Vous pouvez repartir, capitaine Vorpovsky, vous êtes libre.

En présence de Trepoff, le grand-duc Constantin interroge Nicolas sur son aide de camp. Se porte-t-il garant de lui? Vorpovsky aurait-il pu commettre une malhonnêteté? A-t-il des besoins d'argent? Nicolas, de toutes ses forces, défend celui qu'il considère comme son ami. Vorpovsky, un voleur ? C'est totalement hors de question !

Mais il est pressé de questionner à son tour Vorpovsky. Il le trouve dans le vaste vestibule du palais. L'aide de camp paraît terrifié, mais en même temps il a une expression sournoise que Nicolas ne lui avait jamais remarquée. Pourquoi l'accusent-ils ? lui demande-t-il. Connaît-il cet usurier ? Vorpovsky ne met pas longtemps à avouer. Oui, il connaît l'usurier, oui, il a engagé les diamants...

Nicolas reste parfaitement maître de lui :

— Assieds-toi et raconte moi exactement ce qui s'est passé...

Ils prennent place sur un banc de marbre devant lequel passent et repassent domestiques galonnés, militaires pressés et familiers du palais, qui s'inclinent respectueusement. Vorpovsky commence son récit à voix basse.

L'autre matin, une vieille femme pauvrement vêtue s'est présentée au palais de la rue Gatchina. Malgré ses haillons, on voyait qu'elle appartenait à la bonne société et qu'elle avait connu des jours meilleurs. Elle demandait à voir Son Altesse Impériale. Vorpovsky, habitué à faire barrage, lui avait répondu que le grand-duc n'était pas disponible mais qu'elle pouvait lui confier ce qui l'amenait. Elle avait alors extrait les diamants de son réticule. C'était, confia-t-elle, un bien de famille, le dernier qui lui restait. Elle était forcée de vendre, et sachant que le grand-duc était collectionneur, elle était venue lui proposer de l'acheter.

Vorpovsky était sûr que ce « trésor » n'intéresserait pas son maître. D'un autre côté, il n'avait pas voulu décevoir la vieille, aussi, sortant de l'argent de sa poche, il avait lui-même acheté les diamants. Seulement, n'ayant pas beaucoup de roubles sur lui, il l'avait payé un prix fort modeste qui pourtant avait suffi à transporter de joie la vieille. Ne sachant que faire ensuite de son acquisition, il l'avait proposée au premier usurier venu et en avait obtenu une somme légèrement supérieure à celle qu'il avait déboursée.

— Mais pourquoi n'as-tu pas raconté cela à Trepoff?

— Il me fait trop peur.

Nicolas ne veut pas creuser la véracité de cette histoire à laquelle il s'est accroché comme à une bouée de sauvetage. Il remonte immédiatement chez son père pour la lui répéter. Les diamants ont été retrouvés, l'implication de Vorpovsky a été expliquée, tout est dit!

Au sortir du palais de Marbre, Trepoff s'est rendu au palais d'Hiver pour faire son rapport à l'empereur. La grande-duchesse Alexandra pourra être satisfaite, les diamants volés sur son icône préférée sont retrouvés! Le capitaine Vorpovsky, aide de camp du grand-duc Nicolas, les avait engagés chez un usurier — cela, Trepoff n'en doute pas malgré les dénégations de l'intéressé — mais, ajoute-t-il, ce ne peut en aucun cas être lui qui les a volés. Très peu de gens ont accès à la chambre de la grande-duchesse, des cameristes, des dames d'honneur…

— … et la famille, ajoute Alexandre II. C'est comme pour les bibelots disparus dans le boudoir de l'impératrice.

Il se met à marcher de long en large dans son bureau, la tête penchée, perdu dans ses pensées, puis d'un ton de commandement congédie Trepoff :

— Je vous félicite, général, pour votre excellent travail et pour votre diligence, mais comme vous le comprenez, cette affaire n'est désormais plus de votre ressort.

Il y a eu la disparition incompréhensible d'objets précieux, et maintenant ces diamants qui ne peuvent avoir été dérobés que par un proche. Et sa belle-sœur qui en a fait toute une histoire… Et les autres membres de la famille qui en ont été avertis! Du coup, toute la Cour doit être au courant. Trop tard pour étouffer l'affaire et impossible, vues les incriminations éventuelles, de traiter ce délit comme une simple affaire criminelle. L'enquête doit se poursuivre puisque le vol n'a pas été éclairci, mais désormais la police secrète s'en chargera. Elle ne rend compte qu'à l'empereur lui-même et ses conclusions échappent à la justice. L'empereur convoque sur l'heure son chef, le comte Chouvaloff. Il lui remet les éléments réunis par Trepoff et le charge de reprendre l'affaire.

Intelligent, courtois, le comte Chouvaloff est en outre un homme de subtilité et de conciliation, ce qui lui a permis d'occuper les plus hautes charges de l'État et de s'être en particulier illustré en représentant la Russie au congrès de Berlin. Avec lui, l'empereur est certain que tout se passera dans la discrétion requise. Il ignore cependant à quel point Chouvaloff et son frère Constantin se détestent. Il sait qu'ils s'opposent sur bien des points, par exemple les États baltes. Chouvaloff prône une certaine autonomie linguistique et culturelle, le grand-duc Constantin s'est fait l'avocat d'une russification totale. Les deux hommes se sont violemment opposés sur ce point lors d'une récente réunion du Conseil d'Empire, Constantin a eu des mots bien trop vifs auxquels Chouvaloff, tenu par le respect, n'a pu répondre. Aussi, au sortir de son entrevue avec l'empereur, se frotte-t-il les mains.

Après Chouvaloff, l'empereur convoque son frère Constantin. Il lui annonce qu'il a transféré l'affaire à la police secrète.

— Mais avant qu'ils ne s'en mêlent, je veux te demander solennellement si oui ou non tu veux que l'enquête sur le vol des diamants soit poursuivie ou arrêtée. C'est à toi de décider, et je respecterai ta décision, quelle qu'elle soit.

Constantin demande à réfléchir mais promet de donner sa réponse avant la fin du jour.

Revenu au palais de Marbre, il fait prévenir son fils aîné. À six heures du soir exactement, Nicolas pénètre dans le bureau de son père. Celui-ci le met au courant de sa dernière entrevue avec Alexandre II.

— L'empereur m'a rendu maître de la décision de poursuivre ou d'arrêter l'enquête sur le vol des diamants. C'est à toi maintenant que je m'adresse. Veux-tu que l'enquête soit arrêtée ou poursuivie ? Je répondrai à l'empereur ce que tu voudras.

— J'insiste, papa, pour que l'enquête soit poursuivie de la façon la plus énergique, la plus rapide, et qu'on aille jusqu'au fond de l'affaire, mais il ne faudrait pas que seule la police secrète s'en occupe. Je souhaite que l'investigation publique entreprise par la police de la ville reprenne jusqu'à ce que justice soit faite !

— Est-ce ton dernier mot ?

— Sachez, papa, que je suis aussi curieux que vous de découvrir le voleur des diamants de mama.

Profondément soulagé, le grand-duc Constantin fait tenir sur l'heure sa réponse à l'empereur. Son fils Nicolas et lui sont d'accord pour que l'enquête soit poursuivie coûte que coûte et quel qu'en soit le résultat.

Revenu chez lui, Nicolas trouve Fanny dans sa « chambrette ». Elle porte une jupe de velours noir à volant de dentelle, une courte veste blanche ornée d'un nœud rose.

— Pourquoi es-tu si belle ? Tu es sortie ?

Fanny a un geste accablé :

— J'ai peur, Nicolas. J'ai l'impression qu'un grand malheur me guette.

— Quelle folie ! Tu es un peu nerveuse, tout simplement... Quel malheur peut-il t'arriver ?

Fanny l'interroge anxieusement sur son entrevue avec son

père. Il raconte le choix que celui-ci lui a offert et la décision qu'il a prise. D'une voix plaintive, Fanny lui demande :

— Pourquoi vouloir tellement découvrir l'auteur du vol ?

— Tout simplement parce qu'il y a un mystère...

Puis, après un silence, il demande :

— As-tu eu des nouvelles de Savine ?

Fanny ne répond pas tout de suite, elle semble brisée, au point que Nicolas a peine à reconnaître la beauté rieuse, provocante, indomptable de ses débuts. Finalement, elle avoue :

— Effectivement, je suis sortie cet après-midi. Je voulais en avoir le cœur net, je me suis fait conduire au domicile de Savine, où d'ailleurs je ne m'étais jamais rendue auparavant. J'ai trouvé toutes les portes ouvertes et l'appartement désert, entièrement vide. Une voisine m'a appris qu'il a disparu depuis plusieurs jours et que toutes ses affaires ont été emportées.

Nicolas ne remarque pas que Fanny est au bord des larmes.

— Après tout, lance-t-il, peut-être est-ce lui qui a volé les diamants de ma mère !

— Est-ce que ton père t'a parlé aussi du vol des icônes dans la chapelle ?

— Pas un mot. Ou il n'y a pas eu d'enquête, ou alors elle n'a pas abouti. Comme je l'avais prédit, personne n'y a fait attention.

Puis il ajoute brusquement :

— Et toi, sais-tu qui a volé les diamants ?

Pour toute réponse, Fanny se jette dans ses bras en sanglotant :

— Partons, partons tout de suite !

Surpris et attendri, Nicolas lui caresse les cheveux et lui dit doucement :

— Nous ne le pouvons pas tout de suite, il faut attendre deux ou trois jours.

Puis il fronce les sourcils et, pour plaisanter, prend un air sévère :

— L'autre jour, lorsque je t'ai annoncé que nous partions à Paris pour nous marier, tu n'avais pas du tout l'air enthousiaste ! Et maintenant, tu sembles bien pressée de décamper et de m'épouser...

12

La forteresse Pierre-et-Paul mérite bien sa sinistre réputation. En face de l'église qui sert de panthéon à la dynastie et derrière des casernes s'alignent des bâtiments bas qui contiennent les cellules des prisonniers politiques. Elles se situent au ras de l'eau qui clapote contre les murailles, cette eau qui lors des inondations les envahit, noyant un ou deux captifs qu'on a laissés là, peut-être intentionnellement. Il y règne, hiver comme été, un froid humide.

Le capitaine Vorpovsky a été arrêté en début d'après-midi, en fait fort peu de temps après que l'empereur a chargé le comte Chouvaloff de poursuivre l'enquête. Malgré son courage, il n'en mène pas large. Il a été enfermé dans une des cellules, entièrement déshabillé et attaché à un banc, et depuis des heures il est interrogé par des sbires de la police secrète.

Vingt fois, cent fois, les mêmes questions lui sont posées sur les diamants de la grande-duchesse. Qui les lui a remis ?

Parfois Vorpovsky s'embrouille dans ses réponses. Il supplie qu'on le détache un instant, qu'on lui donne une cigarette, un verre de vodka. Pour toute réponse, un des sbires agrippe ses cheveux, tire violemment sa tête en arrière et hurle « Reprenons depuis le début ! ». Vorpovsky ne peut s'empêcher de vomir.

— Nettoyez cette cochonnerie, ordonne une voix sortie de l'ombre.

Vorpovsky tâche d'apercevoir celui qui a donné cet ordre.

Un officier supérieur en grand uniforme émerge de l'ombre et s'approche de lui.

— Jeune homme, puisque vous êtes en garde à vue, vous ne serez pas étonné qu'on vous mette des menottes.

L'officier supérieur fait un geste et le prisonnier se retrouve les mains enchaînées à un poêle ronflant, les pieds attachés à un banc et le corps arqué. Très vite le sang irrigue et échauffe sa tête qui pend et qu'il ne peut relever. Un autre geste, et les sbires quittent la pièce. Vorpovsky est désormais seul à seul avec l'officier supérieur.

Celui-ci ouvre la porte du poêle et une bouffée de chaleur monte vers lui. À l'aide d'une pince, l'autre joue avec les braises. Il en tire une qu'il semble contempler avec attention puis la remet dans le poêle qu'il laisse ouvert.

— Capitaine, il s'agit d'une affaire bien désagréable. Néanmoins, je pense que vous avez des choses importantes à nous révéler. Malgré les amitiés dont vous pouvez jouir de la part d'une ou deux personnalités, en fait vous n'êtes rien... Personne ne peut vous protéger ni vous défendre ! Nous avons des raisons de suspecter que votre loyauté vis-à-vis de vos quelques amis haut placés interfère avec votre devoir patriotique envers le tsar. Après la petite séance que nous allons avoir, vous pourrez protester autant que vous voudrez, si toutefois vous êtes en mesure de le faire, personne ne vous écoutera. Je vous donne quinze minutes pour parler.

L'officier supérieur s'assied tranquillement à côté de lui et allume un cigare. La chaleur du poêle resté ouvert fait suer les deux hommes à grosses gouttes. L'officier ne rompt le silence que pour dire :

— Je vous ai précisé que nous pouvions conclure cette affaire raisonnablement. Ne le pensez-vous pas, capitaine ?

Vorpovsky fait un effort pour tourner la tête vers l'horloge fixée au mur de la cellule. Le regard des deux hommes se rencontre, le colonel fait un geste comme à regret, se lève lentement, s'approche du poêle, et à l'aide de la pince en retire une braise rougeoyante. Il crache dessus et la braise siffle, il la remet soigneusement dans le poêle et en retire une autre. Vorpovsky qui sent déjà la chaleur près de son entrejambe, se tord désespérément.

Un hurlement, une odeur de chair brûlée, l'aide de camp s'est contorsionné si brutalement sous l'atroce douleur que sa tête a frappé le sol de pierre. Le colonel va à la porte et l'ouvre.

— Un verre d'eau, je pense que le capitaine est prêt à écouter sa raison !

Délicatement, l'officier supérieur verse l'eau fraîche sur le visage inerte de Vorpovsky. Il attend que celui-ci reprenne ses esprits pour lui murmurer à l'oreille :

— Capitaine, j'ai remis la braise dans le poêle. Dans une minute ou deux, j'en tirerai une autre…

— Je parlerai. Mais détachez-moi !

— Parlez d'abord, racontez-moi toute l'histoire et surtout dépêchez-vous, nous avons très peu de temps.

La nuit blanche de Saint-Pétersbourg

Ce soir-là, le grand-duc Constantin est allé au théâtre. Il se trouve dans sa loge lorsque l'aide de camp de service introduit un émissaire du comte Chouvaloff. Ce dernier souhaite le voir d'urgence et l'attend déjà au palais de Marbre. Constantin se doute bien de quoi il est question et, en quittant le théâtre pour revenir chez lui, il fait un détour par la rue Gatchina pour prévenir Nicolas. Seulement il fait chou blanc. Alors il explose : encore avec son Américaine ! Savioloff, pas du tout impressionné par l'irascible grand-duc, explique calmement que Nicolas et Fanny sont allés dîner au restaurant.

— Qu'on le cherche partout et qu'on me l'amène au plus vite !

Il trouve le chef de la police secrète dans son bureau. La simple vue de cet homme très grand, très maigre, aux longs favoris grisonnants, exaspère le grand-duc, complexé par sa petite taille. Chouvaloff s'incline respectueusement. Avec tous les ménagements possibles, il lui confie que les conclusions de ses subordonnés prouvent que le coupable du vol des diamants pourrait bien être son fils Nicolas.

Et d'ajouter aussitôt :

— Dans l'intérêt de l'empire et de la dynastie, l'affaire doit être enterrée au plus vite. J'ai consulté Trepoff qui avait commencé l'enquête, et avec son approbation j'ai pris les précautions qui s'imposaient. J'ai déjà trouvé un homme qui, contre une somme considérable, est prêt à s'accuser lui-même du vol. Je le tiens à votre disposition. Altesse Impériale, je vous en supplie, faites-moi confiance et aidez-moi à éviter un scandale public.

En un instant, toute l'antipathie de Constantin pour Chouvaloff revient. Son adversaire affirme que son fils est un voleur, cela Constantin ne peut l'admettre ! Sa colère fuse :

— Taisez-vous, comte, vous avez inventé tout cela pour

calomnier mon fils parce que vous voulez le déshonorer et m'atteindre par ce biais ! J'ai demandé à Nicolas de venir sur l'heure, je vous défie de répéter en sa présence ce que vous venez de me dire !

Et la rage au cœur, il se met à marcher en long et en large dans son bureau.

La colère a aussi saisi Chouvaloff mais il sait la garder pour lui-même. Il reste debout, impassible. Le grand-duc ne lui a pas offert un siège, aussi s'abstient-il d'en prendre un.

Nicolas apparaît, il s'excuse de son retard. Chouvaloff ne peut s'empêcher d'admirer son allure, son aisance. La moue dédaigneuse, le regard lourd, Nicolas le contemple comme s'il était un intrus de la pire espèce. Chouvaloff est exaspéré.

— Altesse Impériale, je vous accuse d'avoir volé les diamants de la grande-duchesse votre mère.

— Vous avez certainement des preuves contre moi pour lancer une accusation aussi absurde !

— Votre aide de camp, le capitaine Vorpovsky, a avoué que vous lui aviez remis les diamants pour les engager chez un usurier.

— J'imagine que pour lui faire cracher un mensonge aussi énorme, vous avez utilisé les méthodes qui vous ont rendus, vous et votre service, célèbres...

— Le persiflage ne vous mènera à rien, Altesse Impériale, vous avez volé ces diamants et vous les avez fait engager par Vorpovsky.

— Je vous affirme que c'est faux ! Accuser un innocent sans preuve, et à plus forte raison un membre de la famille impériale, est une faute gravissime.

— Je vous confronterai à Vorpovsky.

— Faites-le, même sous la torture Vorpovsky n'aurait pas menti !

Le dialogue de sourds se prolonge. Devant l'assurance de Nicolas, son père devient de plus en plus dédaigneux à l'égard de Chouvaloff, il en est presque insultant. Quant à Nicolas, il reste poli mais méprisant.

Le chef de la police secrète ne lâche pas prise pour autant. Il questionne Nicolas sans relâche, il cherche la faille. Comment Vorpovsky est-il venu en possession des diamants qu'il a portés chez l'usurier? Nicolas répète l'histoire racontée par son aide de camp : une vieille pauvresse est venue lui offrir de les lui acheter, Vorpovsky l'a reçue et lui a fait l'aumône de lui payer les pierreries, puis ne sachant qu'en faire il les a engagées. Chouvaloff et le grand-duc Constantin se rendent compte au même moment de l'absurdité de cette explication. Qui des deux l'a inventée? Vorpovsky, ou Nicolas?

Chouvaloff sent le grand-duc Constantin ébranlé. Aussi abandonne-t-il son ton inquisiteur et c'est avec une profonde douceur qu'il s'adresse à Nicolas :

— Altesse Impériale, je fais appel à votre honneur, à votre cœur aussi, à votre amour pour votre mère. Avouez...

Constantin s'en mêle :

— Si tu nous caches quelque chose, Niki, dis-le !

Nicolas tout à coup perd de sa superbe. À son tour, il vient de réaliser que le conte de Vorpovsky ne tient pas debout. Mais si son aide de camp a menti, que s'est-il donc passé? L'inquiétude le saisit. Il répète qu'il ne sait rien, qu'il n'a pas volé les pierres, et que si l'histoire de la vieille est fausse, il ignore comment les diamants sont arrivés dans les mains du capitaine...

Père et fils sont de plus en plus troublés. Chouvaloff profite de son avantage pour continuer à poser des questions sur un ton doucereux.

Affaibli, poussé dans ses retranchements, Nicolas pose à Chouvaloff la question cruciale :

— Mais enfin, est-ce que Vorpovsky vous a expressément avoué que je lui avais en personne remis les diamants ?

— Je n'ai jamais dit cela, Altesse Impériale, Vorpovsky a raconté que Mme Fanny Lear lui avait remis ces diamants de votre part. Or, les liens qui vous unissent à cette personne sont connus et, d'autre part, vous seul aviez accès à la chambre de la grande-duchesse votre mère.

La vérité tombe sur Nicolas comme la foudre. Il comprend soudain que Chouvaloff n'a rien inventé et que Vorpovsky n'a pas menti. Fanny ? La voleuse ? Comment aurait-elle fait ? Bien sûr… la nuit où ils se sont rendus dans la chambre de la grande-duchesse… À l'aube, il était inconscient. C'est à ce moment que Fanny… Mais elle n'était pourtant pas seule, il y avait Savine !

Il a l'impression que son cerveau se déchire, qu'une atroce douleur le traverse. La vérité, c'est que Fanny aime Savine. L'amour, l'amitié, la complicité qu'ils ont affichés envers lui n'étaient qu'illusion.

Nicolas a envie de crier leurs noms pour les dénoncer. Ils seront arrêtés, emprisonnés, grand bien leur fasse ! Torturés peut-être ? Non, la police secrète ne touchera pas à Fanny, c'est une étrangère, ils se contenteront de l'expulser. Et le monde entier saura que la petite Fanny Lear n'est qu'une voleuse ! Jamais ! Il ne veut pas qu'elle souffre ! Il l'aime. Elle l'a trahi, maintenant elle le condamne, mais il l'aime encore. Quant à accuser Savine, ce serait accuser Fanny. Alors…

Il sent que sa vie entière dépend de ce qu'il va dire.

Son père et Chouvaloff ont suivi sur son visage la tempête qui le secoue. L'un et l'autre se sont gardés d'intervenir. Nicolas les regarde tour à tour, longuement.

— Je suis coupable.

Le grand-duc Constantin est atterré :

— Et tu n'as pas un mot de regret ! Mais tu n'as donc aucune conscience ?

Nicolas se tourne vers Chouvaloff :

— Depuis le début, vous vouliez comme d'autres… comme ma… que je sois le coupable. Eh bien, soyez satisfaits, je le suis !

— Tu n'es qu'amertume, mon fils. Comment, pas une larme…

Chouvaloff, sa victoire assurée, fait montre d'indulgence :

— Votre Altesse Impériale peut rentrer chez elle.

C'est à peine si Nicolas pense à saluer son père en sortant. Il ne voit pas l'aide de camp qui se lève à son passage, ni les domestiques qui se rangent contre le mur. Il trébuche plusieurs fois en descendant le grand degré de marbre qu'un siècle plus tôt son ancêtre Catherine II avait si souvent gravi pour retrouver son amant Orloff. En franchissant le portail, il ne rend pas leur salut aux sentinelles qui présentent les armes.

Il ne prend pas garde non plus à Karpych le nain qui lui ouvre la porte de sa voiture. Il s'y jette et se laisse emmener.

Après que leur dîner au restaurant avait été interrompu, Fanny était revenue chez Nicolas, et depuis elle l'attendait. Les heures s'étaient écoulées, assez longues pour qu'elle puisse s'inquiéter.

Elle n'avait pas voulu se mettre au lit. Elle marchait de long en large dans leur chambre à coucher, s'asseyant, se relevant, allant à la fenêtre pour le guetter. Elle ne l'entendit pas arriver, mais elle le vit entrer dans la chambre. Il lui parut plus grand, plus maigre que d'habitude. Il était si pâle qu'il avait l'air vidé de son sang. Il se tenait très droit et pouvait à peine avancer.

Fanny courut vers lui, la bouche pleine de questions. Il ne répondit rien. Elle voulut se jeter à son cou, il retrouva sa force pour la repousser :

— Ne te fatigue pas, Fanny, je sais tout.

— Que veux-tu dire, Niki ?

En quelques phrases hachées, rageuses, il le lui dit.

Fanny sentit son visage s'empourprer en même temps qu'un froid glacial descendait le long de son dos. Elle était pétrifiée. Puis, sans qu'il l'ait sollicitée, elle se mit à raconter, tant elle avait envie de le faire, tant la vérité l'étouffait.

Elle s'était laissé ensorceler par Savine. À peine l'avait-elle rencontré chez son amie Mabel qu'il s'était mis à lui faire la cour. C'était l'époque où les infidélités de Nicolas l'exaspéraient, elle avait succombé. Elle l'avait un temps partagé avec Mabel, à laquelle il ne voulait pas renoncer car elle assurait sa subsistance. Puis Mabel s'était trouvé un nouvel amant…

— … et Savine s'est retrouvé sans ressources, coupa Nicolas. Pourquoi ne l'as-tu pas entretenu ?

— Je ne pouvais pas. Il était trop gourmand.

— Pourtant l'amour te faisait faire n'importe quoi !

Ce n'était pas de l'amour, protesta Fanny, mais une possession diabolique ! Savine est un manipulateur, c'est lui le cerveau de l'affaire. Il savait que Fanny n'était pas une mine d'or mais qu'elle pouvait le mener à Nicolas. C'était Savine qui avait eu l'idée de le rendre kleptomane. Il savait qu'il serait finalement pris sur le fait. Il fallait qu'il fût désigné du doigt.

Savine lui avait fait voler des icônes de la chapelle du palais de Marbre, prétendument pour financer la révolution mais en fait pour commencer à le piéger. D'autres « escamotages » de cette importance étaient prévus par la suite. Tout l'échafaudage s'était effondré lorsque Nicolas avait annoncé qu'il partait pour Paris avec Fanny afin de l'épouser. Plus de Russie, plus de fortune, plus de liaison non plus car le mariage aurait dissous leur trio. Savine et elle avaient décidé de s'enfuir… tout en retenant Nicolas en Russie.

— Et pour me retenir, vous avez volé les diamants ?

— Rien n'a été prémédité !

Cette nuit-là, Nicolas, assommé par l'ivresse, était tombé et demeurait inconscient sur le tapis. Savine continuait de contempler les icônes. C'est alors qu'il avait eu l'idée : voler l'objet précieux le plus visible afin que le forfait fût découvert le jour même du retour du grand-duc et de la grande-duchesse, prévu une semaine plus tard. Entre-temps, ils auraient mis des milliers de kilomètres entre eux. Mais le retour inopiné des parents de Nicolas avait tout bouleversé. Ce jour-là, Savine, probablement averti, avait disparu…

— Et Vorpovsky ?

— Je lui ai donné les diamants de ta part pour les engager chez l'usurier.

— Tu mens ! Il savait que tu les avais volés et que je l'ignorais, puisqu'il m'a servi ce conte à dormir debout sur la vieille… Vorpovsky était ton complice ?

— Il est amoureux de moi depuis que tu l'as envoyé me chercher à Paris.

— Et il m'a trahi, comme Savine ! Comme toi !

Nicolas posa alors l'ultime question, celle qui l'obsédait depuis le début de leur discussion :

— Et le million soutiré sur les icônes volées, les révolutionnaires n'en ont pas vu un centime… Savine l'a bien entendu gardé pour lui ?

— Sur l'honneur, sur l'amour, sur Dieu, je ne sais pas.

— L'honneur, tu n'en as pas, l'amour tu ne sais pas ce que c'est, et ton Dieu c'est plutôt le diable…

210

— Crois-moi, Niki, Savine ne m'a jamais dit ce qu'il a fait du million !

Ils se turent.

Nicolas regarda autour de lui. Quelques lampes à pétrole répandaient une lumière faible et dorée dans la vaste chambre. Il promena son regard sur ses tableaux préférés, sur les bibelots que lui avait offerts Fanny, puis il la regarda elle, hagard, les yeux exorbités, comme s'il contemplait quelque créature infernale. Elle frissonna :

— Tu vas me chasser ?

— Il est trop tard. Nous sommes tous les deux dans la fosse aux lions et, malgré tout, je ne peux pas me passer de toi. Il n'y aura que toi dans ma vie. Tu auras été à la fois mon salut et ma destruction.

— Malgré tout, Nicolas, je n'aime que toi.

Ils restèrent longtemps enlacés l'un contre l'autre, joue contre joue. Fanny pouvait dormir en n'importe quelles circonstances, mais Nicolas eut des insomnies peuplées de cauchemars.

Tous deux se réveillèrent tard, fatigués, angoissés. Ils ne voulaient pas se lever, comme si le lit leur avait offert un asile inviolable. L'aventurière américaine qui n'a pas froid aux yeux et le grand-duc de Russie qui a toutes les impertinences n'étaient plus que deux enfants apeurés.

La journée s'écoula à la fois interminable et trop rapide. Tantôt ils s'isolaient chacun dans ses pensées, tantôt ils s'étreignaient en chuchotant.

— Tu m'aimeras encore si je suis arrêté, si nous sommes séparés ? demanda Nicolas avec feu.

Elle l'embrassa passionnément.

— Je te dois la liberté, peut-être la vie.

Il la serra à l'étouffer.

— Je ne sais ce qui doit m'arriver, mais je te conjure, ma toute petite, de me pardonner toute parole ou toute action qui aurait pu te blesser.

C'est elle, protesta-t-elle, qui s'était toujours montrée impatiente, colérique, exigeante.

— Non c'est moi, insista Nicolas. Promets-moi de ne jamais m'oublier… Je t'aime, Fanny, de cœur et d'âme plus que ma vie.

Il alla chercher un petit écrin, l'ouvrit, en sortit une simple alliance en or.

— Je l'ai commandée pour toi l'année dernière à Vilno. J'y ai fait graver mon nom, et la date du début de notre liaison. C'est justement aujourd'hui l'anniversaire de notre rencontre. Je veux que tu la portes toujours.

Il prit la main gauche de Fanny et lui passa l'alliance à l'annulaire. Il eut ce sourire ironique, exaspérant, qui le rendait tellement séduisant.

— C'est ainsi que j'épouse ma femme de la main gauche, la seule épouse aimée que j'aurai jamais !

L'un et l'autre oublièrent momentanément leurs soucis et se laissèrent aller à leur sensualité trop longtemps contenue.

Nicolas retomba sur le lit, en proie à une de ses effrayantes migraines. Fanny sortit de la chambre pour chercher des médicaments et revint apeurée.

— Il y a dans le couloir un colonel en uniforme, le prince Outomsky. Il dit qu'il est un aide de camp de ton père et que celui-ci l'a chargé de monter la garde auprès de toi et de ne pas te lâcher d'une semelle.

La réaction de Nicolas fut immédiate, il lui conseilla d'emballer au plus vite les bijoux qu'il lui avait donnés et ses plus précieux effets afin de les mettre à l'abri à la légation des États-Unis. Fanny hésita. Pourquoi une telle urgence ? Nicolas insista tellement qu'elle céda. Il alla lui-même chercher des boîtes en carton pour ranger le tout, et y ajouta deux documents.

— Tiens, voilà mon testament, tu verras que tu n'y es pas oubliée. Et ceci est un ordre de transfert à ton nom de cent mille roubles, tu ne l'utiliseras qu'en cas de besoin.

Il voulut également qu'elle prenne la précaution de passer dans l'appartement de la place du Palais-Michel.

— Mon Dieu, Niki, j'avais oublié que je les ai laissés dans une cachette ! Les bibelots que… enfin tu me comprends ! Les cachets, la tasse et le crayon en or, dois-je les mettre aussi à l'abri à la légation ?

— Laisse-les, Fanny, *finita la commedia…* Ou plutôt, ramène-les ici.

— Mais s'ils viennent t'arrêter et qu'ils perquisitionnent, ils les trouveront !

— Justement, je veux qu'ils découvrent des preuves matérielles de mes larcins. Je resterai stigmatisé mais la honte en retombera sur tous les membres de ma famille et ce sera ma plus belle vengeance !

Néanmoins, Nicolas s'inquiète pour elle.

— Ils s'en prendront à tous ceux qui de près ou de loin me touchent. Savine l'a bien compris qui, dès le premier instant, a disparu. S'ils viennent perquisitionner chez toi, écoute-moi bien. Sans même attendre une éventuelle expulsion, prends tout ce que tu peux emporter et quitte au plus vite la Russie, sinon tu risquerais de finir en Sibérie ! Je ne pourrai rien pour toi, et cette idée me tue…

— Mais comment ? C'est impossible. On ne peut pas m'envoyer en Sibérie comme ça !

Il haussa les épaules :

— On dissimulera chez toi des papiers compromettants, on

fera semblant de croire que tu es entrée dans une conspiration contre le régime...

— On ne commettra jamais une telle abomination ! hurla Fanny.

Nicolas lui répondit d'une voix calme :

— Ils sont capables de tout.

Convaincue, Fanny se rendit avec ses cartons à la légation pour rencontrer le ministre américain dont elle avait déjà fait la connaissance. C'était un ami, ou plutôt un admirateur, qui portait le nom prédestiné de Jewell[1]. Il se déclara prêt à tout faire pour elle, à commencer par garder soigneusement ses cartons.

Le soir tombait quand elle revint chez Nicolas dans un état indescriptible d'appréhension. Celui-ci lui ordonna de se calmer. Il fallait surtout ne rien montrer, et au contraire donner le change. Justement, on donnait au théâtre *La Périchole* en russe. Il avait retenu une loge pour elle, elle devait absolument y paraître dans toute sa splendeur, avec ses diamants, ceux-là mêmes qu'elle venait de déposer à la légation des États-Unis et qu'elle devrait y ramener aussitôt après la représentation. Ils se retrouveraient ensuite dans l'appartement de la place du Palais-Michel. Nicolas, lui, devait aller dîner au palais de Marbre, le prince Outomsky lui avait transmis une invitation qui équivalait à un ordre.

Fanny s'inquiéta. Qu'allait dire son père ? Comment allaient-ils se comporter ? Allaient-ils l'insulter, le maltraiter ? Nicolas éclata d'un rire amer :

— L'hypocrisie en usage dans les familles impériales et royales veut que rien ne soit dit. Il est possible que mon père évite de croiser mon regard et m'adresse la parole le moins pos-

---

1. Bijou (en anglais).

sible. Mais des membres de sa maison qui peut-être savent quelque chose, même de mes frères, rien ne transpirera. Ma mère se trouve heureusement en Allemagne. Nous n'échangerons que des banalités.

Fanny l'accompagna jusqu'à la porte et l'aida à endosser son manteau militaire.

— Sois brave et forte, mon amour. S'il ne m'arrive rien d'anormal, je passerai chez toi à minuit.

Fanny retourna donc à la légation des États-Unis, où l'obligeant et amoureux M. Jewell lui rendit ses diamants. Elle se para avec un soin particulier, choisit une robe à l'ancienne en moire argentée pour mettre en valeur ses joyaux. En les serrant à son cou, à ses bras, à ses oreilles, elle eut l'impression de se vêtir pour quelque danse macabre. Plus éblouissante que jamais, elle pénétra dans sa loge au théâtre Alexandre, arborant son air le plus insouciant, souriant à droite et à gauche pour saluer des connaissances.

À peine le rideau tombé, elle se précipita vers la sortie, ordonnant à son cocher de revenir au triple galop chez elle. Elle entra en trombe dans l'appartement, se débarrassa de son manteau du soir et commença à attendre.

Minuit sonna, pas de Nicolas… Une heure passa, une deuxième, Fanny marchait de long en large avec une nervosité et une angoisse grandissantes. Elle ne savait que faire. Elle tendait constamment l'oreille, elle reconnaîtrait entre mille le roulement de sa voiture et ses pas dans l'escalier. De temps en temps, elle percevait le bruit d'une calèche dans la rue mais ce n'était pas la sienne. Puis le silence de la nuit se réinstallait.

À quatre heures, elle souleva le rideau, l'aube commençait vaguement à poindre. Elle n'y tint plus et décida d'aller chez lui. Peut-être avait-il changé d'avis et était-il revenu dans son palais ?

Elle mit son chapeau et son manteau, prit sa clé et sortit. La ville semblait totalement inhabitée. Elle ne rencontra pas une seule âme, ne croisa pas un seul fiacre. Elle longea le canal de la Moïka et lorsqu'elle atteignit le pont des Chênes, un rayon de soleil parut au-dessus des immeubles et frappa les sculptures dorées du pont, les faisant flamboyer.

Elle arriva rue Gatchina, et trouva le portail ouvert. Elle traversa le vestibule, vide, emprunta la galerie de marbre jusqu'à la porte de la salle Renaissance où Nicolas aimait se tenir. Elle tourna la poignée, la porte était verrouillée de l'intérieur. Elle essaya d'autres portes, tous les appartements privés étaient fermés à clé. Normalement, en d'autres circonstances, Fanny aurait tambouriné sans craindre de réveiller le quartier. Cette nuit-là, elle préféra faire demi-tour et, sur la pointe des pieds comme une intruse, elle refit le chemin en sens inverse.

Cette fois, le vestibule n'était plus désert. Savioloff, le vieux, le fidèle Savioloff se tenait au bas des marches. De grosses larmes coulaient sur ses moustaches blanches. Fanny courut vers lui pour l'interroger. Il put à peine répondre, bredouilla tellement qu'elle eut de la difficulté à comprendre ses paroles.

Ça s'était passé à peine une demi-heure plus tôt, «ils» étaient venus arrêter Son Altesse Impériale. Qui ? Des aides de camp du grand-duc Constantin et des sbires de la police secrète. Mais pourquoi, quelle raison avait motivé une telle décision ?

Au dîner du palais de Marbre, une scène effrayante avait éclaté entre le père et le fils. Elle avait commencé à table. Ils s'étaient levés si brusquement que leurs chaises étaient tombées, ils s'étaient enfermés dans le bureau du père. Malgré les portes fermées, ils avaient crié si fort que les aides de camp, les domestiques avaient tout entendu. Avec la dernière violence, le père avait reproché à Nicolas son forfait, et surtout son absence de regrets, de remords… Nicolas avait rétorqué qu'un jour peut-être la vérité éclaterait. Le père lui avait jeté à la figure son manque de cœur, son cynisme, il l'avait insulté au point que Nicolas était sorti de ses gonds.

À son tour, il avait reproché à son père, mais aussi à sa mère, à ses éducateurs, tout ce qu'il avait subi dans son enfance, les mauvais traitements qu'il avait endurés, l'indifférence dans laquelle on l'avait laissé croupir, le manque de tendresse qui l'avait mené là où il en était arrivé.

— Est-ce le grand-duc qui a décrété l'arrestation de son fils ?

Savioloff n'en savait rien, sauf que le père avait fait porter un billet à son frère l'empereur.

Quand « ils » étaient arrivés rue Gatchina, « ils » avaient réveillé toute la maisonnée. Comme Son Altesse Impériale ne voulait pas leur ouvrir, « ils » avaient enfoncé la porte de sa chambre. Nicolas s'était défendu comme un beau diable, il avait hurlé des insultes, cassé des objets, renversé des meubles ! Finalement « ils » avaient eu raison de lui… pas les aides de camp du père qui semblaient horrifiés, comme paralysés, mais les sbires de la Secrète. Porter la main sur un membre de la famille impériale ne les émeut pas plus que d'arrêter un simple moujik ! Et puis, brusquement, Nicolas s'était calmé et était même tombé dans une sorte d'apathie avant de se laisser emmener sans résistance.

Où l'avait-t-on conduit ? Au palais de Marbre, et Savioloff avait cru comprendre qu'il y resterait aux arrêts dans son appartement.

— Je vais aller ranger le désordre qu'« ils » ont fait…

Le valet chenu monta pesamment les marches de l'escalier.

Lorsque Fanny arriva chez elle, marchant comme une somnambule, il faisait plein jour. Joséphine, qui était en train d'ouvrir les rideaux de sa chambre, lui tendit un billet arrivé en pleine nuit, peu après son départ. Il était de Mabel :

« *Savine a été arrêté chez moi. Le pauvre, il avait trouvé des arguments irrésistibles pour que je lui accorde asile et que je le cache... Mais pourquoi donc a-t-il été emprisonné ? Pour dettes ? Ou alors à cause d'une autre femme dont nous ignorons vous et moi l'existence ? J'ai aussitôt mis en alerte le réseau des filles, nos compagnes. Elles connaissent toutes votre grand-duc et Savine, et elles sont mieux renseignées que les indicateurs ! La rumeur circule chez elles que notre chéri a été accusé d'avoir volé des diamants. Or, vous le connaissez aussi bien que moi, il est capable du pire, mais pas de vol ! D'ailleurs, si on le cherchait pour un crime de droit commun, la police de la ville se serait chargée de le poursuivre. Or les hommes venus l'arrêter appartenaient à la Secrète. De grâce, éclairez-moi, si vous le pouvez !* »

Fanny s'allongea sur son lit. L'épuisement eut raison de son désespoir et le sommeil la cueillit au milieu de ses sanglots.

13

Le lendemain dans la matinée, le nain Karpych apporta un billet que Nicolas avait réussi à lui faire passer. Pour tout papier, il avait dû arracher la page d'un livre sur lequel il a griffonné :

« Je suis prisonnier, je souffre horriblement, mais je suis très patient, et j'espère que tout ira mieux bientôt. Sois courageuse. Je t'aime. Nicolas. »

Calmement, Fanny se leva et prit son thé matinal. Mon Dieu, elle avait oublié ce rendez-vous avec sa couturière ! Elle n'osa pas la renvoyer. La couturière entra, ouvrit ses cartons, lui fit essayer la nouvelle robe qu'elle avait commandée. Elle évitait de croiser le regard de Fanny, paraissait gênée, pressée. Fanny comprit que la nouvelle était publique et que tout le monde avait appris l'arrestation de Nicolas.

Les heures passaient, interminables. Vers trois heures de

l'après-midi, Karpych apporta un second billet de Nicolas : « *Ne sois pas effrayée, ne crains rien, ma douchka, on va perquisitionner chez toi. Mais tu peux être tranquille, ne perds pas courage ! Ton infortuné Nicolas.* »

Une perquisition, ici ? Heureusement, ses diamants se trouvaient à la légation des États-Unis, mais tout de même ! Elle eut peur.

— Pardonnez-moi, Altesse Impériale, si j'ai pris la liberté de vous déranger, mais j'ai quelque chose d'important à vous communiquer.

Lourdement, le docteur Havrowitz entre dans le bureau du grand-duc Constantin. Ce dernier, généralement si vif, semble amorphe. D'un geste vague, il indique au vieux praticien de s'asseoir. Désormais, tout le palais de Marbre est au courant non seulement du vol des diamants mais de l'arrestation de Nicolas.

Havrowitz a réfléchi à cette affaire. Voilà un homme qui vole des pierres, certes précieuses, mais sans commune mesure avec sa fabuleuse fortune ! Ces diamants ont néanmoins une valeur incalculable parce que sentimentale pour la famille, et c'est un membre de cette famille qui les a subtilisés. De plus, il n'a pas hésité à commettre le sacrilège d'abîmer une Sainte Image. Enfin, il a engagé ces bijoux chez un usurier, n'en tirant qu'une somme dérisoire qu'il a remise à sa maîtresse, laquelle n'a absolument pas besoin d'argent…

Tout cela, conclut le docteur Havrowitz, n'a aucun sens. Et de rappeler plusieurs traits qu'il a remarqués chez le grand-duc Nicolas depuis son adolescence, et d'évoquer certains incidents survenus pendant la campagne de Khiva et rapportés par les officiers qui y avaient suivi le grand-duc, et d'énumérer d'autres épisodes beaucoup plus récents :

— Ma conclusion, et c'est cela que je suis venu annoncer

à Votre Altesse Impériale, est que le grand-duc Nicolas souffre de graves désordres nerveux. Je recommande qu'il soit examiné par des spécialistes, en particulier le professeur Bablinski.

Le grand-duc Constantin sursaute.

— L'aliéniste !

À cinq heures, des coups frappés à sa porte réveillèrent Fanny. Dépêché par Nicolas, Savioloff était venu lui donner ses instructions. Quelques instants plus tard, on sonnait violemment dans l'entrée. Joséphine est allée ouvrir et une quinzaine de policiers, les uns en uniforme, les autres en civil, ont envahi l'appartement. Savioloff n'a eu que le temps de disparaître par l'escalier de service.

Fanny proteste contre cette intrusion. Un rouquin, qui semble le chef et qui prend des airs de don juan de foire, lui annonce qu'ils sont ici par ordre de l'empereur — et du comte Chouvaloff, ajoute-t-elle intérieurement.

Elle a un mouvement de peur parce que, avec le chef de la police secrète, tout est à craindre. Elle n'a pas tort, car lorsqu'elle leur demande de se retirer pour enfiler un peignoir, les policiers ne s'écartent pas, au contraire ils l'entourent pendant que Joséphine lui passe ses bas, ses pantoufles, sa robe de chambre.

Ils annoncent qu'ils vont perquisitionner la maison, et aussitôt ils se jettent dans toutes les pièces à la fois.

Fanny et Joséphine courent après eux pour les surveiller et éviter qu'ils ne volent, car la réputation de la Secrète n'est plus à faire ! Elles leur ont donné les clés pour qu'ils n'éventrent pas les tiroirs. Ils ne trouvent évidemment rien puisque tout est déposé à la légation des États-Unis. Elle les entend d'ailleurs s'en étonner en russe, ils ignorent qu'elle parle cette langue. Comment ? Ni bijoux, ni papiers, ni lettres ? En passant dans la chambre de Joséphine, ils chipent des gâteaux dont ils se bâfrent, ils se servent plusieurs verres de vin, ils allument des cigarettes.

Fanny va trouver leur chef, le rouquin aux yeux rouges et « au regard de pieuvre ».

— Je ne permets qu'à mes égaux de fumer en ma présence !

Elle le menace de les dénoncer au comte Chouvaloff. Un ordre bref, les sbires éteignent leurs cigarettes. Pourtant Fanny n'en mène pas large car elle a oublié des papiers plutôt compromettants dans un tiroir secret de la grande table rouge du salon. Heureusement, ils sont si bornés qu'ils ne le découvrent pas, comme ils ne voient pas Joséphine qui, presque sous leur nez et sur un geste de Fanny, est en train de brûler des lettres, des télégrammes de Nicolas...

Grande affaire pour eux, ils trouvent sept mille roubles dans un tiroir de la chambre de Joséphine ! Ils l'accusent de les avoir volés à sa maîtresse. Fanny a toutes les peines du monde à leur faire comprendre qu'il s'agit des économies de la fidèle camériste. Les sbires s'énervent, maltraitent de plus en plus les meubles de Fanny pendant que leur chef lui fait les yeux doux, il se croit irrésistible.

— Nous allons vous emmener, lui déclare le rouquin en lui jetant son manteau.

Elle proteste, mais elle se laisse faire.

— Nous allons vous conduire chez le général Trepoff, lui annonce le rouquin.

Mais elle les croyait dépêchés par Chouvaloff ! Elle soupçonne aussitôt une guerre des polices. Enfin, Trepoff, c'est tout de même mieux. Le chef de la police de Saint-Pétersbourg est un homme honnête et discret, les choses peuvent s'arranger avec lui.

En sortant dans la rue encadrée par deux argousins, Fanny

songe involontairement à tous ces malheureux ainsi arrêtés, emmenés Dieu sait où, et que l'on n'a jamais revus.

Lorsque le fiacre les dépose devant le sombre bâtiment de la police, elle frissonne. L'escalier est si sombre qu'elle bute sur une marche. Elle se sent vraiment en danger, tant de récits sinistres circulent sur la police impériale ! On la pousse dans une pièce et on l'y enferme. Jusqu'alors, elle n'a pas voulu montrer son émotion, mais là, seule et sous clé, elle éclate en sanglots. Elle pleure si fort que les geôliers l'entendent. Ils font tourner la clé, entrent et lui demandent ce qui se passe.

Retrouvant son calme, elle leur ordonne d'aller lui chercher du rosbif, du thé, du pain, du beurre et du champagne. Médusés, ils ressortent. Fanny ne peut s'empêcher de sourire de sa plaisanterie. Bien sûr, elle n'obtiendra rien ! Or, à sa grande surprise, les geôliers lui apportent tout ce qu'elle a demandé. Elle ne doute pas un instant que ce soit sur les ordres personnels du général Trepoff.

Bien qu'elle n'ait rien mangé depuis vingt-quatre heures, elle touche à peine à la nourriture. Pendant qu'elle picore, une bonne vieille *babouchka* entre dans la cellule, lui parle maternellement, l'embrasse, la serre dans ses bras, la console, et aussi, ici ou là, lui pose des questions. C'est une « moutonne ». Cause toujours, pense Fanny ! La vieille doucement l'entraîne vers un canapé, elle l'aide à s'y étendre. Les ressorts le rendent aussi dur que du bois. La vieille étend sur elle le manteau qu'elle a emporté, puis s'assoit dans un fauteuil, avec l'intention évidente d'y rester jusqu'à l'aube. Fanny se tourne contre le mur et laisse couler ses larmes silencieusement. Son désespoir n'appartient qu'à elle.

Le lendemain matin, comme tous les jours, le ministre de la Guerre, Son Excellence Milioutine, se rend au palais d'Hiver et pénètre dans le bureau de l'empereur pour lui faire son rapport. Ce jour-là, Alexandre II l'écoute à peine, il semble absent. Le ministre n'insiste pas et se tait.

C'est finalement l'empereur qui lui avoue ce qui se passe. Son neveu Nicolas a été convaincu de vol. Ce très mauvais garçon n'en est pas à sa première tentative. Depuis quelque temps, il s'est livré à des actions frauduleuses, chapardant à droite et à gauche… Maintenant, il vient de voler des joyaux sur l'icône préférée de sa mère. La police a trouvé chez lui quantité de bibelots précieux qui avaient disparu.

— Lorsque j'ai rendu à l'impératrice ses cachets qu'il lui avait subtilisés, elle m'a déclaré qu'elle aurait préféré les avoir perdus. Quant à mon frère, lorsque je lui ai remis les ustensiles en or que son propre fils lui avait pris, il n'a même pas voulu y toucher !

L'empereur s'étend longuement sur cette affaire unique dans les annales de la famille impériale. On y a connu des débauchés, des incapables, des fous, des assassins, des demeurés, mais un voleur, jamais. La honte en rejaillit sur tous, à commencer par lui, le tsar.

— J'ai l'intention de l'exclure de l'armée, de l'enfermer dans une forteresse. Que pensez-vous, Milioutine ? Faudrait-il le juger ?

— Que Votre Majesté Impériale me permette de lui conseiller de ne pas presser sa décision et surtout de ne pas ébruiter l'affaire…

Mais le souverain et son ministre savent aussi bien l'un que l'autre que déjà la rumeur se répand dans toute la ville. Et c'est bien le problème ! Le scandale une fois emballé et galopant sur sa trajectoire, impossible de le mettre en sourdine… Il fallait sévir et l'arrêter. Dégrader le coupable, c'était proclamer l'amour de la justice chez l'empereur et son impartialité envers sa famille. Mais cette mesure n'épargnerait pas les Romanov qui seraient à jamais estampés de la marque honteuse des voleurs. Cela, l'empereur et la famille ne pouvaient le supporter.

Deux jours ont passé, et Fanny est toujours enfermée dans les bâtiments de la police de Saint-Pétersbourg. On lui a alloué une sorte de salon, des tentures jaunes salies pendent aux fenêtres, quelques meubles sont disposés sans grâce et même, dans un coin, un piano à dos droit attend qu'elle se mette à jouer. Ce n'est donc pas un des cachots effrayants que connaissent les prisonniers politiques, mais c'est tout de même une prison.

Pour seule distraction, Fanny a le spectacle de la rue. À l'heure de la promenade, elle ouvre la fenêtre et regarde passer les équipages. L'incertitude sur son sort la gagne. La *babouchka*, qui n'est pas si méchante, comprend son désarroi. Pour la distraire, elle raconte des anecdotes croustillantes, tirées de ses longues années dans la Secrète, et elle en a vu! Comme toutes les vieilles Russes elle est un peu voyante, aussi extirpe-t-elle de ses poches un jeu de tarots crasseux et elle se met à lui tirer les cartes, lui prédisant un avenir radieux.

Enfin la porte s'ouvre, et un homme grand et distingué entre; ses yeux bleus, froids, calculateurs se fixent sur Fanny. Il se présente comme l'envoyé du comte Chouvaloff, chef de la police secrète. Il salue courtoisement la prisonnière, semble presque gêné de la voir en ces lieux.

— Vous avez beaucoup de bijoux, de lettres, de papiers précieux...

— Et alors?

— Madame, il me les faut.

— Monsieur, c'est impossible.

— En ce cas, Madame, je vais vous quitter pour vous donner le loisir de réfléchir.

Fanny entend la clé tourner dans la serrure.

Le même revient le lendemain pour prier Fanny de lui remettre les papiers et les bijoux qu'il a mentionnés.

— C'est impossible, répond Fanny, puisqu'ils sont déposés à la légation des États-Unis. Mais si vous voulez bien vous y rendre, vous pourrez inspecter tout ce qu'il vous plaira.

L'envoyé de Chouvaloff prend une mine hautaine. C'est au-dessous de la dignité d'un fonctionnaire de l'Empire russe d'aller solliciter la coopération d'une mission étrangère. Mais enfin, insiste-t-il, qu'a-t-elle donc déposé à la légation des États-Unis?

— Des lettres, une reconnaissance de cent mille roubles signée par le grand-duc Nicolas, et le testament de Son Altesse Impériale…

Le visiteur, l'air mauvais, se retire. Fanny comprend qu'elle est soupçonnée d'avoir déposé à la légation plus qu'elle ne dit.

La nuit tombe, les geôliers apportent des lampes à pétrole. La *babouchka* qui voit Fanny de nouveau préoccupée se met au piano. Il est désaccordé, et elle joue mal.

En fait, Fanny n'a pas à s'inquiéter car son ami le ministre Jewell s'agite considérablement en sa faveur. Joséphine la camériste, affolée par l'intrusion des policiers, n'a tout de même pas perdu l'esprit. À peine ont-ils emmené Fanny qu'elle s'est précipitée à la légation des États-Unis, et aussitôt M. Jewell a pris l'affaire en main. Il a écrit une lettre ulcérée au général Trepoff. Comment? Une citoyenne américaine arrêtée, sans qu'aucune explication n'ait été officiellement donnée? Le ministre des États-Unis demande donc au chef de la police de Saint-Pétersbourg de les lui fournir incontinent! Pas de réponse.

Une heure plus tard, Jewell envoie une seconde lettre, plus menaçante. Cette fois, Trepoff répond. La protégée du ministre a été amenée au bâtiment central de la police avec tous les soins et les attentions dus à son rang... Elle n'y manque de rien, elle est en bonne santé et dans les meilleures dispositions.

Jewell sent qu'on se moque de lui. Il écrit cette fois au comte Chouvaloff, en exigeant des explications. Toujours pas de réponse. Alors il se précipite chez les représentants des autres grandes puissances, et en quelques instants réussit à faire de l'arrestation de Fanny Lear une affaire d'État ! Où va-t-on si, dans l'Empire russe, la police peut arrêter sans raison, sans justification, sans prévenir les diplomates concernés, une citoyenne étrangère ? Ministres et ambassadeurs font chorus contre cet abus de droit sans précédent. Fort de leur soutien, Jewell reprend sa plume. C'est désormais au nom du corps diplomatique tout entier qu'il écrit. Trepoff, pour le coup, ne tarde pas. Qu'on ne s'inquiète surtout pas, la citoyenne américaine n'est nullement coupable et elle va être incessamment libérée...

Nicolas doit être fou, se répète Alexandre II en ouvrant la séance du Conseil de famille qui va décider du sort de son neveu. C'est la seule explication possible. Nicolas est fou, avait annoncé le médecin de famille, le docteur Havrowitz, qui devine toujours dans quelle direction souffle le vent.

Nicolas est fou, clame avec soulagement son père le grand-duc au sortir de ce même Conseil :

« *La question est : que faire de mon fils ?* écrit-il dans son journal. *Après de longues délibérations, nous avons décidé d'attendre le bulletin médical, mais indépendamment de ses conclusions, de*

227

déclarer qu'il est atteint de maladie mentale, ce qui satisfera le public.

« *À la fin du Conseil,* continue Constantin, *j'ai remercié Dieu en moi-même. Car quoique douloureux et rude ce puisse être, je suis le père d'un enfant infortuné et mentalement atteint. Etre le père d'un criminel publiquement dénoncé serait insoutenable et ruinerait tout mon avenir…* »

Tout aussi soulagé est l'empereur, ainsi que le remarque le ministre Milioutine lors de son audience quotidienne. Alexandre II a mis le sujet sur l'affaire Nicolas Konstantinovitch. La veille, trois aliénistes amenés par le docteur Bablinski ont examiné l'accusé. Leurs conclusions indiquent que celui-ci, dans ses discours comme dans ses actes, paraît dérangé. On l'a prévenu qu'on lui arracherait son grade dans l'armée, qu'on le priverait des honneurs qu'il avait reçus à la naissance, et qu'il resterait en état d'arrestation sans limite de temps. Il n'a pas du tout paru contrit, au contraire, il s'est mis à plaisanter ! Il est même allé jusqu'à ironiser sur ses accusateurs, sur sa famille. Incontestablement, ce sont là des signes de folie !

Décision a donc été prise la veille au soir de reconnaître le grand-duc Nicolas comme malade mental. L'empereur a ajouté que sa maîtresse américaine serait libérée incessamment et extradée de Russie avec une compensation financière conséquente, suffisante pour la faire taire.

— C'était le seul moyen de préserver la dynastie de la honte et du scandale, a conclu le ministre. Reconnaître la folie, c'est d'une certaine manière innocenter le grand-duc Nicolas, et donc les siens.

Les choses sont ainsi rentrées dans l'ordre.

De retour d'Allemagne, la grande-duchesse Alexandra a réintégré le palais de Marbre. Elle n'a pas rendu visite à son fils, enfermé pourtant dans ce même palais.

En revanche, elle a convoqué ses autres fils dans son boudoir, la pièce d'angle d'où l'on découvre une vaste vue sur la Neva et, au loin, sur la pointe dorée de la forteresse Pierre-et-Paul. Elle a décidé de leur parler afin de leur éviter de croire les rumeurs.

— Mes enfants, êtes-vous au courant pour Niki?

Constantin, l'aîné des trois, répond par l'affirmative. Et d'ajouter :

— Je suis sûr que le crime de Nicolas ne peut être expliqué que par sa folie.

La grande-duchesse hoche la tête :

— Malheureusement, ces temps derniers il s'est montré vraiment très atteint, il a cessé d'aller à la chapelle et de prier, il se moquait de tout et de tous.

Puis elle revient sur les diamants volés. Elle évoque aussi d'autres objets qui ont disparu. Elle ne peut plus s'arrêter de parler... Les garçons pétrifiés se serrent les uns contre les autres. L'émotion est trop forte, soudain Constantin se met à pleurer. Sa mère ne le remarque pas, emportée par sa rage contre Nicolas.

Entre-temps, Alexandre II a changé d'avis. Il n'a pas le courage de déclarer publiquement la folie de Nicolas, qui continuera d'être gardé au secret.

Fanny ignore toujours les démarches entreprises par Jewell en sa faveur, ainsi que la promesse obtenue du général Trepoff de la libérer immédiatement.

Cinq jours se sont passés depuis son arrestation, lorsqu'elle reçoit une nouvelle visite de l'envoyé de Chouvaloff, dont elle n'apprendra jamais le nom. Passant à l'offensive, elle exige de voir, ou tout au moins de communiquer avec le représentant des États-Unis. D'accord, répond le visiteur, mais pas avant qu'elle n'ait remis les documents déposés à la légation.

— Je n'en ferai rien ! s'écrie Fanny.

Elle et le policier se regardent en coin, ils s'évaluent. Enfin, l'homme prononce le mot clé : « Combien ? »

Il ne le dit pas exactement de cette façon mais cela revient au même. Plus question de documents compromettants, prétendument mis à l'abri à la légation, c'est donc qu'on ne la soupçonne plus. Plus question non plus des bijoux que lui a offerts Nicolas, elle a l'impression qu'on est prêt à les lui laisser. En revanche, la police veut à tout prix récupérer le testament et la promesse du grand-duc concernant les cent mille roubles et, pour ce faire, accepterait des sacrifices. Le marchandage dure plus de vingt-quatre heures avant que Fanny ne se montre prête à céder. Personne ne peut lui prendre ce qu'elle a déposé à la légation mais, en s'entêtant, ne va-t-elle pas compromettre Nicolas ? Peut-être, en se montrant conciliante, rendra-t-elle ces monstres plus indulgents envers lui ? On transige à cinquante mille roubles, mais elle ne remettra les documents que lorsqu'elle sera revenue chez elle.

Le soir même, Fanny retrouve sa liberté, sa fidèle Joséphine et son appartement de la place du Palais-Michel dans le désordre où l'ont laissé les argousins, avec les portes des armoires ouvertes et les tiroirs jetés par terre. Ses buvards, ses pupitres, ses albums, ses papiers et même les livres ont été emportés, ainsi que tous ses objets personnels. Les pièces grouillent de policiers en civil décidés à camper afin de mieux la surveiller. La *babouchka* qui a suivi Fanny, passe encore, mais la police !

Fanny écrit au ministre Jewell. Le ministre écrit une fois de plus au général Trepoff, qui ordonne alors à ses hommes de quitter l'appartement pour se poster au rez-de-chaussée ou dans la rue. Ils sont chargés de suivre Fanny dans tous ses déplacements. Avant de disparaître, l'un des argousins prévient Fanny que le lendemain, dimanche, elle recevra la visite du comte Levasher. Levasher ! Il faisait partie de ce qu'elle appelait la « vieillesse argentée ». L'idée de revoir cet ancien et fervent admirateur la soulage.

Pourtant, le lendemain lorsqu'il se présente, elle le reconnaît à peine. Cet ivrogne est pour une fois sobre, et il a endossé son uniforme pour signifier qu'il est venu officiellement. Il commence par déplorer tout ce qui s'est passé. S'il l'avait su... Fanny s'agace de ce ton mielleux.

— Il est trop tard à présent, il est fâcheux que vous n'ayez pas su plus tôt ce que vous deviez faire !

Impassible, le comte Levasher poursuit. L'empereur en personne s'est penché sur le sort de Fanny. Il est très touché de sa conduite, qui l'a beaucoup impressionné. Il serait même reconnaissant qu'elle ait supporté si longtemps son neveu Nicolas et ses lubies... Il est bien intentionné à son égard, mais il aimerait tout de même connaître ses projets...

Vendre tout et quitter la Russie au plus vite !

— Et quand aura lieu ce départ ? demande le comte d'un ton détaché.

— Il me faut au moins deux ou trois semaines pour tout mettre en ordre.

Levasher bondit :

— Impossible, il faut que vous partiez dans le plus bref délai ! Car plus longtemps vous serez ici, plus le scandale grandira. Il ne cessera qu'avec votre départ.

Puis il abandonne son ton urbain et assène de façon péremptoire :

— Vous avez jusqu'à la fin de la semaine pour partir !

Entre-temps, défense de paraître publiquement et d'aller dans un quelconque théâtre, cabaret ou restaurant.

Fanny lui rit au nez. Ce n'est pas dans la situation où elle et son Nicolas se trouvent qu'elle ira s'amuser dans des lieux publics.

Il lui pose alors une question qui la surprend beaucoup :

— La main sur la conscience, Madame, croyez-vous que le grand-duc Nicolas ait perdu la raison ?

— Pas plus que vous !

— Une dernière question. Que sont devenus les documents que vous avez déposés à la légation des États-Unis ?

— Je les ai remis à qui de droit.

C'est-à-dire à l'envoyé de Chouvaloff... Encore ce manque de coordination et cette rivalité entre les polices, remarque Fanny. Ce qu'elle se garde bien de dire à son visiteur, c'est qu'elle conserve par-devers elle, toujours soigneusement dissimulés dans le tiroir secret de la table du salon, la plupart des lettres, billets et télégrammes que lui a envoyés Nicolas.

Là-dessus, Joséphine la prévient qu'un certain docteur Bablinski se trouve dans l'antichambre et demande à être reçu. On ne la laissera donc jamais tranquille ! Mais qui est ce médecin, et que lui veut-il ? D'un geste las, Fanny signifie à sa camériste d'introduire le nouveau visiteur.

C'est un homme pâle, maigre, un visage de fouine aux yeux profondément enfoncés qui furètent partout. Fanny l'interroge sur sa qualité.

— Je suis aliéniste, Madame.

— Que venez-vous faire ici ? Je ne suis pas folle, que je sache !

— Non, mais le grand-duc Nicolas l'est, en tout cas c'est mon diagnostic.

— Je vous affirme qu'il est aussi sain d'esprit que vous et moi !

De toute évidence, l'aliéniste ne la croit pas, qui la mitraille de questions sur l'état mental de Nicolas. Fanny ne peut que protester. Quelques bizarreries, peut-être, mais qui n'en a pas ? L'aliéniste semble réfléchir avant de poser une question qui lui paraît saugrenue :

— D'où vient votre influence sur lui ? Il vous réclame nuit et jour à cor et à cri…

— Je l'ignore. Sans doute me connaît-il si parfaitement qu'il a confiance en moi, et d'ailleurs j'ai toujours tout fait pour lui être agréable.

Sans beaucoup de conviction, Bablinski tente encore de faire parler Fanny, puis se retire, visiblement déçu.

Ainsi Nicolas la réclame… Fanny en est bouleversée. Que ne donnerait-elle pour qu'il soit en ce moment avec elle, dans l'appartement où le calme et le silence sont retombés. Soudain, la porte de service s'ouvre lentement devant Savioloff qui en avait gardé une clef. Mais un Savioloff transformé. Il avait toujours paru vieux à Fanny, mais alerte aussi. Or, le poids des ans semble l'avoir alourdi. Il s'avance en hésitant, le dos courbé, les yeux rougis.

Il vient réclamer les pantoufles que Nicolas a laissées dans l'appartement. Fanny l'interroge avidement sur le prisonnier.

Savioloff, d'une voix monocorde, lui confie que Nicolas est resté aux arrêts au palais de Marbre jusqu'à ce que sa folie soit déclarée. Alors, on l'a ramené chez lui, rue Gatchina, toujours aux arrêts. Au palais de Marbre, les aides de camp du grand-duc père se tenaient dans l'antichambre, mais un fou peut se révéler dangereux, aussi ses geôliers se sont-ils installés dans sa chambre et ne le quittent-ils pas des yeux un instant, de jour comme de nuit. Il y a aussi les médecins, le docteur Havrowitz, l'aliéniste Bablinski et leurs assistants. Et quand Nicolas se révolte, tempête, crie, casse un objet, aussitôt les infirmiers se jettent sur lui, lui passent la camisole de force. Pour un oui ou pour un non, ils lui administrent des douches glacées, ils l'ont même battu plusieurs fois.

Est-ce Dieu possible que Nicolas soit traité ainsi, se dit Fanny pâle d'horreur. Et comment réagit-il ?

Il a eu un accès de fièvre, on a dû le coucher. Il est resté quatre ou cinq jours très malade. Fanny voudrait voler à son chevet. À aucun moment leur sort ne lui a paru plus cruel.

Le lendemain, Savioloff se glisse de nouveau dans l'appartement : Nicolas réclame un gilet, un foulard. N'a-t-il pas amené une lettre, tout au moins un billet ? Non, Son Altesse Impériale n'a pas la possibilité de lui confier quoi que ce soit. D'ailleurs, lui-même est fouillé à l'entrée comme à la sortie du palais.

Chaque jour, il se présente pour réclamer telle ou telle pièce de vêtement, un objet familier laissé par son maître chez Fanny. Il en vient à demander l'oreiller de Nicolas, brodé à son chiffre. Fanny tend l'objet à Savioloff qui, le lendemain, lui raconte que Nicolas l'a tâté avidement, cherchant s'il n'y avait pas une lettre de Fanny à l'intérieur. N'ayant rien trouvé, il en a eu les larmes aux yeux et a jeté l'oreiller par terre.

Fanny se désole de sa propre bêtise. Elle n'a pas compris que ces réclamations intempestives de vêtements et d'objets étaient une perche tendue pour qu'ils puissent communiquer secrètement. Il n'est pas trop tard pour bien faire. Demain, elle glissera une lettre dans l'objet que viendra lui réclamer Savioloff.

Mais le lendemain, le fidèle valet de chambre apporte de tristes nouvelles. Tôt réveillé, Nicolas s'est levé et s'est habillé comme si tout était parfaitement normal. Le docteur Bablinski est venu lui faire sa visite quotidienne.

— Vous prétendez que je suis fou ?

— Oui, Altesse Impériale.

— Eh bien soit, on doit n'est-ce pas céder aux fantaisies des fous... Qu'on me donne ma Fanny, ma chère petite maîtresse, sinon je serai tout à fait fou jusqu'à ce qu'on remplisse mon vœu !

L'aliéniste hausse les épaules, examine comme à l'accoutumée son patient et le quitte, décidé à ne pas tenir compte de sa demande. En revanche, celui-ci tient sa promesse. Puisqu'on ne lui amène pas sa Fanny, il se met à démolir méthodiquement tous les meubles de sa chambre, brisant les marqueteries, les vitres, les glaces, déchirant les rideaux, les coussins. Grâce à sa force impressionnante accrue par la rage, il réussit à tout mettre en pièces, tout en résistant à ses geôliers.

Du coup, les mesures à son encontre sont durcies. Interdiction de lui apporter quoi que ce soit de l'extérieur. Le moyen qu'il avait imaginé pour communiquer avec Fanny est mort-né. Elle en pleure de déception, de chagrin.

« *Je reconnais être un criminel et en même temps je suis un malade. En conséquence, on m'a d'un côté ordonné de demeurer aux arrêts, et d'un autre des médecins ont été envoyés pour prendre soin de moi.* »

Nicolas s'est enfermé dans sa salle de bains et griffonne hâtivement ces notes qu'il dissimule ensuite dans un placard.

« *Si j'étais atteint d'une maladie banale, si je souffrais de la jambe ou du bras, ces médecins pourraient me soulager et me guérir, mais mon mal est bien différent, et le zèle des militaires commis à ma garde qui suivent aveuglément les ordres, ajoute à mes épreuves. Je leur demande : Que me faites-vous ? Ils répondent : on vous guérit... Alors pourquoi ne me mettent-ils pas au lit et ne me font-ils pas avaler force médicaments ? Je pense que les médecins pourraient radicalement changer ma situation. Ils pour-*

raient par exemple soutenir que les soins ne suffiront pas à me guérir tant qu'on ne m'accordera pas une certaine liberté, tant que je n'aurai pas la possibilité de voir ceux que j'aime, tant aussi que je serai condamné à l'inaction.

« Grâce aux médecins qui m'ont déclaré malade, Sibérie et travaux forcés m'auront été épargnés.

« Et pourtant je ne pense pas que la Sibérie aurait pu être pire que ce que j'ai vécu pendant sept ans sous la supervision du baron de Mirbach. Ça ne sera pas difficile pour les médecins de parachever son bon travail. Ils pourraient écouter ma confession, examiner mes nerfs. Pourquoi ne finiraient-ils donc pas par envoyer un télégramme à qui de droit, portant « le grand-duc Nicolas est si dérangé que nous ne pouvons pas garantir qu'il ne perde pas complètement l'esprit. Une seule chose pourrait le guérir, envoyez-le dans une expédition lointaine comme il a été prescrit, et faites-le accompagner d'un médecin chargé d'instructions précises».

« Ils affirment chercher un traitement efficace pour moi, mais ils refusent de me laisser participer à cette expédition dans l'Amou-Daria que j'ai passé six mois à préparer. N'y a-t-il pas de quoi devenir véritablement fou ?...

« Pour me distraire, on m'a amené mon perroquet que j'aime tant. D'ailleurs, ce serait une honte de ne pas aimer une si exquise créature. Lorsque je suis triste et mélancolique, il se moque si bien de moi qu'il me rend presque joyeux, avec ses tours de passe-passe et ses plaisanteries. C'est un clown ! Je le contemple et je trouve son sort bien similaire au mien. Il ressemble beaucoup à un homme resté une semaine aux arrêts. Il a beau mettre de la gaieté autour de lui, sa crête rose est toute penchée au lieu de rester dressée. Il faut dire qu'auparavant il était en liberté dans le jardin. Un matin, un jardinier s'est aperçu avec horreur qu'il s'était posé sur le palmier le plus élevé et en avait mangé deux belles feuilles. Or, ces feuilles étaient rarissimes et il avait fallu deux ans pour *les faire pousser. Le perroquet a été remis à sa place, c'est-à-dire qu'on lui a attaché une chaîne à la patte.*

« Aujourd'hui, on a retiré de ma chambre les mouchards chargés de ma surveillance. On a aussi ôté la chaîne de la patte du perroquet. Nous sommes tous les deux assis l'un en face de l'autre avec nos têtes penchées vers nos poitrines. Il n'est pas facile de se remettre d'un tel choc… Cependant, il est plus aisé d'y survivre lorsqu'on sait que quelqu'un en souffre tout autant, tel mon perroquet. Vous pourriez soutenir que ce sentiment est égoïste, mauvais, je suis d'accord avec vous…

« Mes pensées deviennent confuses, ma main faible, je dois prendre du repos et aussi avaler mes remèdes… »

Pendant ses derniers jours à Saint-Pétersbourg, Fanny emballe fiévreusement ses affaires. La veille de son départ, elle se rend à la forteresse Pierre-et-Paul pour prier sur le tombeau de Pierre le Grand, à l'endroit même où Nicolas lui avait donné sa croix de baptême. Elle va faire ses adieux au ministre Jewell, puis elle a l'audace de rendre visite au général Trepoff, pour le remercier.

Trepoff exprime ses regrets qu'on ne l'ait pas laissé mener cette affaire. Il l'aurait entourée de la discrétion la plus totale, et puis surtout ni elle ni Nicolas n'auraient eu à subir ce qu'on leur a imposé. Lorsqu'elle le quitte, ce digne fonctionnaire est si ému qu'il lui saute au cou et l'embrasse.

Le lendemain, la *babouchka* qui ne l'a pas quittée d'une semelle l'accompagne à la gare. Elle la suit même dans son wagon. Fanny y trouve déjà installé un homme qui, à sa vue, lui jette un regard perçant. Elle devine aussitôt son identité et murmure :

— C'est un gendarme en civil…

L'homme a entendu, il en rougit jusqu'au blanc des yeux.

Il se lève et salue avec la plus grande politesse. Fanny et la *babouchka*, qui sont presque devenues des amies, échangent des adieux plein d'effusion. La *babouchka* pleure à chaudes larmes, elle regrettera bien sa petite Madame, et surtout que celle-ci se rappelle l'avenir merveilleux qu'elle lui a prédit dans les tarots.

Le train s'ébranle. En Fanny, le soulagement de quitter la Russie qu'elle a prise en horreur le dispute au chagrin de s'éloigner de Nicolas et à l'amertume de ne rien pouvoir faire pour lui. Auront-ils seulement la possibilité de se revoir un jour ?

14

Le sort de Nicolas continue à être secret d'État, son nom a disparu des communiqués de la Cour, mais toute la ville ne parle que de lui ! La police peut censurer ce qui s'imprime, elle ne peut censurer ce qui se dit. Justement alimentées par le silence officiel, les rumeurs courent, s'enflent, s'unissent, s'opposent.

La plupart sont étonnamment précises, les gens sont visiblement bien renseignés. Beaucoup tournent autour du vol des diamants, avec certaines digressions dues à la confusion entre les deux cambriolages. L'icône se serait trouvée non dans la chambre de la grande-duchesse, mais dans la chapelle du palais de Marbre... Pire, un domestique aurait été accusé, que Nicolas, le véritable coupable, aurait laissé condamner et expédier en Sibérie ! Cette thèse, c'est la famille toujours bienveillante qui la soutient, et elle restera accréditée par les Romanov jusqu'à nos jours.

— Vous n'y êtes pas, affirme une comtesse bien renseignée, ce ne sont pas des pierreries enchâssées dans des icônes qu'il a volées, mais un collier de diamants appartenant à sa mère. Il l'a donné à son Américaine, celle-ci l'a exhibé lors d'un gala à l'Opéra où évidemment notre famille impériale l'a reconnu immédiatement !

— Je possède des informations, soutient une baronne tout aussi introduite, selon lesquelles le grand-duc Nicolas, dans une crise de démence, a tué un de ses valets !

Heureusement, il a été mis à l'écart ! conclut la majorité, car au moins il n'offre plus à la société le spectacle effroyable de sa dégradation psychique.

Un son de cloche bien différent vient de Stéphanie Dolgorouki. Elle appartient à une des plus grandes familles de Russie et se trouve être la lointaine cousine de la toute-puissante maîtresse de l'empereur, la belle Katia. Comme tout le monde, elle a entendu parler du scandale, mais elle a ses propres sources de renseignements qui lui permettent, bien des années plus tard en rédigeant ses Mémoires, d'affirmer : « *Le grand-duc Nicolas, très large de vues, fut soupçonné d'avoir des idées socialistes. Mais comme il était difficile d'exiler pour cette seule raison un membre de la famille impériale, on s'arrangea pour le mêler à une histoire de pierres précieuses disparues d'une icône du palais de Marbre...* »

Cette thèse se trouve confirmée par un personnage tout à fait inattendu, Pobiedonostsev. Avant de devenir l'inspirateur de la politique la plus réactionnaire de l'empire, il est déjà le pilier du conservatisme russe. Haïssant tout ce qui touche de près ou de loin les libéraux, il ne fait pas de doute pour lui que

240

le grand-duc a été en réalité éliminé à cause de ses opinions libérales.

La cousine de Stéphanie Dolgorouki, Sofka Skipwith, mariée à un Anglais, va plus loin. Elle est certaine que, poussé par ses idées de gauche, Nicolas est entré dans un complot révolutionnaire...

« L'Américaine du grand-duc » revient sans cesse dans ces rumeurs et contre-rumeurs. Et on commente abondamment le tout dernier rebondissement du scandale : le gouvernement impérial n'a pas du tout apprécié le zèle déployé par le ministre Jewell en faveur de Fanny Lear. Aussi l'a-t-il disgracié et a exigé son rappel. Afin de ne pas offenser la Russie, Washington a obtempéré d'une façon carrément insultante pour l'admirateur de Fanny...

En revanche, pas un seul mot sur Savine !

Et « l'Américaine du grand-duc », dans tout cela ? Bercée par le Nord-Express, elle a quitté la Russie et, à peine la frontière franchie, elle s'est mise à pleurer sans pouvoir s'arrêter. Elle est impatiente d'arriver à Paris pour y trouver enfin la paix et le silence auxquels elle aspire. C'est la tempête qui l'y accueille ! Dès son arrivée au *Grand Hôtel*, près de l'Opéra, où elle a retenu une suite, elle est assaillie par des journalistes français, anglais, américains qui tous demandent une interview, qui tous, lorsqu'elle la leur refuse, racontent n'importe quoi dans des éditoriaux s'étalant quotidiennement en première page. Fanny Lear était la complice du grand-duc... elle a été mêlée à une conspiration... elle l'a abruti avec des drogues... elle voulait l'épouser !

Le scandale a débordé les frontières russes. Dans les pays démocratiques, pas moyen de museler la presse ! Un grand-duc voleur, les lecteurs des journaux se repaissent avec délice des détails plus ou moins inventés de l'affaire. C'est avec une horreur hypocrite que les grands personnages la commentent.

— Ces terribles récits sur le fils du grand-duc Constantin qui ont été publiés dans les journaux anglais... J'ai entendu dire qu'il avait volé les bijoux de sa mère ! Que s'est-il vraiment passé ? demande la reine Victoria à sa fille, la princesse héritière de Prusse, qui répond de la même encre :

— L'affaire du fils du grand-duc Constantin est effroyable ! Je ne vous en ai pas parlé mais puisque vous y faites allusion, je vais vous dire ce que je sais. Il a volé les joyaux sur les icônes de la chapelle de sa mère et les a portés à un usurier. Il voulait de l'argent pour payer les dettes qu'il avait contractées avec une Américaine de mauvaise réputation. Voilà où de telles fréquentations mènent les faibles jeunes gens !

À Paris, Fanny ne peut plus sortir. Partout elle est reconnue, et aussitôt ce sont des chuchotis, des doigts pointés sur elle, des visages connus qui se détournent plutôt que de la saluer.

Certains, les plus hardis, viennent s'incliner devant elle et la flattent grossièrement, d'autres répètent des horreurs dans son dos, au point qu'elle n'a d'autre solution que de rester enfermée dans sa suite. Sa seule et amère occupation consiste à découper dans les journaux les articles qui lui sont consacrés et à les coller dans de grands albums. Sans cesse, l'image de Nicolas est présente, et l'impossibilité de communiquer avec lui avive sa tristesse.

Et Savine ? Pense-t-elle encore à lui ? En tout cas, elle ignore tout de son sort. Or le beau cornette a été condamné au bagne. Sur quel chef d'accusation, après quels aveux, par quelle autorité, on ne sait. Sa destination, la ville de Tomsk en Sibérie où, dès son arrivée, il est enfermé dans un camp. L'attend une mort lente, la plus atroce, la plus insupportable pour un jeune homme plein de vie, pour un jouisseur plein d'appétits. Mais un beau jour, il disparaît littéralement sous le nez d'escouades bien armées. Si inexplicable est son exploit que ses gardiens écrivent piteusement qu'« il s'est évanoui dans la nature ». Puis ils se rassurent, car ils savent qu'un jour ou l'autre la Sibérie rattrapera l'évadé, mort ou vif.

Il existe, à près de 70 kilomètres au sud-est de Saint-Pétersbourg, une jolie propriété nommée Ielizavetina appartenant au prince Tchernichev. La Neva y traverse paresseusement des étendues de prairies. Au milieu de bois de bouleaux se dresse un petit château néo-classique. La colonnade, le dôme et les pavillons symétriques, tout y est peint en blanc.

À quelques encablures se dresse une ferme modèle, pourvue du confort le plus moderne et de toutes les dernières inventions de l'agriculture, où les humains vivent aussi agréablement que les cochons, car on s'y consacre à l'élevage des porcins.

Le parc d'Ielizavetina est justement célèbre pour son charme poétique. On vante l'air pur et sain de la région. La preuve, ce jeune homme qui sort du bâtiment central de la ferme est l'image même de la santé. Il porte avec aisance la tenue des paysans mais tout chez lui proclame qu'il appartient à une condition sociale supérieure à celle des moujiks. Il est entouré d'hommes, les uns en blouse blanche, les autres en uniforme, qui tous semblent anxieux de l'assister et de satisfaire le moindre de ses désirs. Il se rend, suivi de son cortège, dans la porcherie. Il y donne à manger aux pensionnaires, il ne semble pas du tout gêné par la boue et les détritus dans lesquels il marche, par la saleté qui l'environne, et la puanteur habituelle en ces lieux ne paraît pas atteindre ses narines. Puis il s'assied à une table et examine longuement les comptes, vérifie les sommes versées. Il calcule jusqu'au dernier sou le produit des ventes précédentes, puis il rédige son rapport quotidien sur la bonne marche de la ferme.

Le rapport, malgré la trivialité de son sujet, se trouve le jour même sur le bureau de l'empereur de toutes les Russies. Car l'éleveur de cochons n'est autre que son neveu! Alexandre II se félicite de l'avoir fait transférer à la campagne, se réjouit de le savoir complètement assagi et parfaitement intégré à sa nouvelle existence simple, agreste et équilibrante.

Le rapport sous le bras, l'empereur se rend au palais de Marbre pour le faire lire à la grande-duchesse Alexandra. Les spécialistes ont en effet interdit à Nicolas toute visite et toute communication avec ses parents, ses frères, ses sœurs, et ceux-ci, malgré leur chagrin, se sont inclinés car ils savent que cette mesure n'a été prise que pour le bien du cher absent. Aussi n'en reçoivent-ils de nouvelles que par l'empereur. À chacune de ses entrevues avec sa belle-sœur, le tsar répète la conclusion des aliénistes, à savoir qu'il ne fait aucun doute que Nicolas était en état de folie lorsqu'il a commis son crime. Ce n'est pas un voleur, insiste-t-il, c'est un dément. Chaque fois, la grande-duchesse en a des larmes aux yeux, puis son visage prend une expression de profonde sérénité.

La vérité sur le « séjour » du grand-duc à Ielizavetina est, hélas, bien différente. À peine arrivé, on a chassé tous les domestiques que Nicolas connaissait depuis l'enfance, à commencer par Savioloff, et on les a remplacés par de véritables brutes. D'ailleurs, on les change tous les deux ou trois jours afin qu'il n'ait ni le temps ni la possibilité de se les gagner. Ces hommes, médecins, infirmiers et policiers de la Secrète, reçoivent pour garder le grand-duc d'énormes salaires. Aussi ont-ils tout intérêt à prolonger la situation et ne le laissent-ils pas une seconde en paix. Nuit et jour, ils le surveillent, le forcent à revêtir les vêtements les plus rustiques pour l'humilier, le contraignent à se livrer à des travaux grossiers. Ils l'obligent à scier du bois à longueur de journée. Dès qu'il ouvre la bouche pour exprimer un souhait ou une simple opinion, ils aboient : « Monseigneur, taisez-vous ! Altesse Impériale, vous êtes fou ! » Quand il réclame un livre, un objet, ils lui apportent des jouets pour enfant en bas âge.

Pire encore, ils l'exposent… En effet, non loin de la propriété campent des hommes de l'un de ses anciens régiments. Des officiers qu'il a tous bien connus passent à cheval dans leurs beaux uniformes, plaisantant et caracolant. Lorsqu'ils voient leur ancien compagnon d'armes réduit à l'état de serf et bien mis en évidence par ses gardiens, ils s'arrêtent pour le contempler insolemment et pour ricaner. Les informations les plus précises sur la dureté, et même la cruauté du traitement subi par Nicolas parviennent à ses amis qui se les répètent, horrifiés.

« Tout cela, ce ne sont que des inventions propagées par les malveillants ! » réplique la famille impériale. « Mon fils est parfaitement heureux dans sa nouvelle vie, déclare la grande-duchesse Alexandra. L'empereur a la bonté de m'informer quasi quotidiennement de ses progrès. » Or, l'empereur, c'est la vérité !

« *Suis-je un fou ou un criminel ? Si je suis un criminel, passez-moi en jugement et condamnez-moi. Si je suis un fou, mettez-moi sous traitement mais, dans l'un ou l'autre cas, donnez-moi quelque espoir que je puisse un jour recouvrer la vie et la liberté ! Ce que vous me faites subir est cruel et inhumain…* »

À la lecture de ce billet, que Nicolas a réussi à faire parvenir et que lui remet après lecture son mari, Alexandra abandonne sa sérénité et fronce les sourcils. Pour avoir écrit une telle insanité, Nicolas devait être encore plus fou qu'on ne le croyait ! Les médecins ont très mal fait leur travail, la preuve en est qu'ils ne cessent de se chamailler.

En effet, spécialistes et aliénistes ne se sont toujours pas prononcé sur la nature exacte de la maladie de Nicolas et sur le traitement approprié. Presque chaque jour, ils se rendent à Ielizavetina pour l'examiner. Et tandis que leur patient est renvoyé à sa porcherie sous la surveillance de ses gardes-chiourme, les spécialistes, dans le ravissant salon à colonnes de la maison principale, tout en buvant leur thé et en engloutissant sandwiches et gâteaux, se perdent dans un nœud de contradictions.

Certaines des actions du patient peuvent être considérées comme celles d'un fou... Pourtant, cette folie est loin d'être constante. Le patient s'exprime la plupart du temps avec la clarté et la perspicacité d'un être supérieurement intelligent. Son humeur change très rapidement, passant de l'excitation nerveuse à une profonde dépression : « Son Altesse Impériale mélange d'excellentes et de mauvaises qualités, des bons et des mauvais désirs, et dans le désordre le plus total. »

D'un côté, le patient « est profondément loyal à l'empereur, à l'empire, très attaché à la discipline militaire et à ses devoirs d'officier », de l'autre, il caresse encore la folle idée de s'échapper à l'étranger et d'aller jusqu'en Amérique... Il est capable de la gentillesse la plus délicate comme d'accès de haine inattendus. Havrowitz, fort de sa connaissance de la famille, dénonce une faiblesse nerveuse atavique, ponctuée par des visions et des hallucinations, héritée de sa mère. Le bon docteur propose « un plan de cure morale et hygiénique » marqué par une solitude absolue, de fréquentes douches glacées et autres agréments déjà essayés sur Nicolas. Il existe, principalement en Allemagne, des « instituts spécialisés », en clair des maisons de fous, où l'on saurait parfaitement s'occuper de lui.

Le professeur Bablinski n'est absolument pas d'accord. Il ne décèle aucune dépravation de base chez le patient et son état ne justifierait en aucun cas son internement. Au contraire, il faudrait plutôt adoucir le traitement et retirer par exemple les policiers de la Secrète qui ne le quittent pas d'une semelle. Mais surtout, insiste l'aliéniste, « envoyer Son Altesse Impériale à l'étranger ne ferait que susciter un nouveau flot de commentaires et de rumeurs parfaitement indésirables ».

Il signe son rapport et l'envoie avec celui de Havrowitz. À l'empereur de décider.

Le 11 décembre 1874, Alexandre II signe un oukase annonçant au monde entier que Son Altesse Impériale le grand-duc Nicolas Konstantinovitch est atteint d'une grave maladie qui nécessite un traitement spécial.

Neuf mois se sont écoulés depuis l'éclatement du scandale. Neuf mois pendant lesquels l'état officiel de Nicolas est resté dans l'obscurité la plus totale. En effet, un fou n'a pas le droit d'être fou tant que le tsar, « oint de Dieu », ne l'a pas décidé.

Au rapport des aliénistes était attachée une note non signée, expliquant que l'emplacement d'Ielizavetina présentait un désavantage majeur : la propriété se trouve voisine de la route de Schlussenburg, qui conduit à un petit port d'où il aurait été aisé au grand-duc de s'échapper à l'étranger... Sur ordre de l'empereur, Nicolas est transféré à l'autre extrémité de l'empire, en Crimée.

Pour les nantis de l'empire qui ont la possibilité de s'y rendre chaque hiver, la Crimée est un paradis. Autour du palais de Livadia qui sert de villégiature à l'empereur, des villas, des palais plus ou moins vastes s'étagent sur les collines abruptes au milieu de cyprès, d'oliviers, d'orangers et de citronniers qui dévalent les pentes jusqu'à la mer scintillante.

Il fait toujours beau en Crimée. Les légendes fleurissent sur cette terre bénie et les poètes y trouvent leur inspiration. Des yachts blancs mouillent dans les eaux cristallines au bas de terrasses embaumées par les jasmins et les roses.

L'avis du professeur Bablinski a prévalu. Nicolas a été placé dans un cadre enchanteur, à Oreandra, la splendide propriété de ses parents. Finis les travaux forcés à la ferme et les mauvais traitements. Nicolas est traité avec décence et considération. Ce changement de régime évidemment l'apaise. Au fil des semaines, sa conduite devient exemplaire.

Le prince Outomski, aide de camp de son père, a été nommé son grand chambellan — protocole oblige —, autrement dit son gardien-chef. Rassuré par la docilité apparente du grand-duc, il prend des libertés avec le règlement et lui permet de recevoir les rares personnes habitant à l'année dans les environs, en particulier la charmante Alexandra Demidova, née Abaza, mère de famille méritante, au-dessus de tout soupçon.

Alexandra a vingt ans, elle est d'une beauté frappante, un visage fin et mélancolique, de grands yeux sombres dont le regard se perd au loin, une masse de cheveux noirs. Elle semble non sans raison l'image même du malheur. Son mari la maltraite et c'est pour cette raison qu'elle s'est réfugiée en Crimée avec ses deux petits enfants. Pourtant, elle n'a pas voulu divorcer car elle reste fidèle à son bourreau auquel la lient les vœux sacrés du mariage.

Touché par son sort, le prince Outomski l'invite de plus en plus souvent à prendre le thé avec Son Altesse Impériale. Un après-midi, il en profite même pour aller se reposer de sa surveillance, les laissant tête à tête. Le soleil entre à flots par les grandes fenêtres, avec les odeurs marines et le parfum des fleurs. Il y a dans l'air toute la sensualité du Sud. Nicolas et Alexandra se jettent l'un sur l'autre et, en un instant, le thé de bon ton prévu par le prince Outomski se transforme en un corps-à-corps extrêmement sensuel.

Lorsque le prince Outomski, émergeant de sa sieste, réintègre le salon, il trouve le grand-duc et l'épouse maltraitée sagement assis à distance l'un de l'autre et bavardant sur des sujets éminemment graves. Avec la bénédiction du grand chambellan, les thés en tête-à-tête se renouvellent, et leurs compléments érotiques aussi. Alexandra n'est pas le type de Nicolas qui n'aime que les blondes voluptueuses, Fanny le savait bien ! Mais depuis son éloignement du palais de Marbre, il n'a eu aucune nouvelle d'elle. Il se doute bien que ses lettres sont interceptées et il espère qu'elle pense à lui, tout en se demandant si elle lui est fidèle. Pourrait-il d'ailleurs l'exiger ?

Il n'a pas davantage de contact avec sa famille et, si son sort s'est amélioré, son avenir reste incertain et enténébré. Aussi cette diversion, la première que Nicolas connaisse depuis son internement, et d'ailleurs une diversion de qualité, est-elle la bienvenue. Alexandra est instantanément folle de lui, et lui-même s'attache à elle.

Un jour, le prince Outomski découvre le pot aux roses. Les rapports qu'il envoie à la Cour révèlent son total désarroi. Tout d'abord il s'accuse, c'est lui le responsable, c'est lui qui a présenté Alexandra Demidova au prisonnier. Mais comment pouvait-il savoir que c'était une intrigante de la pire espèce ? Cette femme est intéressée, au point qu'il se pourrait bien qu'elle essaye d'exercer un chantage sur la famille impériale ! En réponse, la Cour ordonne de supprimer toutes les visites à Oreandra.

Trop tard, Alexandra attend un enfant de Nicolas ! Fureur de l'empereur lorsqu'il apprend la situation. Quand il est mis au courant, Nicolas éclate de rire, il « leur » a joué un bon tour !

Pour mettre le plus de distance possible entre les amants, le grand-duc est envoyé aussitôt, en août 1875, en Ukraine avec son « chambellan » et sa suite, assigné à résidence à Ouman, à plus de deux cent cinquante kilomètres de Kiev, une campagne plate d'où s'élèvent au moindre souffle des tourbillons de poussière impalpable et noire, des champs à perte de vue, de gros villages groupés autour d'une église au clocher à bulbe, et rien d'autre. Pas de château, pas de société, pas de belles dames. Au moins, là, Nicolas ne pourra que se tenir tranquille, et bien maligne Alexandra si elle l'y déniche !

Entre-temps, Alexandra avait bombardé la famille impériale de lettres incendiaires. Elle demandait impérativement à être réunie à Nicolas pour s'occuper de lui, elle exigeait que soit légitimé l'enfant qu'elle attendait de lui, et proclamait enfin qu'il était innocent du vol dont on l'accusait !

Cependant, au fin fond de son inviolable retraite ukrainienne, Nicolas a de la visite. Le professeur Bablinski, son aliéniste, est venu se rendre compte des progrès de son illustre malade, et en cadeau il lui apporte les Mémoires de Fanny qui viennent de paraître à Bruxelles.

Avant de lui laisser lire l'ouvrage, il ne lui épargne aucun détail, la publication intégrale de ses lettres et télégrammes, les confidences faites à Fanny concernant son éducation, sa famille, l'empereur lui-même. Tout ce qu'elle a étalé dans son livre, l'aliéniste, comme à plaisir, le répète à Nicolas, dont la réaction première est d'être tout simplement terrifié. Cette publication ne peut qu'aggraver sa situation, déjà épineuse.

En fait, le bon Bablinski a saisi ce prétexte pour déraciner tout vestige de passion pour Fanny et pour montrer à son patient les dangers de semblables liaisons, par exemple celle qu'il entretenait avec Alexandra… Le grand-duc est tout de même beaucoup plus fort que ne le croit l'aliéniste, ne serait-ce que pour résister à cette thérapie. Il reprend son sang-froid pour se plonger dans la lecture du *Roman d'une Américaine.*

Quelle habileté dans la démonstration, et puis c'est un livre bien écrit, ce qui le rend encore plus convaincant. Fanny s'y étend sur son amour pour Nicolas, elle peint aussi avec les accents de la sincérité l'amour de Nicolas pour elle. En fait, le seul grand défaut de Nicolas, le plus grave, l'origine de tout le drame, c'est sa kleptomanie... Page après page, elle décrit sa manie maladive d'entasser des objets d'art sans distinction de valeur ou d'authenticité. D'ailleurs il avait même chapardé chez elle de nombreux petits bijoux qui lui manqueraient encore si elle n'avait pas exigé qu'il les lui rende... Le vol des icônes dans la chapelle du palais de Marbre? Un accès de klepto-manie! La disparition des diamants de l'étoile, car bien entendu c'est lui le coupable, jamais Nicolas n'aurait commis un tel vol s'il n'était kleptomane! Elle se rappelle fort bien les derniers jours avant son arrestation, lorsque des pierreries tom-baient de ses poches...

Mais pas un mot des contacts de Nicolas avec les révolu-tionnaires, rien sur sa promesse de l'épouser ni sur son invita-tion à partir pour Paris afin de s'y marier en secret. Et pas un mot sur Savine, qui n'est même pas mentionné!

Ayant achevé sa lecture, Nicolas a cet étrange sourire et ce regard perdu dans le vague si notables chez lui. Après tout, Fanny le peint sous les couleurs les plus sympathiques. Et puis ses Mémoires sont une attaque, voilée peut-être mais tout de même délectable, contre la famille impériale, contre la Cour, contre la police et ses méthodes.

— Tout ce qu'elle écrit est donc vrai, Altesse Impériale?

Bablinski ne cesse de répéter cette question à son patient. Pour toute réponse, Nicolas hausse les épaules. Que peut-il répondre ? Que ce n'est pas lui le voleur des diamants ? Il aime encore trop sa Fanny pour même tenter de l'accabler...

Bablinski devine que Nicolas hésite et, croyant enfoncer un peu plus le clou, lui donne des nouvelles que celui-ci ne demandait pas :

— Elle a voulu d'abord publier ses Mémoires en France, mais le gouvernement impérial, mis au courant, a obtenu de la République française la saisie du livre et l'expulsion de son auteur. C'est pourquoi l'ouvrage a été publié en Belgique où elle a dû se réfugier.

— Elle est donc devenue une paria, comme moi.

Nicolas ne mentionne plus Fanny mais se laisse aller à des confidences :

— Ah ! les femmes, mon cher Bablinski, toutes les mêmes ! Ne leur faites jamais confiance... Prenez cette pauvre Demidova...

Nicolas l'avoue, il a éprouvé un profond penchant pour elle au début de son incarcération. C'était l'époque où tout le monde lui tournait le dos, et elle seule a su lui montrer de la compassion. Puis elle l'a poursuivi avec acharnement, l'a bombardé de lettres comme elle inondait la famille impériale de requêtes. Dieu merci, il en est débarrassé, Dieu merci, il est guéri des femmes !

Outomski quant à lui peste intérieurement. Sa santé s'accommode mal du rude climat ukrainien. Et puis l'ennui d'être coupé de la capitale, de ses amis, de son existence habituelle le ronge. En fait, c'est lui le prisonnier... Mais que ne ferait-il pas pour son maître bien-aimé, le grand-duc Constantin, qui lui a donné la responsabilité de son terrible fils !

Tout de même, le sens du devoir a des limites ! Heureusement, il peut se dire qu'il a gagné, qu'il a enfin réussi à séparer le grand-duc de l'infernale Demidova. D'ailleurs, Son

Altesse Impériale est beaucoup trop occupée pour penser à cette intrigante! Et le «grand chambellan» de rapporter fièrement que Nicolas se penche quotidiennement sur le sort des paysans, s'intéressant à tel ou tel cas, intervenant pour procurer de l'aide ici ou là, étudiant les problèmes de l'agriculture locale. Donc, plus aucune inquiétude à avoir!

Jusqu'au jour où les employés du petit poste de police d'Ouman viennent informer le prince Outomski qu'une étrangère, une femme venue d'ailleurs, est arrivée au village et y a loué une belle maison. Peu de temps après, elle a envoyé chercher la sage-femme du lieu, et elle a accouché d'un beau garçon. Elle l'a prénommé Nicolas. Nicolas! L'attention du prince s'éveille.

— Et comment s'appelle donc cette belle inconnue?

— Madame Alexandra Demidova, répond le sergent de police, et d'ajouter que le grand-duc Nicolas lui a rendu plusieurs fois visite et est allé jusqu'à la féliciter pour la naissance de son fils.

— De leur fils, reprend lugubrement le «grand chambellan».

Nicolas a été séparé d'Alexandra une nouvelle fois. Il a été renvoyé à Oreandra, en Crimée.

Il a griffonné un télégramme à l'intention de Bablinski, le suppliant de lui rendre Alexandra s'il ne voulait pas que son patient devienne complètement fou. Il a tendu le télégramme à un des valets commis à sa garde, un nommé Gregorieff, qui a refusé de le prendre. Alors Nicolas, dans un brusque accès de rage, l'a frappé brutalement. Tous les jours de semblables scènes de violence se sont répétées. À tous, il a clamé qu'on n'avait encore rien vu de ce dont il était capable... Qu'on le remette donc aux arrêts, qu'on le rende à la police!

Les aliénistes et les policiers ont chargé à plaisir cet enragé dans leurs rapports, en oubliant qu'à Oreandra il y avait aussi un témoin, désintéressé donc impartial. C'est l'administrateur du domaine, le comte Grabe.

Le comte se moque bien de complaire à qui de droit, aussi fait-il entendre à la famille de Nicolas un son de cloche totalement différent, que le frère aîné du réprouvé rapporte fidèlement dans son journal : Grabe est horrifié du traitement qu'on impose à Nicolas. Les médecins, dit-il, se montrent d'une brutalité extrême et mieux vaudrait carrément tuer un homme plutôt que de le garder ainsi enfermé, sans lui laisser la moindre liberté de mouvement et en le traitant aussi mal ! Grabe a d'ailleurs entendu les médecins annoncer qu'ils allaient déclarer forfait et envoyer le grand-duc à l'étranger, en Allemagne, dans un établissement spécialisé. De nouveau, voilà Nicolas menacé d'être enfermé dans une de ces maisons de fous dont les descriptions effroyables, longtemps passées sous silence, font aujourd'hui frémir d'horreur.

En ce soir de février 1876, il est tard lorsque Nicolas accepte son souper. Servi par le seul Gregorieff, il mange et boit énormément, puis il rédige une lettre qu'il tend au valet avec instruction de la porter en bas au prince Outomski. Le valet s'exécute et le laisse seul. Il en profite pour s'enfermer.

Dans la salle à manger du rez-de-chaussée, le « grand chambellan » achève son dîner avec ses collaborateurs. Il commence à lire la lettre que lui a apportée Gregorieff et pâlit : Nicolas annonce qu'il ne peut plus supporter les conditions qui lui sont imposées, aussi préfère-t-il se suicider. N'ayant aucun poison, il avalera le phosphore des nombreuses allumettes qu'il a pris soin de dépouiller. Et surtout pas d'antidote ! Si on tentait de lui en faire ingurgiter, il se poignarderait avec un couteau qu'il a caché dans sa poche...

Outomski perd la tête. Nicolas vivant ne lui crée que des

soucis, mais Nicolas mort, ce serait la catastrophe! Ses collaborateurs s'agitent, saisis du même affolement, tous, sauf «le
contrôleur des finances de Son Altesse Impériale», un Allemand d'origine, Keppen. Alors que les autres discutent et
criaillent sans bouger, Keppen court à l'étage, frappe à la porte
de Nicolas, insiste. Ce dernier finit par lui ouvrir. D'une main,
il fait le geste d'enfourner des têtes d'allumettes dans sa
bouche, de l'autre il tient un poignard... Keppen ne se laisse
pas impressionner et il entreprend de le raisonner. Il y réussit
sans trop de difficulté car Nicolas a déjà compris l'absurdité
de son geste. Finalement on voit, spectacle incroyable, Nicolas remercier Keppen de lui avoir sauvé la vie.

Sept mois plus tard, la police secrète chargée de suivre les
allées et venues d'Alexandra Demidova signale que celle-ci,
après avoir séjourné à Odessa sur le chemin de la Crimée, est
partie pour une destination inconnue. Résigné désormais, le
tsar, de sa petite écriture penchée, note au dos du télégramme
que cette «destination inconnue» est très probablement la ville
de Tyvrov au sud de Moscou, où sur ses ordres son neveu est
détenu car il a pris les mesures les plus énergiques.

Le prince Outomski, qui a déclaré forfait, a été remplacé
par un autre vétéran de la maison du grand-duc Constantin,
le général Witkovski, et des milliers de kilomètres sont censés
isoler Nicolas. C'est à croire que toutes les polices de l'empire
le plus policier du monde ne peuvent rien contre une femme
déterminée!

Nicolas de son côté semble se moquer totalement des prairies émaillées de fleurs qui moutonnent jusqu'à l'horizon, des
immenses forêts grouillantes de gibier. Il reste enfermé chez
lui, plongé dans des ouvrages sur l'Asie centrale, le rêve qui ne
quitte jamais son esprit.

La police de Tyvrov, mise en alerte, ne signale aucune présence suspecte. En revanche, au fil des semaines, les rapports du général Witkovski sur la conduite de l'illustre « patient » deviennent de plus en plus surprenants. Depuis quelque temps, il ne se lève plus qu'à deux heures de l'après-midi pour se coucher après minuit, et il retourne fréquemment dans sa chambre à coucher sous prétexte de maux de tête. Il se fait de plus en plus souvent servir non seulement le petit déjeuner mais le déjeuner et le dîner dans cette pièce. À la librairie de la petite ville où il a la possibilité de se rendre, il achète désormais les romans d'Alexandre Dumas et autres ouvrages faciles pour lesquels il ne montrait que mépris auparavant.

Witkovski a réuni les médecins et autres membres de la maison de Son Altesse Impériale pour discuter de la meilleure façon de traiter ces incongruités. C'est une fois de plus Keppen qui trouve l'explication. Profitant d'une absence de Nicolas parti en ville, il pénètre dans sa chambre, fouille dans ses tiroirs, regarde sous son lit, ouvre son placard… et tombe sur une ravissante jeune femme ! Il l'en extrait pour l'examiner. Elle est aussi gracieuse, fragile et tremblante qu'Odette lorsque le prince charmant la dévore des yeux dans *Le Lac des cygnes*… C'est Alexandra Demidova ! Comment a-t-elle trouvé la destination de Nicolas ? Comment s'est-elle introduite dans une demeure gardée nuit et jour ? Cette jeune femme à l'air si mélancolique doit être une diablesse !

C'est bien ce dont est persuadé le général Witkovski qui, à l'instar de son prédécesseur Outomski, accable Alexandra dans ses rapports. Non seulement elle a violé les lois de la bienséance mais aussi la loi tout court. Le grand-duc n'est pas responsable, c'est elle le cauchemar ! Elle doit être dotée des facultés d'un fantôme car elle se trouve là constamment, nuit et jour, sans qu'on puisse mettre la main sur elle, ne laissant pas un instant de repos à l'entourage de Nicolas et empêchant Witkovski de fermer l'œil. Pour comble, elle est de nouveau enceinte des œuvres grand-ducales ! Enfin, elle menace de se rendre à Saint-Pétersbourg pour rencontrer les membres de la famille impériale et exposer son cas…

Witkovski ne sait plus quoi faire, sauf lever les bras au ciel et supplier d'être relevé de son poste. L'empereur accède à sa requête, et de surcroît le nomme sénateur pour le récompenser des services qu'il n'a pas rendus.

15

Orenbourg se situe de l'autre côté des monts de l'Oural, aux portes de l'Asie. C'est une de ces cités que l'Empire russe a créées il n'y a pas si longtemps, depuis qu'il s'est mis à s'étendre indéfiniment. On l'a peuplée en grande partie d'Allemands dont on a fait des importations massives, et on lui a donné un nom allemand. Ville administrative, tracée au cordeau, avec des rues droites où s'alignent des bâtiments tous semblables, elle suinte l'ennui.

Nicolas y arrive au début de l'été 1877, sous la garde du général Rostopssoff. Son nouveau surveillant possède davantage la fermeté brutale et la décision sans appel d'un sous-officier que les rondeurs et les demi-mesures d'un homme de cour. Il a su agir si rapidement pour séparer Nicolas et Alexandra que celui-ci n'assistera pas à la naissance de sa fille Olga, et que les deux amants ne se reverront jamais.

Ce Rostopssoff, qui a eu l'idée d'aller plus loin encore que ses prédécesseurs et qui a choisi, approuvé avec enthousiasme par le tsar, les confins de la Sibérie pour dissimuler l'incorrigible, accepte benoîtement que les autorités de la petite ville donnent une réception en l'honneur de ce dernier. La Demidova à jamais éloignée, ce n'est pas dans les familles de petits fonctionnaires étroits d'esprit et zélés que Nicolas trouvera de quoi la remplacer !

C'est la première fois depuis trois ans que Son Altesse Impériale le grand-duc Nicolas Konstantinovitch va réapparaître en public. La minuscule société d'Orenbourg en grille de curiosité.

Pendant trois ans, on n'a pas cessé de le promener d'un endroit à un autre, lui faisant parcourir des dizaines de milliers de kilomètres, l'obligeant à s'adapter à des lieux, à des environnements nouveaux. Les policiers l'ont laissé croupir dans des ambiguïtés déstabilisantes, le traitant tantôt comme un criminel tantôt comme un fou, tantôt comme un grand-duc tantôt comme le dernier des malfaiteurs. Alternant libertés dangereuses et cruautés inutiles. Nicolas aurait pu sortir de ce cauchemar prématurément vieilli, tremblant de tous ses membres, les yeux apeurés, les cheveux blanchis, mais c'est un prince, plus beau, plus arrogant, plus irrésistiblement séduisant que jamais que l'élite d'Orenbourg voit apparaître. Il salue avec une grâce majestueuse les officiels, baise la main de leurs épouses, tape familièrement dans le dos de leurs fils et coule des regards incendiaires vers leurs filles qui en rougissent d'aise. Il lève son verre empli de champagne chaud pour porter d'innombrables toasts au son des flonflons d'un orchestre militaire qui s'essaye maladroitement à la valse, il accepte même d'ouvrir le bal au bras de la femme du gouverneur de la région, la générale Krivanovsky, un effroyable laideron. Lorsqu'il quitte

260

le bal, tout le monde est tombé sous son charme, et n'attend que la première occasion de le réinviter. Lui, par contre, se jure de ne pas recommencer.

Plutôt que d'assister de nouveau à une soirée aussi fastidieuse, il préfère explorer les environs de la ville et s'imprégner d'une nature exaltante. Ce sont des prairies à perte de vue mais aussi des plaines fertiles de vignes et de labour, et tout au fond, couvertes d'épaisses forêts, des montagnes immenses aux sommets enneigés. Toute cette verdure s'arrête brusquement pour faire place à des déserts de sable où errent des tribus à peine soumises qui annoncent déjà l'Asie centrale.

Nicolas observe les nomades aux yeux bridés qui en proviennent, ces Kirghiz que l'administration impériale essaie de russifier en apprenant à leurs enfants la langue russe comme la langue kirghize, l'Évangile comme le Coran.

Sa sympathie va aux Cosaques ouraliens qui peuplent en majorité le gouvernorat d'Orenbourg, des hommes aux épaules larges et à la taille fine, des femmes aux yeux admirables, vêtues de costumes pittoresques. Les Cosaques sont peut-être rusés, mais ils se montrent loyaux, hospitaliers, et surtout ils affichent des tendances nettement démocratiques qui séduisent Nicolas. Aussi, n'hésite-t-il pas à partir avec eux en expédition, surveillé par les sbires du comte Rostopssoff.

À leur suite, il est capable de parcourir d'une traite quatre-vingts ou cent kilomètres à cheval ou en traîneau, emportant avec lui sa nourriture et celle de son cheval. Lorsque ses provisions sont épuisées, il lui arrive comme à ses compagnons d'égorger son cheval et de se nourrir de sa chair crue tout en pleurant sa mort.

Ce que Nicolas préfère, c'est les accompagner dans leurs expéditions de pêche. Pendant tout l'été, les esturgeons ont remonté le fleuve proche. Le froid venant brusquement, il est trop tard pour qu'ils redescendent vers la mer, aussi se résignent-ils à hiberner dans un endroit profond, sous la glace, formant des bancs entiers de poissons endormis. Lorsque la glace est assez solide, Nicolas et ses amis rampent à sa surface, elle est si transparente que l'on peut apercevoir les esturgeons qu'il suffit alors de ramasser. La première pêche d'hiver ne dure qu'une journée, on l'appelle « la pêche du père », car selon la coutume le poisson pris ce jour-là est expédié au tsar.

Le comte Rostopssoff peut se féliciter. Orenbourg n'est pas la ville la plus agréable qu'il connaisse, loin de là, mais au moins se trouve-t-elle assez éloignée de la civilisation pour éviter mauvaises fréquentations et scandales. Le choix de ce lieu ne pouvait être plus judicieux ; quant à la cure, ses bienfaits sautent aux yeux. Le grand-duc ne s'occupe plus que d'étudier les mœurs indigènes des Kirghiz et de pêcher avec les Cosaques.

En ce matin d'avril 1878, la brise caressante, les senteurs des fleurs, les bourdonnements joyeux des insectes qui entrent par la fenêtre du bureau du « Grand Chambellan » annoncent l'arrivée du printemps et l'encouragent à délaisser la rédaction de ses rapports. Il se met à rêvasser délicieusement... pour être interrompu par l'entrée intempestive du chef de ses sbires :

— Monsieur le comte, Excellence, Son Altesse Impériale s'est mariée secrètement !

Rostopssoff manque choir de son fauteuil. Mais avec qui ?

— Il a épousé Nadedja von Dreyer.

— Comment ? La fille du chef de la police d'Orenbourg, le général Alexandre von Dreyer ?

— Celle-là même, Excellence. Son Altesse Impériale a dû la rencontrer lors de la réception des fonctionnaires organisée à son arrivée...

Comment l'idylle est-elle née ? Comment l'amour a-t-il

grandi sous son nez sans qu'il s'en aperçoive ? Toute l'horreur de sa situation lui apparaît. Bien involontairement, il est responsable de ce mariage effarant. Que va dire l'empereur ? Un grand-duc voleur ou fou, c'est déjà beaucoup, mais un grand-duc marié à une roturière, c'est une tare indélébile !

Employé zélé, il commence par ordonner une enquête. Ses subordonnés se mettent en chasse et ne sont pas longs à rapporter leur moisson d'informations. En interrogeant les membres de la famille von Dreyer, ils sont tombés sur un cousin germain de Nadedja. Non seulement il a assisté au mariage mais il en a été le témoin ! De fil en aiguille, on remonte jusqu'au prêtre qui a béni l'union, c'est un brave curé du petit village de Berda, voisin de la ville. Il ne se doutait de rien car les mariés ont déclaré s'appeler Nadedja von Dreyer et le lieutenant Nicolas Volynski. Volynski ?

Le comte Rostopssoff cherche dans sa mémoire. Bien sûr, c'est le nom du régiment préféré du grand-duc, celui à qui il donnait naguère tous ses soins ! Peut-être un mariage sous un faux nom n'est-il pas valable...

Rostopssoff se reprend à espérer. Ragaillardi, il va trouver le général Krivanovsky, le gouverneur de la région, et l'accuse de négligence. Après tout, c'est lui qui de par sa fonction est responsable de ce qui se passe sur le territoire confié à son administration.

— Moi, responsable ? Mais, comte, c'est vous qui étiez chargé de la surveillance du grand-duc, pas moi !

Le général gouverneur et le comte « surveillant » se séparent, chacun courant à son bureau pour noircir des pages de rapport, s'accusant l'un l'autre d'impardonnable négligence.

Rostopssoff retrouve un semblant de sang-froid et va interroger Nicolas. Celui-ci l'accueille avec un éclat de rire :

— Vous avez eu bien tort, comte, en me présentant la

société locale! Car au milieu des jeunes vierges boutonneuses et décoiffées, il y avait un trésor caché. L'auriez-vous remarquée que vous auriez certainement évité de me la mettre sous les yeux. Elle a eu la bonté de répondre à mes avances. J'ai eu le temps de m'entraîner, vous n'ignorez pas que je suis passé maître dans l'art de faire exactement ce que je veux au vu et au su de mes aimables gardiens. Donc ma Nadedja et moi, nous filons le parfait amour...

Pour une fois, Rostopssoff a l'habileté de le prendre sur le ton de la plaisanterie :

— La réputation de Votre Altesse Impériale n'est plus à faire, on vous attribue des maîtresses par centaines, et que vous en dénichiez jusque dans ce trou perdu prouve votre talent et votre opiniâtreté! Que vous couchiez avec la fille du chef de la police, cela demeure dans la ligne de vos activités. Mais pourquoi diable l'épouser?

Nicolas, obligeant et souriant, ne fait aucune difficulté pour le lui expliquer :

— J'ai voulu couper tous les ponts.

En effet, il ne peut exercer aucune des responsabilités d'un grand-duc et, de toute évidence, l'avenir qu'on lui réserve n'y changera rien. Alors il a voulu par ce mariage s'exclure de la dynastie et devenir un citoyen comme les autres... avec les droits de n'importe quel citoyen qui pour l'instant lui sont refusés. Ce mariage, pour Nicolas, c'est la liberté.

— Cela se conçoit, rétorque Rostopssoff, mais pourquoi Nadedja von Dreyer?

Parce qu'elle est différente des autres... Ce n'est ni une aventurière attirée par sa position ou ce qu'il en reste, ni une folle passionnément éprise des charmes de Nicolas. C'est une femme extrêmement mûre pour son jeune âge, réfléchie et réservée, dotée d'une dignité innée et d'une profonde humanité. Elle aime Nicolas pour lui-même et a longtemps hésité avant de l'épouser. Si elle a finalement accepté, c'est avec la conviction absolue qu'elle peut lui apporter beaucoup, jusqu'à le transformer et le guérir.

Après tout, ce n'est pas une mauvaise solution, se dit Rostopssoff plutôt convaincu. Le grand-duc écarté de la dynastie par un mariage inégal et rendu docile par la femme qui lui convient, le couple s'enfoncerait dans la profonde obscurité d'une vie bourgeoise et provinciale, et le trop voyant Nicolas se fondrait dans la masse au point que plus personne ne ferait attention à lui. N'est-ce pas là le but cherché par la Cour ? Et Rostopssoff de se persuader que l'empereur et la famille verraient comme lui. Aussi n'est-il pas du tout préparé à la douche glacée du déplaisir de son auguste maître.

Le 17 août 1878, en effet, paraît au Journal officiel de l'empire un oukase par lequel Son Altesse Impériale le grand-duc Nicolas Konstantinovitch cesse d'être colonel en chef du régiment Volynski, du 84e régiment d'infanterie Chirvan, du régiment des gardes Ismaïlovsky, du 4e bataillon de gardes fusiliers, du régiment des gardes à cheval et de l'équipage des gardes de la Marine. Il n'a plus de rang dans l'armée, à laquelle il n'appartient plus. Il perd aussi tous les honneurs et privilèges de son rang. L'empereur a même songé à lui enlever ses droits au trône, mais c'était juridiquement impossible... La disgrâce est infamante et publique. Le vol, la folie ont été étouffés par une décision secrète. Le mariage morganatique est cloué au pilori.

Du coup Nicolas, qui avait presque disparu des mémoires, redevient le sujet des conversations de Saint-Pétersbourg, au point que certains se demandent si l'empereur n'a pas choisi ce prétexte pour faire justice à d'anciens ou même à de nouveaux griefs.

On tend l'oreille aux rumeurs en provenance d'Orenbourg, on se répète le contenu des rapports des policiers chargés de la garde du grand-duc exilé. Ces temps derniers, paraît-il, il a multiplié les propos de plus en plus séditieux contre l'empereur, contre le régime. Lors d'un dîner en présence des autorités de la ville, il se serait écrié : « J'irai au milieu du peuple en portant toutes mes décorations et le peuple se soulèvera pour me défendre ! »

Nicolas proteste par écrit. Il dénonce ses surveillants qui ne le laissent pas un instant tranquille, qui violent sa correspondance, qui se mêlent de sa vie privée et qui, pour justifier leurs salaires élevés, répandent des mensonges effroyables sur lui. Qu'on le laisse donc en paix avec Nadedja Alexandrovna et tout ira bien.

Pour toute réponse, la Cour décide que le mariage tel qu'il a été prononcé n'est pas valable. D'autre part, tout membre de la famille impériale doit pour convoler recevoir préalablement l'autorisation de l'empereur. Le Saint-Synode, la plus haute autorité de l'orthodoxie, jugera.

Bientôt, le comte Aldenberg, ministre de la Cour impériale, peut annoncer triomphalement que l'Église a déclaré le mariage dissous. Va-t-on pour la énième fois transférer Nicolas ? Pour une fois, on agit plus intelligemment. Depuis son arrivée à Orenbourg, Nicolas continue de songer à l'Asie centrale, non plus en utopiste mais en pionnier réaliste. À travers ses lectures, il a étudié la région à fond et a conçu le projet d'établir une ligne de chemin de fer qui relierait la mère Russie au Turkestan.

On affecte d'approuver son idée et, en conséquence, on le laisse monter une première expédition de reconnaissance. Partir explorer le désert, s'enfoncer en Asie centrale, c'est bien ce que Nicolas réclamait dès avant son arrestation ! C'est bien le rêve de sa vie. Aussi accepte-t-il sans une seconde d'hésitation. Sa chère Nadedja l'y encourage. Car, Saint-Synode ou pas, ils se considèrent toujours mariés et vivent sous le même toit.

— Ne t'inquiète pas, je ne serai absent que quelques semaines car la saison est déjà avancée. Bientôt, très bientôt, nous serons de nouveau réunis, et lors de ma prochaine expédition, tu m'accompagneras.

Nicolas a choisi pour l'accompagner deux ingénieurs des chemins de fer, un topographe et un professeur de l'université de Kazan, botaniste renommé mais déporté, comme lui. Au cours de l'expédition, Nicolas abat le travail d'un technicien expérimenté et d'un responsable compétent. Il est dans son élément. La vie rude du camp ne le rebute pas, au contraire. Il a conscience de se dépenser intelligemment et de mettre ses facultés au service d'un projet grandiose.

Il récolte sur les régions qu'il traverse une masse d'informations inédites et vitales pour l'implantation russe. Sa moisson achevée et l'hiver approchant, il ordonne de faire demi-tour.

— Nous revenons à Orenbourg.

— Non, pas à Orenbourg, Altesse Impériale, mais à Samara…

— Pourquoi Samara?

— Ordre supérieur…

Samara est une ville bâtie au bord de la Volga, à des centaines de kilomètres d'Orenbourg. Quelques décennies plus tôt, la région était quasiment déserte mais le fleuve, malgré les inondations dévastatrices qu'il provoque, constitue une source de richesses qui encourage la colonisation.

À peine arrivé, Nicolas réclame sa femme. Pas de Nadedja, elle restera à Orenbourg. Ordre supérieur! Ainsi traduit-on dans les faits la séparation que le Saint-Synode a entérinée dans les documents. Nicolas paraît se résigner. Sa consolation, il la trouve en préparant sa prochaine expédition. Il passe ses journées plongé dans les ouvrages de référence, les cartes, les statistiques. Il ne sort pas, ne cherche pas à se distraire. D'ailleurs l'hiver est maussade, avec des pluies torrentielles qui transforment les rues en bourbiers et font déborder la Volga.

Au début de l'été 1879, Nicolas repart, cette fois-ci pour plus d'un mois. À ses compagnons de l'année précédente se joignent d'autres professeurs, des hommes de science, mais aussi des peintres chargés de représenter les régions traversées, en tout une cinquantaine de personnes, plus les chevaux et les chameaux. On voyagera par terre, et aussi par voie d'eau en empruntant l'Amou-Daria.

Partis droit vers le sud-ouest, ils atteignent Samarkand. La ville n'est plus que l'ombre de ce qu'elle était au Moyen Âge. Les somptueux et gigantesques monuments édifiés par Tamerlan et sa dynastie tombent en ruine, mais ils portent encore fièrement le témoignage d'un passé glorieux. Ils poursuivent jusqu'à Boukhara, puis Khiva.

Nicolas rencontre les émirs et leur cour, personnages barbus et enturbannés, vêtus de caftans brodés. Théoriquement, des traités d'amitié lient ces roitelets à la Russie. En fait, ils en sont devenus les vassaux et n'ont plus voix au chapitre. Nicolas, par sa courtoisie naturelle, sait atténuer les susceptibilités et se faire des amis de ces princes à peine sortis d'un Moyen Âge sanglant. Il apprécie même leurs vastes palais de boue séchée et de bois où la somptuosité barbare voisine avec le primitivisme. Il est loin de tout, il se dépense, il approche du bonheur. Il revient au bout de dix semaines, bronzé, éclatant de santé.

Les membres de l'expédition reçoivent des décorations, des récompenses, tous sauf lui. Peu lui chaut. Il rédige des articles sur les sujets les plus variés qui l'ont intéressé pendant son voyage et les envoie à Saint-Pétersbourg. Les ordres de la Cour sont stricts. Rien de ce qu'il a écrit ne doit être publié. Ses articles sont pourtant si perspicaces, si révélateurs, si utiles que plusieurs revues insistent pour les publier. La Cour se laisse fléchir. Les articles paraîtront, mais sans nom d'auteur ! Ce qui n'empêche pas Nicolas de recueillir des louanges unanimes pour son remarquable travail, en particulier pour son étude sur les possibilités d'irriguer le désert...

Fort de son succès, il demande de nouveau à être réuni à Nadedja. De nouveau, on le lui refuse.

Après avoir goûté la liberté des grands espaces, retrouver sa cage sans même les adoucissements que lui procurait sa « femme » lui est devenu insupportable. D'autant plus que son geôlier, Rostopssoff, encore terrifié d'avoir encouru la disgrâce de l'empereur, se montre plus mesquin, plus tyrannique que jamais. Alors Nicolas entre en guerre contre lui et déclare carrément qu'il n'obéira plus à ses instructions. La Cour, affolée, dépêche sur place le professeur Bablinski. Un nouvel examen médical du « patient », c'est la panacée !

Bablinski n'est ni mauvais ni bête, et il prend la peine d'écouter. Dans son rapport, il remarque d'abord que Nicolas, par la faute de ses gardiens, a perdu toute foi dans l'équité et la justice. Il recommande conséquemment de supprimer la position de surveillant général détenue par Rostopssoff et de la remplacer par celle d'un tuteur spécial qui ne serait pas constamment sur le dos de l'« illustre patient », bref il conseille un allégement considérable du régime de Nicolas.

Rostopssoff est donc écarté, et Nicolas est ramené aux environs de Saint-Pétersbourg. On l'installe dans l'aristocratique propriété des Pustynka, une grande bâtisse sans grâce qui donne sur un jardin à la française, comme la mode en était venue au XVIIᵉ siècle. Tout autour, une palissade de bois hérissée de pointes a été hâtivement édifiée pour couper l'occupant du château du reste du monde. On lui interdit la présence de Nadedja et on remplace sa saine activité d'explorateur par l'oisiveté.

On l'a placé si près de la capitale qu'il peut presque en humer les tentations, mais il n'a pas la permission d'y mettre les pieds. Sa famille est toute proche, pourtant pas un seul de ses membres ne se présentera, parce que les aliénistes ont encore mis en garde contre des retrouvailles qui pourraient provoquer chez le patient une dangereuse excitation nerveuse. Les visites ne sont pas totalement interdites, elles devront simplement être filtrées. Mais personne ne vient... Ni les amis d'enfance, ni les camarades d'armée, ni les compagnons de fête, ni les jolies femmes, personne n'ose approcher le pestiféré.

Personne, sauf Savioloff. Il a désormais pris sa retraite et il habite à Pavlovsk dans sa datcha naguère offerte par Nicolas. Malgré son âge et ses rhumatismes, il n'a pas hésité à faire le pénible voyage pour revoir son jeune maître. Il s'est présenté à la grille de Pustynka, il a été admis. Nicolas le fait introduire dans le grand salon et le reçoit comme s'il eût été le plus grand seigneur de la Cour.

Les deux hommes s'étreignent, le vieux laisse couler ses larmes sur ses moustaches blanches et Nicolas lui-même a les yeux embués. Savioloff lui a apporté de la vodka, des pirojki, des gâteaux et autres douceurs, et cette liqueur fabriquée à partir du lait de jument que Fanny trouvait ignoble et dont Nicolas se régale. Connaissant la tendresse paternelle qu'éprouve Savioloff pour lui, il discute librement avec celui-ci de sa famille et des événements récents.

L'impératrice Marie Alexandrovna est morte, la phtisie a finalement eut raison de sa vaillance. L'empereur n'a même pas attendu la fin du deuil pour épouser sa maîtresse, l'impérieuse et magnifique Katia. À elle, à leurs bâtards, il a accordé aussitôt des titres princiers. Le scandale a été retentissant ! Toute la famille, outrée, s'est dressée contre son chef.

— Sauf mon père, je parie !

En effet. Mais si Constantin a béni le remariage de son aîné, c'est pour étendre son influence politique sur lui. Et pour le pousser dans le projet le plus inédit, le plus audacieux…

— Ma mère n'est pas venue. Je n'ai jamais reçu le moindre message d'elle. Elle me hait donc toujours ?

— Vous vous trompez, Altesse Impériale, c'est à votre père qu'elle en veut, même à travers vous.

— Et si mes frères et sœurs ne sont pas venus me voir, est-ce parce qu'ils ont peur de mama, peur de l'empereur ?

— Ils vous aiment, ils demandent sans cesse de vos nouvelles, ils pleurent votre absence.

— Et mon père, est-ce qu'il m'aime ? Et s'il ne vient pas me voir, est-ce parce qu'il a peur de sa femme ?

La réalité est plus complexe, a cru comprendre Savioloff. En fait, Nicolas est l'arme de sa mère contre son père. Si celui-ci venait voir son fils, Alexandra s'en plaindrait au tsar, qui serait obligé d'éloigner son frère. Si ce dernier intervenait contre la sévérité du tsar, les conservateurs en profiteraient pour créer une distance entre les deux frères.

— Alors mon père me sacrifie à sa politique !

Avec le Premier ministre qu'il a fait nommer, le comte Loris Melikov — « Un Arménien, pensez donc ! », soupirent les bonnes gens de Pétersbourg — et avec l'accord de l'empereur, il peaufine une constitution à l'occidentale.

Savioloff reste sceptique. Ces nouveautés ne lui disent rien qui vaille. Nicolas lui explique ce que sera la Russie avec une constitution, l'égalité peut-être mais surtout la liberté, plus d'oppression, plus d'arbitraire, plus de police secrète, plus de peur.

— Te rends-tu compte, tes petits-enfants pourront recevoir une instruction.

— Ils sont bien là où ils sont ! Mais puisque le jeune maître dit que la constitution est un bienfait, c'est qu'il a raison.

— L'histoire de notre pays se trouve à un tournant décisif. Évidemment, les conservateurs doivent être déchaînés, décidés à tout pour empêcher l'accouchement de la constitution... Tout comme les révolutionnaires. Car si la Russie faisait un tel bond en avant, ils auraient l'herbe coupée sous leurs pieds, ils seraient réduits au chômage ! Si la constitution est promulguée, ils n'ont plus aucune raison d'être...

Et Nicolas de murmurer :

— Je me demande bien ce qu'en pense Sophia la pétroleuse et ce qu'elle et ses amis mijotent...

Le 1ᵉʳ mars 1881, l'empereur revient d'une revue militaire. Sa voiture a emprunté la rue qui longe le vaste parc du palais Michel, tout près de l'ancien appartement de Fanny. Plusieurs membres de la police secrète, quelques gendarmes en uniforme, c'est là toute sa sécurité. Soudain, une explosion. On a jeté une bombe, la voiture est en miettes ! Alexandre II en sort miraculeusement indemne.

— Je n'ai rien, ne vous inquiétez pas...

Aussitôt, une seconde explosion. Il n'y avait pas un seul mais deux terroristes armés. Le second a atteint son but, l'empereur gît dans une mare de sang... On réussit à le ramener, mourant, au palais d'Hiver. On monte jusqu'à ses appartements son corps mutilé qui laisse sur les marches de marbre du grand degré de longues rigoles rougeâtres. Toute la famille est appelée autour de son lit. On va jusqu'à permettre à l'épouse morganatique, à Katia, de le voir. Elle se jette sur lui et serre son

272

corps inerte, son négligé de dentelle est couvert de taches de sang. Alexandre II est mort.

Nicolas apprend la nouvelle le jour même par l'un des messagers de la Cour chargés d'informer chaque membre de la famille impériale. Il l'accueille avec des sentiments mélangés. Tout d'abord, c'est l'horreur. La Russie a connu des révolutions, des massacres, des assassinats, mais jamais jusqu'ici un attentat de ce genre. Après tout, c'était son oncle, son souverain auquel naguère il vouait une fidélité, un dévouement irrépressibles. Mais celui qu'on appelle déjà le tsar libérateur l'avait trahi. Récemment encore, lorsque ses frères et sœurs avaient demandé la permission de lui rendre visite à Pustynka, Alexandre II avait sèchement refusé.

Cependant, l'idée de cet homme qu'il a aimé gisant déchiqueté au milieu d'une mare de sang l'obsède. Qui a pu commettre un crime si bien organisé ? Devant cette tragédie sans précédent, jamais Nicolas n'a ressenti aussi fort le besoin d'être réuni aux siens, mais il sait que c'est impossible. Alors il décide de prendre le deuil, et se vêt de noir de la tête aux pieds.

Le nouvel empereur, c'est Sacha l'Ours devenu Alexandre III. Il est profondément heureux en ménage, mais il a beaucoup supporté de ses aînés. Alors, finis les scandales de l'immoralité : Katia qui, la veille encore, était toute-puissante, est priée de déménager sans délai avec ses petits bâtards. Finies aussi les tentatives de démocratisation, on voit où ça mène ! L'oncle Constantin qui voulait sa constitution ne l'aura pas. Alexandre III le déteste car le grand-duc libéral répétait à qui voulait l'entendre que son neveu était un lourdaud à peu près idiot. Alors Constantin, jusqu'à nouvel ordre, demeurera à la campagne en son domaine de Pavlovsk, et il lui est plus que fortement conseillé de ne pas mettre les pieds en ville. La presse étrangère s'en donne à cœur joie ! Le grand-duc

Constantin aurait été vu à Paris où il se serait installé après avoir abandonné ses deux épouses, la légitime et l'autre…

Assis sous un arbre du parc de Pustynka, Nicolas s'apprête à prendre son petit déjeuner quand son regard est attiré par le titre du journal du jour qui s'étale en lettres grasses :

« Les assassins de Sa Majesté Impériale feu l'empereur Alexandre II arrêtés. »

Il se met à lire avidement, et les infirmiers chargés de le surveiller, qui se tiennent à quelque distance, le voient se lever et tituber comme s'il avait reçu une décharge. Il semble hagard, prêt à s'écrouler. Puis il se redresse et d'un pas d'automate se dirige vers la petite chapelle du domaine édifiée dans le parc. Inquiets, les infirmiers le suivent. Ils remarquent qu'il tient toujours à la main la feuille froissée du journal. Il entre dans le minuscule sanctuaire et referme bruyamment la porte sur lui. Les infirmiers s'approchent, n'osent entrer. Ils tendent l'oreille, perçoivent des plaintes, des sanglots, des mots incohérents. À l'intérieur, Nicolas, accroupi dans un coin, relit l'article.

La police a fait diligence, elle n'a pas tardé à retrouver la piste des assassins du tsar. Elle a opéré une descente surprise dans leur repaire, a trouvé l'irréfutable preuve de l'attentat et de ses préparatifs. Les coupables sont arrêtés, tous appartiennent à l'un des nombreux groupuscules révolutionnaires sur lesquels les policiers ont l'œil depuis longtemps. Parmi eux, une femme, *« un monstre femelle qui n'a pas hésité à piétiner la pudeur de son sexe pour semer la mort »*. Son nom, Sophia Perovskaïa. Avec quel argent elle et ses complices ont-ils monté cet attentat ?

Les heures passent, Nicolas reste prostré, recroquevillé dans la chapelle. Puis un semblant de calme lui revient, accompagné d'une pointe de bon sens. Connaissant Savine, il aura cer-

tainement gardé pour lui le million destiné aux révolutionnaires, ou tout au moins la plus grande partie. Et même s'il
avait versé le produit du vol des icônes à Sophia Perovskaïa et
à ses révolutionnaires, sept ans se sont écoulés au cours desquels ils auraient trouvé cent occasions de le dépenser ! Mais
même si une possibilité sur mille, sur dix mille, reste... Les
idéalistes auxquels il a cru se sont transformés en assassins. La
nécessité pour eux d'agir brutalement avant la promulgation
de la constitution n'excuse rien. Qu'il le veuille ou non, il est
leur complice. Le sentiment de sa culpabilité à la fois l'accable
et le pousse à réagir.

« *Sire, je ne formule qu'un souhait, celui de pouvoir m'incliner sur les restes de mon oncle bien-aimé pour lui demander du
paradis où il est de me pardonner. Ce pèlerinage, je le ferai même
enchaîné. Mais que Votre Majesté Impériale, dans son immense
bonté, me permette de revenir pour quelques heures à Saint-
Pétersbourg.* »

Une fois ce billet rédigé, Nicolas se demande qui plaidera
sa cause auprès d'Alexandre III.

Une seule personne le peut : sa mère ! Malgré tout ce qu'il
a inventé pour la provoquer et pour la heurter, il continue de
l'aimer, d'autant plus qu'elle l'a chassé de son cœur. Et si cette
attitude n'était qu'une apparence, si sa mère, au fond d'elle-
même, l'aimait toujours ? Il lui écrit pour lui demander d'in-
tercéder auprès d'Alexandre III.

Curieusement, elle accepte.

Parce que la police tient à le protéger des terroristes, mais
surtout parce qu'il a horreur de la vie mondaine, le nouveau
tsar s'est installé à la campagne, dans le gigantesque château
caserne de Gatchina édifié par Paul Iᵉʳ. Délaissant les grands
appartements trop solennels, lui et sa famille ont établi leurs
quartiers dans l'entresol.

C'est là que la grande-duchesse Alexandra est reçue. Pour échapper à la splendeur du décor XVIIIᵉ siècle jugé inconfortable, on a voulu faire *cosy*, on a entassé dans les pièces des peluches, des plantes vertes et tout un bric-à-brac à la mode. Les plafonds sont si bas qu'Alexandre III, un géant, les touche presque alors que sa femme, Mini, la nièce préférée de la grande-duchesse, paraît toute petite. Devenue tsarine, elle a gardé sa simplicité chaleureuse et accueille sa tante avec ce sourire rayonnant qui lui attire toutes les sympathies, puis elle s'éclipse. La grande-duchesse se tient très droite sur une petite chaise dorée, pendant que le tsar lit le billet de Nicolas.

Enfoncé dans son lourd fauteuil d'acajou, il prend son temps pour répondre :

— Nicolas n'est pas digne de s'incliner devant les cendres de mon père, qu'il a si cruellement attristé. N'oubliez pas, tante Sannie, qu'il nous a tous déshonorés ! Aussi, tant que je vivrai, il ne verra pas Saint-Pétersbourg.

Malgré elle, la grande-duchesse éclate en sanglots. Alexandre III se lève, s'approche d'elle, s'assied sur une chaise légère qui, sous son poids, menace de céder, et lui prend les mains :

— Chère tante Sannie, vous me trouvez très dur, je le sais, mais vous ne savez pas pour qui vous intercédez. C'est surtout à cause de vous que j'en veux à Nicolas…

Interloquée, Alexandra interroge son neveu. Après un silence, celui-ci lui confie que, selon des rapports récents de ses surveillants, Nicolas a tenu des propos réellement infamants sur sa mère. Celle-ci ne veut pas en savoir plus. Elle se lève, fait une profonde révérence et se retire, laissant froufrouter sa traîne de moire. Le premier mensonge venu, pêché dans un rapport malveillant, a permis à Alexandre III de reporter la haine qu'il éprouve pour le père sur son fils et d'attiser celle de la mère.

Et Nicolas, une nouvelle fois, doit déménager... Il est envoyé à Pavlovsk, non pas bien sûr dans le château de ses parents mais dans la forteresse édifiée en lisière du domaine par Paul Ier — son ancêtre préféré — qui pouvait surveiller de là les manœuvres quotidiennes de ses régiments et se livrer à son occupation favorite en jouant à la guerre avec ses soldats. Depuis, le bâtiment avait été abandonné.

Suprême cruauté d'Alexandre III, des fenêtres de la forteresse Nicolas peut apercevoir la demeure de son enfance mais il ne saurait être question d'approcher de ce paradis, les ordres du tsar sont impitoyables ! Surveillance stricte et constante du grand-duc Nicolas. Visites interdites. Promenades, oui, mais uniquement à pied, avec interdiction d'approcher du château ou des divers pavillons où pourraient se rendre les siens. Bref, il est interné tout près de chez lui, tout près de sa famille, sans y avoir accès.

Ce sadisme, bien caractéristique de son cousin, ne l'effraye pas. Déjà, il a mal accepté la disgrâce de son père et il donnerait tout pour pouvoir lui tenir compagnie, peut-être le consoler... Maintenant, il y a l'exécution de Sophia qu'il apprend par les journaux. Certes, elle est coupable au même titre que ses compagnons condamnés avec elle. Certes, elle a préparé, médité l'assassinat d'un homme et elle a son sang sur les mains. Mais elle a agi au nom de ses convictions. Mais elle a aimé... Arrêtée avec son amant, exécutée avec lui, c'est à lui qu'elle a pensé en allant à l'échafaud, c'est sur lui qu'elle a pleuré lorsqu'elle a demandé qu'on desserre ses liens.

— Relâchez un peu, j'ai mal...

— Bientôt, tu auras encore plus mal ! a répondu l'officier de gendarmerie.

Néanmoins, c'est d'un pas ferme que, la première, elle a gravi les marches de bois.

Nicolas souffre en imaginant la frêle jeune fille qu'il a connue pendue devant des centaines de badauds accourus pour voir mourir une représentante du sexe faible. Il a fallu, dit-on, lier sa jupe autour de ses chevilles pour les empêcher de satisfaire la plus ignoble curiosité. Tout de même, Alexandre III, à l'aube de son règne, aurait pu accorder sa grâce à celle qui, par son inflexibilité, devient la première femme pendue en Russie, c'est-à-dire une héroïne...

Contre ce tyran borné, Nicolas utilise la seule arme à sa disposition, le persiflage : « Le jeune tsar se montre bien cruel. Il persécute ses cousins et pend des jeunes femmes. Pas étonnant pour un meurtrier ! »

Un meurtrier, Alexandre III ?

— Comment, vous ne connaissez pas l'histoire ?

Il avait un frère aîné destiné à monter sur le trône à la mort de son père Alexandre II. Chaleureux, intelligent, ouvert, celui-ci portait les espoirs de tout un peuple. Il était même fiancé à une princesse danoise dont il était très amoureux. Elle s'appelait Maria Feodorovna, Mini pour la famille. Or voilà qu'un jour, Alexandre a prétendu engager un combat de boxe avec son frère. Tout en se battant pour rire, ils ont roulé sur l'herbe. Et l'aîné est resté inerte, il s'était blessé. Personne n'a compris la gravité de son état... Il est mort plusieurs mois plus tard. Du coup, Alexandre était devenu l'héritier du trône et, très vite, avait épousé l'ancienne fiancée de son aîné...

— Shakespeare a dû passer par là, conclut Nicolas avec un rire carnassier.

Ses propos, immédiatement rapportés à Alexandre III, exaspèrent le souverain qui, pour cette occasion, fait comme par hasard une constatation : à Pavlovsk, beaucoup de monde possède des villégiatures, beaucoup de monde pourrait apercevoir le grand-duc interné, peut-être même entrer en contact avec lui, beaucoup de monde qui risquerait d'entendre son chant de sirène et de prendre sa défense.

Le couperet tombe en avril 1881. Nicolas est exilé à Tachkent, au fin fond de l'Asie centrale. C'est loin, si loin qu'on n'entendra plus jamais parler de lui, même en tendant l'oreille ! Selon les ordres de l'empereur, il sera soumis à un régime quasi offensant, traité non plus comme un membre de la famille impériale mais comme n'importe quel détenu. À la plus petite protestation, il sera arrêté et incarcéré. Pour toute consolation, Son Altesse Impériale aura le droit de se faire accompagner de Nadedja Alexandrovna von Dreyer.

Pourtant, le mariage a été dissous ! Peut-être, mais depuis leur séparation, elle s'est si dignement conduite, si discrètement, en contraste avec les éclats d'une Fanny Lear et les réclamations d'une Demidova, que l'empereur a décidé qu'elle pourrait avoir une bonne influence sur l'infernal Nicolas. Ainsi, on réunit à nouveau et officiellement cet homme et cette femme qui, aux yeux de l'Église, ne sont plus que des concubins.

16

Il y a à peine un peu plus de dix ans que les Russes ont conquis Tachkent. Cette Asie centrale, faite de déserts sablonneux et de pics rocheux, a pourtant été depuis la préhistoire un lieu de passage, de civilisations. Des royaumes, des empires y sont nés, puis ont disparu sous les coups des envahisseurs. Combien de villes mortes dorment sous les dunes de sable! Puis, petit à petit, le pouvoir s'en est désintéressé et des roitelets, des émirs s'y sont installés. La Russie, dans sa poussée toute récente de nationalisme, les a destitués les uns après les autres. C'est ainsi qu'en 1865, elle a arraché Tachkent à son souverain, le khan de Kokand. Après la campagne victorieuse de Khiva à laquelle avait participé Nicolas, l'immense territoire est devenu simple province russe, avec Tachkent pour centre administratif.

Le pays a tout de même changé depuis que Nicolas y a combattu huit ans plus tôt. Une route a remplacé les pistes à demi effacées. Dunes et rochers ne dissimulent plus des cavaliers ennemis embusqués, en revanche des bandits menacent les convois, et l'escorte qu'on leur a donnée n'est pas inutile.

Cette austérité brûlante plaît à Nicolas, qui revoit avec bonheur ces paysages auxquels il a songé si souvent. Il ne cesse de trouver un prétexte pour descendre de voiture et monter à cheval pour respirer à pleins poumons. La chaleur excessive ne le gêne pas, au contraire elle le stimule. Le jour, se laissant mener au pas de sa monture, la nuit étendu sous sa tente alors que le sommeil se refuse à lui, il laisse ses pensées l'envahir. Le visage de Sophia Perovskaïa s'impose sans cesse à sa mémoire. Il ne l'a rencontrée qu'une fois, mais elle lui a laissé une impression indélébile. Et l'image de cette jeune femme pendue au bout d'une corde le hante.

Puis il repense à sa mère. Il se voit autrefois courant vers elle pour l'embrasser alors qu'elle le repousse. Un nouveau souvenir émerge, une silhouette enchanteresse, Fanny Lear, si gaie ! Il entend même son rire et revit les nuits passées avec elle, cela semble si loin… Soudain, il sent qu'on le regarde, il croise le regard anxieux de Nadedja. En la réunissant à lui, a-t-on voulu l'humilier ?

Il a eu beaucoup de femmes dans sa vie, certaines ont même compté ou comptent encore, mais Fanny restera pour toujours la seule. Jamais il n'aurait pu la dénoncer pour le vol dont il est accusé. Et la question revient, lancinante : est-il responsable de l'assassinat de l'empereur ? Pour échapper à cette torture, il voudrait que le voyage ne s'arrêtât pas, il voudrait errer à jamais sur la terre.

Avec la chaleur augmentant sans cesse, Nicolas et ceux qui l'accompagnent doivent voyager du soir tombant à l'aube. Ils somnolent à cheval ou en voiture sous le ciel étoilé et s'écroulent au matin, trempés de sueur, sur leur couche.

Ils atteignent Tachkent au plus fort de l'été. Selon la coutume, les nantis ont quitté la ville surchauffée pour se retirer dans la banlieue verdoyante, dans leur *kibitka*, leur villa d'été. La plus belle a été mise à la disposition de Nicolas et Nadedja. Ils pénètrent dans une grande maison de boue séchée prolongée par une immense tente de Boukhara aux pans bariolés, qui sert de salon. À la lumière du clair de lune, ils traversent un vaste jardin embaumé par les roses et les seringas où des lanternes de papier accrochées aux grenadiers se reflètent sur l'eau des bassins. Peupliers et ormes dessinent des zones d'ombre sur la terre argentée par la lune.

Le lendemain matin, les arrivants abordent Tachkent. Ils visitent d'abord la ville russe, un chantier en plein essor, avec partout des bâtiments publics en construction. Sur les rues droites et poussiéreuses bordées de deux rangées d'arbres s'alignent des maisons basses et blanches en terre badigeonnée de chaux, précédées de jardinets défendus par des palissades de bois. Partout des eaux vives courent dans des canaux. Ici et là, au milieu de places beaucoup trop grandes et quasi vides, se dressent de grandes églises toutes neuves. Quelques milliers de colons habitent la ville russe, avec au moins le double de soldats de la garnison. L'immense majorité de la population, des musulmans de race asiatique, se serre dans la ville indigène, un labyrinthe de ruelles qui serpentent entre les mosquées, les bazars et les palais croulants.

Ces indigènes, que les Russes appelaient avec mépris des *Sarts*, appartiennent en fait à des tribus qui remontent à l'origine de l'Histoire. Nés à cheval, ils se déplacent rarement à pied et empruntent leur monture même pour quelques centaines de mètres. Nicolas arrête l'un d'eux et lui demande à quel âge il a appris à monter à cheval.

— On n'apprend pas à monter à cheval, on monte, simplement !

Ville de pionniers, Tachkent est digne du Far West américain. Les aventuriers, les hommes sans foi ni loi, les brigands pullulent dans la ville. Des colons déçus par cette réalité qu'ils imaginaient tout autre, des soldats accablés par de trop longs mois de garnison se laissent aller. Boire constitue la principale occupation des habitants. Il y a beaucoup de casinos, de maisons closes, de rixes, de coups de feu, et la corruption fleurit au milieu de l'avachissement général.

Mais on y trouve aussi des incorruptibles, des hommes pleins d'enthousiasme et d'énergie qui s'appliquent au développement de l'Asie centrale. Les énormes volumes d'*Albums du Turkestan* paraissent l'un après l'autre, des journaux se fondent, des bibliothèques se créent, des expéditions se succèdent, qui partent à la découverte des recoins ignorés de la province.

Et ces expéditions font rêver Nicolas. Depuis qu'il y a goûté, il en est intoxiqué. Partir vers l'inconnu, s'enfoncer dans les terres vierges, se gorger d'espaces, c'est atteindre la liberté qui lui est tellement nécessaire. Il a reçu la bénédiction du gouvernement impérial pour ses expéditions précédentes, et y a acquis de l'expérience. Il sait que ses articles, ses rapports, ses informations sont une base essentielle pour la connaissance de la région.

Malgré les instructions d'Alexandre III, il n'a pas été reçu comme un simple particulier. Son titre impressionne trop profondément ces fonctionnaires de province pour qu'ils puissent l'oublier sur un trait de plume de leur souverain. Ils accueillent Nicolas avec une certaine gêne, un embarras quasi visible, et n'oublient aucun des honneurs dus à son rang.

Dès son arrivée, il a proposé aux autorités de monter une expédition à ses frais. On s'est confondu en remerciements, on l'a félicité pour son patriotisme, on a promis de répondre au plus vite, le temps de télégraphier à Saint-Pétersbourg. Les jours, les semaines ont passé, et Nicolas a commencé à s'impatienter. Si l'on veut monter une expédition avant l'hiver, il n'y a plus une minute à perdre! Bien sûr, Son Altesse Impériale a raison, encore quelques jours et tout sera réglé... Les possibilités de partir à temps se sont amenuisées, jusqu'à disparaître.

L'hiver se révèle terriblement rude. Un vent qui semble constitué d'une multiplicité de lames de rasoir souffle sans discontinuer. La nuit, le gel est si fort qu'un matin Nicolas et Nadedja découvrent un spectacle affreux. Tous les ânes de transport, attachés aux arbres de la place, sont morts de froid. Puis les pluies succèdent à la glace, diluviennes; elles transforment les canaux en rivière boueuse débordant à la moindre occasion, les rues sont devenues des cloaques.

Alors que le vent souffle dans les cheminées, que les averses frappent rageusement les vitres, Nicolas reste enfermé avec Nadedja. Sa douceur et son intelligence parviennent à lui faire accepter d'être condamné à l'inaction. Il a enfin admis que sur ordre supérieur, il n'y aura plus d'expédition pour lui. Que faire alors? De toute façon, la mauvaise saison interdit tout mouvement. Il en profite pour se livrer à son plaisir favori, la lecture. Il se plonge dans l'histoire, dans les récits, dans les légendes de la région. Il pourrait être presque heureux.

La belle saison à peine revenue, il part se promener à cheval dans les environs. Il traverse la ceinture de vergers qui entoure la ville, emprunte les routes ombragées de mûriers, longe les champs de coton. Ceux-ci s'arrêtent avec les canaux d'irrigation. Ensuite commencent des étendues sablonneuses.

Il découvre quelques villages indigènes entourés d'arbres et de cultures. Entre eux, il n'y a que de rares tamaris pour toute végétation, puis les oasis se font de plus en plus rares, de plus en plus petites. Leur succèdent à perte de vue les dunes, des entassements de rochers, des falaises creusées de grottes. À l'horizon s'alignent les pics de la chaîne de l'Alaï. Le sable, la pierre et rien d'autre. Le long de la piste, les signes indicateurs se multiplient, squelettes de chameaux, d'ânes, de chevaux, parfois aussi des ossements humains, restes de caravanes qui depuis des milliers d'années tentent de traverser cette région mortelle.

Pourtant, Nicolas est irrésistiblement attiré par ce qu'on appelle justement la « steppe affamée ». Parfois la température devient si brûlante qu'il est forcé de s'abriter dans le premier refuge venu. C'est ainsi qu'un jour, il découvre un caravansérail apparemment abandonné. En s'approchant, il entend le chant merveilleusement mélodieux d'un rossignol qui appartient au très vieux gardien des lieux, oublié là par l'administration. C'est un indigène, un *Sart*. Il vit au milieu de cette désolation, tout seul, avec cet oiseau pour unique compagnie. Transporté, Nicolas propose au vieux d'acheter le volatile.

— Mais c'est ma vie qui partira avec lui !

Cependant il cède devant le nombre de roubles d'or que le grand-duc aligne. Nicolas repart, ravi, avec le rossignol et sa cage, qu'il accroche à la branche d'un oranger du jardin d'hiver. Le lendemain matin dès son réveil, il s'installe devant la cage pour entendre le rossignol chanter. Sans succès. Nicolas a beau attendre toute la journée, le rossignol reste muet dans un coin de la cage.

Alors Nicolas comprend. Il reprend la cage et la rapporte là-bas, dans le désert, au vieux gardien du caravansérail abandonné. Celui-ci ne fait aucun commentaire, il remet la cage en place et tend à Nicolas ses roubles d'or que celui-ci refuse de prendre.

Les promenades de Nicolas le ramènent souvent vers le caravansérail. Il écoute le vieillard parler du passé, car il connaît tout des légendes de la région. Il évoque le temps lointain où, en ce désert même, ses ancêtres aux yeux bridés cultivaient une terre riche et récoltaient des moissons abondantes.

— Car, avant d'être un enfer, ces lieux étaient un paradis…

Les récits du gardien ramènent Nicolas à des souvenirs de lecture. De nombreux siècles auparavant, les indigènes avaient su irriguer la région mais les envahisseurs mongols, en anéantissant tout sur leur passage, l'avaient rendue au désert. Pourquoi ne pas ramener la prospérité à la « steppe affamée », comme il a ramené le rossignol au caravansérail afin qu'il se remette à chanter ? Il a en effet remarqué que la poussière jaunâtre qui, au moindre coup de vent, aveugle le voyageur est formée de lœss, une terre fertile qu'il suffit d'arroser pour que tout y pousse.

Nicolas commence par retrouver l'ancien quadrillage des canalisations asséchées. L'eau, il l'amènera de l'Amou-Daria sur une distance prodigieuse. Pour ce faire, il a besoin d'une main-d'œuvre abondante. Il évite le piège de la demander aux autorités locales, qui auraient saisi tous les prétextes pour la lui refuser. Il a l'idée d'aller trouver le nouveau khan de Khiva, le fils de celui qu'il a contribué à vaincre. On lui a laissé un trône branlant, un palais lézardé, une autonomie plus que limitée, mais il conserve du prestige et de l'ascendant.

Nicolas emploie sa courtoisie naturelle et son charme pour convaincre ce souverain méprisé par les Russes. Le khan n'a qu'à faire un geste : les ouvriers accourent par milliers s'engager dans ses chantiers ! Quant à l'argent, ce n'est pas le gouvernement qui allouera des crédits, le grand-duc offre la presque totalité des deux cent mille roubles qu'il reçoit chaque année de l'apanage impérial.

Il est là tous les jours à surveiller les travaux. Il a exécuté les plans et fait creuser un canal gigantesque. Il ne connaît ni la chaleur, ni la fatigue, ni la soif... L'entreprise dure des mois, le froid, le vent, la pluie, rien ne l'arrête. Lorsque le canal est achevé, Nicolas lui donne le nom d'Iskander, Alexandre le Grand en dialecte local, le héros mythique venu jusque dans ces régions, et qui a été le premier à prévoir son irrigation.

L'eau coule! Mais les indigènes préfèrent vivre dans la misère, la crasse et les épidémies plutôt que de cultiver les champs que Nicolas leur offre. Ils se méfient de toutes les initiatives venues des Russes, qu'ils voient comme des moyens de mieux les asservir.

Tant pis pour les indigènes, Nicolas fera appel aux Cosaques pour occuper les terres qu'il a rendues fertiles. Originaires de l'Oural, plusieurs révoltes les ont exilés dans la région. Eux aussi sont des réprouvés, la plupart appartiennent à une secte religieuse venue du fond des âges et nommée les «vieux-croyants». Ils sont donc traités comme des pestiférés par les Russes et détestés par les indigènes, leurs ennemis héréditaires. Ils sont rebelles à toute idée d'enrégimentement car l'administration s'y prend avec eux maladroitement, voire brutalement. Nicolas, lui, les traite humainement et sans morgue.

Très rapidement, les Cosaques peuplent les sept villages qu'achève de faire construire Nicolas, «les villages du grand-duc», dit-on dans la région. « *Babouch, babouch*[1] *!*», s'écrient les Cosaques en l'apercevant, ils se feraient tuer pour lui.

Nicolas s'est installé dans ce lieu auquel il a donné son nom, Nikolski. Il ne vient presque plus en ville et Nadedja, coura-

---

1. Père saint! (en russe).

geusement, l'a suivi. Au début des travaux, ils habitaient une yourte, une tente de feutre, puis ils ont emménagé dans une maison en terre battue, une demeure toute simple mais entourée d'un magnifique verger qu'ils ont planté.

— En Russie, explique Nicolas à Nadedja, il faudrait dix ans pour rendre notre jardin productif. Ici, il a suffi d'un an !

C'était compter sans le fléau traditionnel de la région, les sauterelles ! Tous deux entendent brusquement une sorte de grondement et la nature paraît se figer, les bestiaux, les chiens semblent fous d'inquiétude. Le grondement s'amplifie, les indigènes du village courent en tous sens. Certains réapparaissent armés et tirent en l'air. D'autres sortent de leur maison avec des casseroles sur lesquelles ils se mettent à taper furieusement... Nicolas remarque que le vacarme organisé pour contrer l'invasion est absolument inopérant. Les Cosaques, eux, creusent hâtivement des tranchées pour tenter d'y recueillir les insectes avant de les enflammer avec du pétrole. Deux jours plus tard, les arbres croulant sous les fruits ne sont plus que branches dénudées et les champs verdoyants ont fait place à une terre brûlée. Tout est à recommencer !

Nicolas n'a néanmoins rien perdu de son courage, de son optimisme, de son énergie, il se remet à la tâche et encourage les autres à l'imiter. L'abondance reviendra vite, si bien que la région naguère maudite attire d'autres indigènes, des Kirghiz qui y bâtissent leur propre village, cultivent leurs propres champs. Arrivent aussi des descendants de colons allemands, amenés il y a plusieurs siècles dans la région d'Orenbourg et dont certains ont poussé jusqu'à Tachkent. Attirés par les possibilités nouvelles de la « steppe affamée », ils s'y installent, avec leur religion, le luthéranisme qu'ils n'ont jamais abandonné, et leurs bicyclettes.

Des bicyclettes dans le désert, les vieux de la région se frottent les yeux et croient à un mirage! Les Cosaques toujours à cheval, les Kirghiz en caftans brodés dans leurs carrioles, les Allemands sur leurs bicyclettes font bon ménage et s'entendent pour offrir l'hospitalité la plus chaleureuse au visiteur. Là où s'étendait à perte de vue un désert peuplé des seuls squelettes de ses victimes, règne désormais un damier de champs verts, jaunes, blancs où voisinent le coton, le sorgho, l'orge d'hiver. Des routes bien entretenues remplacent les pistes poussiéreuses, et des troupeaux de vaches paissent tranquillement dans les prairies.

Fort de ce succès inattendu, Nicolas décide qu'il est grand temps de s'occuper de Nadedja, sa bonne étoile. Ils ont déjà eu un fils, Artemi, ils en auront bientôt un second, Alexandre. Pour cette nouvelle famille, il faut un toit un peu plus solide que celui de la villa mise à leur disposition.

Il choisit un vaste terrain au centre de la ville russe pour y faire édifier un petit palais dans un style rococo incroyablement tarabiscoté. Dans le parc qui l'entoure, il plante des arbres, des buissons fleuris qu'il importe à grands frais. Les habitants de Tachkent découvrent pour la première fois des chênes! Il installe un zoo dans un coin du parc. Les beaux jours, on en roule les cages au centre pour que tous les voisins viennent admirer les animaux sauvages. Un autre coin du parc contiendra un chenil dont les pensionnaires accompagneront le grand-duc à la chasse.

Il dépense sans compter pour meubler son palais, commande du mobilier, des tentures à Paris, des porcelaines à Limoges, des verres à Baccarat. Il aurait bien aimé récupérer quelques-unes des merveilles qu'il avait collectionnées avant le drame, mais son palais de Pétersbourg a été vidé, comme il le note ironiquement : « *Ma chère parenté, parce qu'elle m'aime tellement, a pris toutes mes collections en mémoire de moi. Ma mère a même mis la main sur la statue de ma maîtresse que j'avais commandée en Italie!»*

Heureusement, un ambassadeur s'est chargé d'éclairer la grande-duchesse sur l'identité du modèle : «Mais c'est Fanny Lear, l'Américaine!» Alors la grande-duchesse n'a fait aucune difficulté pour expédier la sculpture à Tachkent.

Lorsque les ouvriers ont ouvert la caisse dans son jardin, Nicolas a longuement contemplé le nu scandaleux, puis il a ordonné qu'on le place au centre du hall de son palais, à la place d'honneur. Tout aussitôt, il a couru au bazar, en plein centre de la ville orientale et s'est dirigé droit vers la plus minuscule des échoppes, tenue par un joaillier arménien qu'il connaît bien. Il a pioché dans ses vitrines où s'entassent en désordre de magnifiques joyaux, il a étalé sur le tapis de velours les plus beaux, les plus précieux, en particulier des boucles d'oreilles en diamants en forme de mains qui retiennent chacune une cascade d'autres gros diamants. Revenu chez lui, il a orné amoureusement la statue de Fanny, agrafant à son cou un collier de rubis, à ses poignets des bracelets de diamants, à ses oreilles la fabuleuse paire de boucles d'oreilles, et posant sur le chignon de marbre un diadème d'émeraudes.

— Te voilà parée comme tu le mérites, ma petite grande-duchesse!

Dans une petite chambre d'une modeste maison niçoise, Fanny a voulu garder la fenêtre ouverte pour en profiter jusqu'au dernier moment. En ce soir de mai, le jour n'en finit pas de s'éteindre sur la Côte d'Azur. Elle est étendue sur sa chaise longue. Sur un caprice, elle a voulu changer de robe et quitter sa sombre tenue pour une autre, aux couleurs pimpantes. La fidèle Joséphine, bien que protestant contre cette fatigue inutile, a dû s'exécuter pour l'aider. Elles ont parlé longuement du passé, Joséphine se penchant vers sa maîtresse afin que celle-ci fasse moins d'efforts pour s'exprimer. Puis, la voyant fermer les yeux, la camériste s'est retirée sur la pointe des pieds.

Après Bruxelles où elle avait publié ses Mémoires, Fanny était partie pour l'Italie. Elle y avait repris son premier métier et son nom d'origine, car l'argent fondait entre ses mains. La première occasion qui se présenta était un beau jeune homme, riche et noble puisqu'il s'agissait d'un fils illégitime du roi Victor Emmanuel. Il lui rappelait un peu Nicolas. Un jour la police s'était présentée à son hôtel pour lui signifier un ordre d'expulsion, le roi d'Italie ne souhaitant pas voir son petit bâtard mêlé à un scandale équivalent à celui qui avait secoué la famille impériale russe ! Fanny avait rejoint sa mère à Philadelphie, puis s'était rendue à New York.

Enfin, parce qu'elle se sentait seule, fatiguée, elle était retournée à Paris, sa ville préférée. Elle avait espéré y recevoir des nouvelles de Nicolas, elle n'en avait eu aucune, et la presse ne parlait plus de lui. Elle n'avait plus d'argent et avait loué une modeste chambre.

Belle, elle l'était encore mais plus assez jeune pour attirer une clientèle huppée. Un jour, elle s'était mise à cracher du sang. Le médecin de quartier qu'elle était allée voir ne lui avait pas caché la vérité. Elle était atteinte de phtisie, il lui fallait des nourritures saines, des œufs, du lait, mais surtout du soleil. Avait-elle de la famille, des amis ? Elle en avait une, une seule, Joséphine son ancienne camériste, depuis longtemps retirée dans sa Bretagne natale.

Fanny lui avait écrit, Joséphine était accourue. Que Madame ne se fasse aucun souci ! Madame, autrefois, a été très généreuse… De salaire, pas question. Quant à l'installation, le soleil, c'est Joséphine qui s'en est chargée, avec les économies que Madame lui avait permis de faire. Les deux femmes étaient donc parties pour la Côte d'Azur et s'étaient installées à Nice.

Lentement, l'obscurité a gagné la chambre et Fanny s'est sentie plongée dans des ténèbres de plus en plus épaisses. Une heure plus tard, Joséphine est entrée, tenant d'une main une lampe à pétrole et de l'autre un verre contenant une substance opaque.

— Madame, il est temps de prendre votre médecine. Madame, oh, Madame...

Alors, au son des vagues qui entre par la fenêtre toujours ouverte, Joséphine s'est mise à pleurer silencieusement.

Sa mort fit l'objet d'un entrefilet dans un petit nombre de journaux, dont l'un parvint jusqu'aux steppes fertilisées d'Asie centrale : « *Le 7 mai 1886, annonçait l'article, Hattie Blackford dite Fanny Lear s'est éteinte à Nice dans l'oubli et la pauvreté.* »

Cette nouvelle ravive encore une fois le passé pour Nicolas. Il revoit avec une intensité extraordinaire leur première rencontre au bal de l'Opéra, leur tumultueuse passion, leurs rires, leurs voyages, leurs disputes, leurs aventures, leur séparation. Au fil des souvenirs, il s'imagine de nouveau à Saint-Pétersbourg et une immense tendresse l'envahit. Avec cette certitude : Fanny l'a trahi mais elle n'a aimé que lui. Et lui l'a trompée, mais il n'a aimé qu'elle, au point de lui sacrifier son honneur et sa liberté.

D'un passé l'autre, c'est maintenant son jeune frère Constantin qui se rappelle à son bon souvenir. Les journaux annoncent sa venue dans la région pour une inspection militaire.

Après avoir été séparé de sa famille pendant plus de dix ans, la perspective de le revoir plonge Nicolas dans une agitation extraordinaire. Ses frères et ses sœurs ont eu la permission de lui envoyer des nouvelles, mais que répondre à ses cadets qui n'ont certainement entendu que des horreurs sur lui ? Cependant, l'arrivée imminente de Constantin allège cette timidité et lui donne le courage de s'adresser à lui.

« *Cher Kostia, j'ai plusieurs fois remis de t'écrire, pensant que très bientôt je te verrais personnellement. De toute façon, je suis sûr que tu ne croyais jamais recevoir une lettre de moi...* »

Et Nicolas de décrire une vie tranquille et occupée. Il est toute la journée sur ses chantiers d'irrigation, et le soir il étudie, prend des notes sur ses futures entreprises. Ou alors il lit des romans récemment parus. Cette vie casanière l'aurait presque transformé en vieillard, heureusement la première série de ses travaux est terminée « *et de nouveau je me sens jeune et motivé* ».

Trop longtemps condamné au silence, Nicolas se confie à ce frère qui ne l'a peut-être pas compris mais qui lui a toujours manifesté un profond attachement. Il dit aussi avoir appris les fiançailles de Frederika de Hanovre, cette princesse qui avait refusé sa demande en mariage. Il avait enfin l'explication de cette incompréhensible attitude. Depuis toujours, elle était amoureuse du secrétaire de son père, et après tant d'années elle a enfin eu le courage de piétiner les tabous pour l'épouser. Cette union scandaleuse horrifie toutes les royautés, et Nicolas ne peut s'empêcher d'en éprouver une profonde nostalgie. Il demande à son frère Constantin de lui envoyer la plus récente photo de la princesse, probablement est-elle resplendissante car, ajoute-t-il « *elle a ce visage typique qui avec les ans devient encore plus beau* ».

Il ajoute cette phrase mystérieuse : « *Quand je te verrai, je te dirai la profonde et forte influence que ma courte rencontre avec elle a eue sur ma vie.* » Son destin aurait été peut-être différent si Frederika lui avait dit oui...

Il écrit encore : « *S'il te plaît, fais-moi savoir si je peux espérer voir mama. Je souhaite tellement lui baiser les mains et lui parler ouvertement et sincèrement…* »

Il sait pourtant que c'est impossible, car l'autorisation de quitter Tachkent, même pour un court déplacement, lui est refusée. Quant à son frère… « *Kostia a un cœur extrêmement tendre. Lorsqu'il est venu dans la région en inspection militaire, j'ai décidé d'aller à sa rencontre pour le voir. Mais lui, Constantin, parce qu'il m'aimait tellement, parce qu'il a un cœur si tendre, ne s'est pas résolu à quitter son train spécial pour me rencontrer. Aussi ne l'ai-je point vu…* » Une occasion ratée.

Constantin entre-temps s'était marié à une princesse de Saxe Altenburg, nièce de la grande-duchesse Alexandra… Pas du tout une beauté, avait jugé Nicolas d'après les photos, mais une personnalité de mérite, tolérante, ouverte et une âme courageuse. Ils ont eu un fils, Jean. C'est le premier arrière-petit-fils d'empereur à naître dans la dynastie.

Devant cette perspective de voir se multiplier les grands-ducs, Alexandre III a décidé d'en limiter le nombre : seuls le seront les fils et petits-fils d'empereurs ! Cette réforme fait sortir le vieux grand-duc Constantin de sa retraite. Tout libéral qu'il soit, l'idée que ses petits-enfants ne seront pas grands-ducs le met hors de lui. Encore un coup de Sacha l'Ours acharné dans sa haine ! Le vieil homme bombarde le lourdaud de lettres furibondes pour l'obliger à supprimer sa réforme familiale. Sans le moindre succès.

Là-dessus le grand-duc est victime d'une attaque qui le paralyse en partie, et qui en particulier le rend incapable d'articuler le moindre mot. L'heure de la revanche a sonné pour Alexandra. Elle chasse de leurs résidences de Pavlovsk et de Crimée la maîtresse, la Kutznetzova, et ses bâtards sans que Constantin puisse protester.

En 1892, il est à l'article de la mort. Il tâche de faire comprendre qu'il ne veut aucun visiteur autour de son lit. En réponse, son épouse les multiplie. C'est un flot de parents et d'amis qui défilent. Saisissant parfaitement qu'elle contredit le dernier vœu de son époux, Alexandra, vengeresse, répète : « C'est le prix qu'il doit payer ! » Cependant, la fin se rapprochant, elle relâche sa garde. Un aide de camp fidèle en profite et laisse entrer auprès du mourant l'ancienne ballerine et ses enfants, qui peuvent ainsi revoir une dernière fois celui qui les a tant aimés.

La mort de son père ne frappe pas Nicolas outre mesure. Bien qu'il fût proche de lui politiquement, c'était sa mère qu'il aimait passionnément. Son père avait pourtant manifesté vis-à-vis de lui, sinon de la compréhension, du moins de l'indulgence, et au début il l'avait défendu. Mais il s'était rangé dans le camp de ses accusateurs et n'avait rien fait pour alléger son sort. Il n'avait depuis cherché aucun contact et les années avaient encore distendu leurs liens.

En revanche, Nicolas escompte son héritage pour pouvoir amplifier ses travaux. Et comme rien ne vient, il écrit au ministre de la Maison impériale une longue lettre destinée à être mise sous le nez de l'empereur. Il rappelle que pendant longtemps il a été l'héritier de Pavlovsk, que son père le considérait comme tel, et que pour cette raison il lui avait permis d'investir des sommes considérables dans les améliorations du domaine et dans son entretien régulier. Nicolas joint les reçus, dont le total avoisine le million de roubles. Pavlovsk étant passé à son frère Constantin, Nicolas demande que ce capital lui soit rendu.

Au reçu de cette lettre, le ministre de la Maison impériale consulte la grande-duchesse, qui répond par l'entremise du chef de sa Maison. Alexandra ne pense pas qu'il soit possible de rendre à son fils aîné les sommes qu'il exige… D'abord il ne s'agit pas d'un million mais à peine du quart de cette somme qui, d'ailleurs, lui a déjà été remboursée ! D'autre part, l'entretien de Pavlovsk, monument national, est si lourd et engendre si peu de revenus qu'il est impossible d'en distraire la moindre somme… À cette lettre est attachée une note, toujours du chef de sa Maison, dictée par la grande-duchesse :

« *Très clairement, les médecins avaient à l'époque déclaré que la démence morale de Son Altesse Impériale exigeait une stricte supervision de toutes ses actions… Or au Turkestan, le grand-duc a bien trop de liberté d'action. Ses accointances et le choix des personnes qui l'entourent ne sont plus sous contrôle.* »

Bref, la présence du grand-duc en Asie centrale provoque un début de catastrophe qui appelle des mesures. On commencera par enquêter sévèrement sur ses travaux d'irrigation. On éloignera petit à petit les membres de son entourage pour les remplacer par « des serviteurs de confiance ». On vérifiera le montant et l'utilisation des sommes que lui et sa femme Nadedja détiennent pour finir par mettre leurs comptes sous tutelle. Bien sûr, les entreprises de Son Altesse Impériale sont excellentes mais « elles ne devraient pas dépasser l'envergure de modestes travaux entrepris par une compagnie privée, loin de l'ampleur qu'ils ont pris désormais ». Ces mesures seront appliquées progressivement, « car des changements trop forts et trop immédiats ne seraient pas adéquats vis-à-vis d'un malade mental ».

Nicolas avait eu grand tort de parler d'héritage. Du coup, sur ordre de la Cour, on s'en prend à la fortune qui lui appartient tout à fait légalement, on chasse les rares amis que ce disgracié a pu conserver pour faire le vide autour de lui, on attaque la seule occupation qui lui tienne à cœur sans hésiter à détruire l'œuvre admirable qu'il accomplit. Tout cela avec toute l'hypocrisie bondieusarde et sirupeuse dont l'époque était capable.

17

À quelque temps de là, Alexandre III mourait prématurément, victime bien indirecte des terroristes qu'il avait impi-
toyablement pourchassés. Ceux-ci avaient tout de même réussi
à faire dérailler le train impérial. Le tsar, voyant tomber le toit
du wagon-salon où se tenait sa famille, l'avait retenu à bout de
bras et, grâce à sa force herculéenne, avait réussi à l'empêcher
d'écraser les siens. Il lui en était resté une faiblesse lombaire
qui s'était transformée en maladie des reins. Il avait été
emporté, la cinquantaine à peine atteinte.

De lui, Nicolas avait toujours su qu'il n'avait rien à attendre,
et surtout pas un adoucissement de son sort. Mais avec ce nouvel empereur, son cousin, Nicolas II, c'était bien différent.
Lorsqu'il avait été exilé, ce dernier n'avait que six ans. Tout le
monde vante sa douceur, sa bonté, sa générosité. Cet homme

jeune, animé des meilleures intentions, veut sincèrement le bien de la Russie et des Russes.

Nicolas commence par lancer un coup de sonde : son second fils Alexandre est récemment tombé malade et ne peut être opéré qu'à Saint-Pétersbourg. Nicolas écrit donc au nouvel empereur pour demander l'autorisation de l'y envoyer, et l'obtient. Il confie l'enfant à un médecin et le charge d'une lettre pour son frère Constantin, qui accueille l'enfant. Encouragé par cet heureux présage, Nicolas écrit de nouveau au tsar pour lui demander d'accorder à Nadedja sa compagne et à leurs deux fils un patronyme aristocratique. Nicolas II s'empresse de lui complaire et par oukase décide que la famille de Nicolas portera désormais le nom magnifique d'Iskander, qui évoque Alexandre le Grand.

Après ce succès, Nicolas se met à espérer. Il a si souvent eu le loisir de ressasser les événements de son passé qu'il est parvenu à faire s'évaporer la culpabilité. Aussi envisage-t-il de voir terminé son exil et de repartir à zéro. « *Je pense sans cesse à vous tous*, écrit-il à son frère Constantin, *et je regrette de plus en plus de ne pas avoir le bonheur de voir ma chère maman et vous après une si longue séparation…* » Il multiplie les allusions à une grâce que pourrait lui accorder Nicolas II. Il ignore les instructions impitoyables que sa mère a dictées à la Cour après l'histoire de l'héritage. Il ignore tout autant que le doux, timide et faible Nicolas II a décidé de suivre pas à pas la politique de son père dans toute sa sévérité et que, décevant d'emblée une grande partie de son peuple, il n'accorde aucun pardon à ceux qui l'espéraient.

Nicolas restera donc cloué en Asie centrale !

Une épidémie de choléra vient un temps le distraire de ses mornes pensées. Cette maladie endémique frappe régulièrement la région, et cette fois elle se répand avec une rapidité effarante, particulièrement dans les quartiers les plus pauvres, ceux de la vieille ville musulmane. Les autorités russes obligent toute la population à un contrôle médical. Les musulmans s'insurgent : impossible pour les médecins russes d'examiner leurs femmes ! Puis ces mêmes autorités décident d'enterrer les morts sans cérémonie, afin d'éviter la contagion. Les indigènes protestent et continuent nuitamment d'enterrer les leurs comme ils en ont l'habitude. On arrête ceux qui violent les mesures sanitaires. Alors c'est la révolte.

À vrai dire, elle couvait depuis plusieurs années. Les autochtones supportaient de plus en plus difficilement la présence russe. À présent, le choléra aidant, l'émeute embrase Tachkent. La foule se saisit du commandant de la ville, le roue de coups, malmène le chef musulman de la vieille ville accusé de collaboration avec l'occupant russe. Le gouverneur général Vrevskii ordonne l'arrestation des marchands les plus importants et celle des chefs religieux. Tachkent sombre dans la peur.

Nicolas sait que les indigènes ne le toucheront pas, il a assez montré qu'il les considérait comme des égaux et non comme appartenant à une race inférieure juste bonne à être soumise. Pour combattre l'épidémie, il a fait venir des médecins de Saint-Pétersbourg et transformé une partie de son palais en hôpital. Avec Nadedja, ils se dévouent sans compter, visitant quotidiennement les malades, veillant à leur confort, aidant les infirmiers épuisés. Les Russes, terrifiés par l'émeute, se barricadent chez eux, Nicolas garde ses portes grandes ouvertes. C'est ainsi qu'il accueille les autochtones blessés dans les émeutes, et les soigne au même titre que les malades du choléra.

Mais ses vieux démons ont été réveillés. En arrivant à Tachkent, il croyait réaliser son rêve. Et voilà que son ancienne existence s'était rappelée à lui. Sa famille, la Cour, Saint-Pétersbourg étaient venus distiller en lui des tentations qu'il croyait oubliées. La déception, l'amertume le plongent dans l'alcool dont Fanny l'avait naguère tiré. Les spécialistes qui le surveillent parlent dans leurs rapports d'une « véritable obsession » pour les boissons alcoolisées. Qu'il s'enivre, et il devient violent...

Il a déjà beaucoup bu avant le dîner mais il ne titube pas, et c'est très droit qu'il entre dans la salle à manger. Seuls son teint rougeoyant et ses yeux enfiévrés trahissent son état. Il prend place au bout de la table qu'il préside. Nadedja arrive à son tour. Il se lève péniblement de sa chaise et la salue respectueusement. Elle s'assied à côté de lui avec leurs deux fils. Les autres, les médecins, les officiers chargés de sa sécurité se placent un peu plus loin. Il touche à peine aux plats mais il remplit constamment ses verres de vin et de vodka. Pour meubler les silences qui se font de plus en plus lourds, Nadedja profère quelques banalités. Soudain, il frappe du poing sur la table si fort que verres et assiettes tintent :

— Mais tu ne dis que des idioties !

Et aussitôt il l'accable d'insultes. Doucement, sans élever la voix, elle tente de protester. Alors, du revers de la main, il la frappe. Tous en restent pétrifiés, et Nicolas de hurler :

— C'est à cause de toi que je suis au ban de ma famille, c'est parce que je t'ai épousée...

Il ne finit pas sa phrase et tombe dans une rêverie morose. Nadedja, digne, se lève, prend Artemi et Alexandre par la main et quitte la salle à manger. Nicolas n'a plus la force de se lever.

Le soleil vient de se lever, et ses rayons obliques incendient dehors la plaine. Tôt levés, ils sont déjà à cheval. Nicolas monte son étalon brun favori, Karaghese. Le suivent Boris, son maître de chasse, et un Kirghiz qui tient un cheval de réserve portant les provisions, un sac d'avoine, des bottes de luzerne fraîche. Chaque cavalier emporte deux sacoches suspendues aux côtés de la selle et contenant du riz, du blé, des légumes, des galettes. Ils savent que les Cosaques leur offriront l'hospitalité, que leur maison est toujours ouverte aux visiteurs et surtout à leur bienfaiteur. Mais justement, ils ne veulent pas en abuser.

Chargés comme ils le sont, ils prennent leur temps pour traverser la plaine, profitant de la fraîcheur matinale. Arrivés au bas de la montagne, ils empruntent un chemin caillouteux et s'engagent dans une vallée étroite que les rayons du soleil n'ont pas encore atteinte. La pente devient plus raide. Le soleil les rejoint, les forçant à cligner des yeux. Ils entendent avant de le voir le grondement d'un torrent dont les eaux dévalent les pentes entre de gros rochers.

Les cavaliers débouchent sur un plateau assez vaste. Soudain, leurs montures s'arrêtent, piaffant, dressant l'oreille. Devant eux, au milieu du chemin, un cadavre de cheval est la proie des renards, des corbeaux, des vautours qui s'égaillent à leur vue. Tous trois au même instant voient une masse imprécise bouger au milieu des herbes hautes. Un grand ours brun se redresse. Il les aperçoit et, au lieu de fuir comme l'auraient fait ses congénères, il s'assied. Puis il se lève de nouveau et s'approche en se dandinant tout en poussant des grognements amicaux.

Boris, le maître de chasse, saisit son fusil et le pointe vers le fauve.

— Arrête ! Tu ne vois pas qu'il a un collier au cou, lui lance Nicolas. Ce doit être un ours apprivoisé.

Nicolas lui lance quelques morceaux de sucre qu'il a toujours dans sa poche. L'ours les attrape adroitement et se met à les croquer avec délice. Pour exprimer sa reconnaissance, il montre les tours qu'il connaît : il s'allonge par terre et se roule avec délectation, marche sur les pattes avant et, ayant terminé son numéro, il passe à la quête.

De nouveau, Nicolas lui jette des friandises. À ce moment émerge d'un buisson une ravissante adolescente. Ses traits gardent quelque chose de l'enfance mais son corps est déjà celui d'une femme. Ses yeux sombres, méfiants, se posent sur l'ours. Elle lance un appel, aussitôt l'animal obéit et la rejoint, tous les deux disparaissant dans l'ombre des fourrés.

La scène a été si rapide que les trois hommes se demandent s'ils n'ont pas eu une vision.

Au milieu de l'après-midi, la chasse terminée, Nicolas rejoint avec ses compagnons ses amis cosaques dans un des villages qu'il leur a construits. Il est accueilli avec la chaleur coutumière. On s'attable. Nicolas se trouve bien parmi ses amis, mais il les sent préoccupés. Le chef du village se fait un peu prier pour lui en dévoiler le motif.

Un mariage avait été organisé entre deux familles. Au dernier moment, la famille de la fiancée a voulu tromper la famille du fiancé et donner une dot moins importante que celle promise. Violer ainsi sa parole, c'est le péché capital pour les Cosaques ! La famille du fiancé n'a plus voulu du mariage.

Pour la famille de la fiancée, c'est le déshonneur et pour la fiancée l'impossibilité absolue de trouver un autre mari. Le chef du village supplie Nicolas d'arbitrer l'affaire. On a déjà mangé et bu considérablement lorsqu'on fait comparaître les membres des deux parties. La porte s'ouvre et, poussée plutôt rudement par ses parents, apparaît la fiancée.

Nicolas reconnaît instantanément la gardienne de l'ours apprivoisé. Elle s'appelle Darya Eliseievna Tchassovitine. Elle n'a que seize ans et n'a pas du tout l'air apeuré. Pendant que les deux parties criaillent et s'invectivent, elle reste plantée devant lui en le dévisageant avec une certaine insolence. Nicolas scrute son visage, ses formes épanouies, et il se laisse imprégner par la sensualité de l'adolescente. Il voudrait la prendre là, à l'instant, devant tout le monde… D'une voix rauque, il ordonne qu'on la lui amène le lendemain en son palais afin qu'il puisse mieux s'informer de l'affaire.

— Je ne viendrai pas sans Nicolas!

Darya s'est exprimée d'une voix forte.

— Mais qui est Nicolas? Un fiancé?

— Non, c'est l'ours.

— Plus il y aura de Nicolas, mieux ce sera! Qu'on amène l'ours, ordonne le grand-duc.

Le jour suivant, Nicolas caché derrière sa fenêtre attend impatiemment et les voit traverser la place. Le père, moustaches blanches, longues et effilées, bonnet d'astrakan, poignard d'argent passé à la ceinture, monte un magnifique cheval noir. La fille, enveloppée dans son caftan et ses voiles, paraît une écuyère presque aussi accomplie que lui. Placidement assis dans une charrette, l'ours suit. Père et fille sont aussitôt introduits dans le bureau de Nicolas. Celui-ci tend une bourse à l'homme :

— Ceci est pour ton dérangement. Je ferai ramener ta fille.

Le père soupèse la bourse et se retire. Nicolas s'approche de Darya, lentement lui enlève ses voiles, son caftan. Puis l'un après l'autre il lui retire tous ses vêtements. La lumière du jour mourant qui entre par la fenêtre éclaire le corps de l'adolescente, qui ne porte plus qu'un gros collier de pièces d'or et des bottines en cuir rouge brodé d'or. Toujours sans qu'une parole n'ait été prononcée, toujours avec la plus grande douceur, Nicolas l'entraîne vers le sofa.

Cette nuit-là, Darya la petite Cosaque analphabète mais diablement voluptueuse ne quitte pas le palais du grand-duc Nicolas. Les nuits suivantes non plus. Quant à l'ours, il est logé dans une vaste cage et devient immédiatement l'attraction principale du zoo privé du palais.

Le traitement que lui ont fait subir sa famille et la Cour a libéré Nicolas de l'obligation de garder la bienséance et la mesure. Il n'a plus à se contraindre. Loin de cacher Darya, il parade avec elle dans sa voiture découverte à travers les rues les plus fréquentées de la ville, l'emmène dans sa loge au théâtre, fait construire pour elle une jolie villa dans le faubourg de la ville. Il manifeste la joie la plus bruyante lorsqu'elle tombe enceinte. Et bientôt il partage sa vie entre ses deux familles. Le jour, il reste avec Nadedja et leurs deux fils, il s'occupe de ses affaires et vaque à mille occupations. Le soir, il se rend dans la villa de Darya. Nadedja subit sans desserrer les lèvres. Il n'est pas dans sa nature de se plaindre.

Elle est bien la seule à ne pas parler des frasques de son mari, car la ville entière le fait pour elle, avec les exagérations, les inventions d'usage, que récoltent fidèlement les membres de la police secrète et qui émaillent les rapports envoyés à Saint-Pétersbourg. Nicolas ayant devant témoins maltraité Nadedja, ils ne se privent pas de broder sur le sujet...

« Récemment Son Altesse Impériale a poussé Mme Nadedja Alexandrovna von Dreyer dans les bras de Plovtzoff, un riche marchand de la ville. Son Altesse Impériale avait l'intention de surprendre les amants et d'exiger du coupable une large somme d'argent. Mme Nadedja Alexandrovna von Dreyer ayant refusé, le grand-duc s'est livré contre elle à des menaces de plus en plus effrayantes, au point que Mme von Dreyer est allée trouver Son Excellence le gouverneur général du Turkestan pour lui demander aide et protection... »

Du bureau du ministre de la Cour impériale à Saint-Pétersbourg, le rapport vole jusqu'à celui de la grande-duchesse Alexandra, qui en fait lecture à son cousin, le prince de Saxe

Altenburg en visite en Russie, et ce dernier de répéter cette histoire horrifiante à toute sa parenté.

Les rapports se succèdent, tous avec des noms de femmes. Car Nadedja et Darya, la jeune Cosaque, ne suffisent plus à Nicolas... La police secrète cite Mme Sesharghina, femme d'un modeste membre de l'administration «que Son Altesse rencontre au Club militaire...», une brève liaison avec Mme Nina Ivanovna Stakoff, femme d'archéologue, est suivie de la naissance d'un fils... En tout cas, Son Altesse Impériale n'est pas raciste puisque c'est un véritable harem de femmes indigènes qu'elle entretiendrait dans son palais!

Le ministre de la Cour impériale, après avoir informé la famille, juge que le grand-duc dépasse la mesure et envoie au gouverneur général du Turkestan une demande d'explication. «Un conte à dormir debout!» répond Vrevskii. La Cour, mais surtout la famille de Nicolas, s'irritent à la lecture de ce correctif. Vrevskii s'en est laissé conter! Il manifeste le plus coupable laxisme! Il faut le remplacer, et nommer à sa place un homme beaucoup plus ferme et moins crédule. La grande-duchesse l'exige... De l'avis général, Nicolas n'est qu'un dangereux obsédé sexuel capable de tout pour satisfaire ses impulsions. Et, selon la recette déjà éprouvée, on dépêche à Tachkent une nouvelle équipe d'aliénistes.

Ceux-ci soumettent sans répit le patient à des examens, à des interrogatoires, à des traitements, à des prescriptions, pour conclure: «Nous nions résolument les conséquences sur le cerveau de Son Altesse Impériale d'une syphilis contractée il y a plus de vingt ans. Par contre, les symptômes d'une maladie psychologique restent fort significatifs. Afin de mettre un terme aux désordres consignés dans les rapports, l'énergie de Son Altesse Impériale doit être canalisée et, pour ce faire nous avons conclu que le meilleur moyen est de l'encourager à poursuivre ses travaux d'irrigation… »

Les bons praticiens ignorent que la grande-duchesse et la Cour ont envoyé des instructions précises pour freiner et même arrêter ses travaux. Ils ignorent tout autant les jalousies qu'ont fait naître les succès de Nicolas. Le gouvernement impérial et l'administration locale sont également furieux de ne pas avoir pensé avant lui à fertiliser la « steppe affamée ». Aussi a-t-on décidé de l'imiter. Et cette fois, on fertilisera une région beaucoup plus vaste !

On envoie des ingénieurs s'entraîner à l'étranger, on noircit des volumes entiers de plans qui vont et viennent entre Saint-Pétersbourg et Tachkent, en guise de hors-d'œuvre on arase des montagnes entières, en simples préparatifs on dépense dix fois plus que Nicolas n'a dépensé pour achever ses travaux ! Puis, lentement, le projet gouvernemental qui voulait concurrencer le sien se noie dans les eaux sans fond de l'administration impériale.

Nicolas se moque bien des recommandations des aliénistes, des obstacles suscités par sa famille, des jalousies de l'administration. Sans rien demander à personne, il entreprend une seconde série de travaux, beaucoup plus importante que la première. D'énormes barrages recueillent l'eau des rivières et des cataractes. Le nouveau canal qu'il fait creuser s'étend sur cent kilomètres, il lui donne le nom de son grand-père, Nicolas Ier. Il fait pousser comme des champignons les villages de colons, et ce sont des dizaines de milliers d'hectares qu'il donne à l'agriculture et à l'élevage. Ces travaux, Nicolas les a si judicieusement planifiés et si soigneusement exécutés qu'ils n'ont jamais été dépassés depuis, que leur bénéfice s'en fait sentir jusqu'à nos jours et que lui-même est légitimement considéré comme le moteur principal du développement économique de l'Ouzbékistan.

En même temps, sur les terres qu'il arrache au désert, il se réserve deux vastes propriétés, « La Horde d'or » et « L'Iskander ». Il y introduit la culture du coton américain et bâtit des usines pour le traiter sur place. Ces activités lui rapportent des sommes énormes. Plus d'un million de roubles de revenus pour une seule de ces propriétés !

Puisqu'on lui coupe les crédits pour ses travaux, il fera de l'argent lui-même. Le voilà qui se lance dans les affaires. Il achète et revend terrains et maisons, bientôt la spéculation immobilière n'a plus de secrets pour lui. Par prudence, il met nombre de ses possessions au nom de Darya la Cosaque. Il ouvre également une boulangerie qui aura pour spécialité les petits pains préférés des habitants de Saint-Pétersbourg ! Aussitôt, la Commission sanitaire de la ville décrète que cette marchandise n'est pas fabriquée selon les normes. Ordre de fermer la boulangerie. Nicolas s'exécute, pour le lendemain ouvrir exactement en face du magasin fermé une nouvelle boutique.

— Ma boulangerie, clame-t-il, c'est comme le Phénix, elle renaît de ses cendres !

Il s'intéresse aussi au bien public, et pave à ses frais les rues de Tachkent. Il construit un club puis un théâtre. Plus tard, il créera le premier cinéma de la ville qu'il appellera *Le Khiva*, en souvenir de son expédition. Un cinéma en plein air, *Le Khiva d'été*, suivra. Beaucoup plus discrètement, il est le bailleur de fonds d'une maison close, *La Vieille Femme*, qui s'établit rue de Samarkand. Il n'oublie pas non plus les pauvres et octroie des sommes considérables à des organismes caritatifs qu'il a fondés et dont il s'occupe personnellement.

Son prestige grandit avec sa popularité. Alors, puisque cette dernière se révèle inattaquable, on entoure Nicolas d'une surveillance accrue. Aux officiers soi-disant chargés de sa sécurité se joignent une nuée d'agents de la police secrète en civil qui le suivent partout et l'espionnent jusque chez lui. Ses moindres gestes, ses moindres paroles font l'objet d'énormes rapports qui partent vers la capitale. Oppressé par cette surveillance constante et silencieuse, il en arrive à soupçonner tout le monde. Il réagit par sa méthode habituelle, la provocation.

En ces dernières années du siècle, ils sont une dizaine de jeunes gens frais émoulus de l'École d'administration de Saint-Pétersbourg à être nommés à Tachkent, leur premier poste. Le voyage en train jusqu'à Orenbourg était plutôt confortable, mais ensuite l'interminable progression par la route, dans la chaleur et la poussière, leur a paru bien pénible. Ils regrettent déjà leur intérieur douillet mais, se disent-ils, Tachkent, c'est le premier échelon de cette échelle que tous rêvent de gravir jusqu'au sommet.

Arrivés à destination, ils sont logés chez l'habitant, et ce qu'ils découvrent les surprend. Ils s'attendaient au Moyen Âge, ils découvrent un confort à peu près équivalent à celui qu'ils ont quitté! Avant de recevoir leur affectation, ils partent à la découverte de la ville sous la conduite d'un très vieux fonctionnaire qui, n'ayant jamais obtenu d'avancement, se dessèche depuis des décennies. Chaque matin, il vient chercher les jeunes diplômés pour les mener en exploration. Dans la rue principale, ils s'ébaubissent devant les magasins, les salles de spectacles et autres lieux publics.

— À qui appartient ce théâtre tout neuf, monsieur le chef de bureau?

— À celui dont il ne faut pas prononcer le nom...

— Et cette confiserie si bien approvisionnée?

— Au même.

— Et ce restaurant si sympathique?

— Au même, mais ne le répétez pas !

— Et cet hôtel ? Lui appartient-il aussi ?

— Vous l'avez dit...

— Il possède donc la ville entière !

— Taisez-vous, il y a des choses qu'il vaut mieux ne pas dire ici.

Ils arrivent devant le palais du gouverneur général du Turkestan, une vaste bâtisse blanche à colonnades, aussi ennuyeuse que les bâtiments multipliés par l'administration dans tout l'empire. Mais qu'aperçoivent donc ces jeunes gens, pour se frotter les yeux de cette façon ? Une vingtaine de jeunes femmes entièrement nues, portant uniquement d'immenses chapeaux surmontés d'une masse de fleurs. Des péripatéticiennes ? Certainement pas, elles n'en ont pas l'allure. Des paysannes plutôt. Mais que font-elles dans cette tenue sous les fenêtres du gouverneur général ? Le vieux fonctionnaire les renseigne à voix basse :

— C'est lui. Il est furieux contre la nouvelle mode des grands chapeaux arrivée d'Occident, il les trouve peu seyants. Aussi a-t-il convoqué d'un des villages qu'il a construits ces femmes qui lui sont dévouées corps et âme, et les fait-il parader pour exprimer son mécontentement...

Soudain, l'attention des badauds se détourne des paysannes en tenue d'Ève. Les jeunes diplômés sentent comme un frémissement dans la foule qui, en cette fin de matinée ensoleillée, déambule dans la rue commerçante, la perspective Navoi. Une calèche approche à vive allure.

— C'est lui ! s'écrie le vieux fonctionnaire.

À vive allure s'approche une Daumont étincelante attelée de quatre chevaux magnifiques, suivie d'une meute de chiens de race parfaitement dressés. La tenue du cocher, des grooms, les harnais et la chemise de l'homme assis sur la banquette du fond, tout est rouge.

Les jeunes diplômés n'ont d'yeux que pour « celui dont on ne prononce pas le nom ». Il leur paraît immense, et très maigre. Le visage extraordinairement beau garde toute sa jeunesse malgré un début de calvitie. Il répond aux saluts avec une grâce inimitable. À côté de lui est assise, très droite et très digne, une femme modestement mais élégamment vêtue. En face du couple, deux garçons sont assis. L'un est presque un adolescent, l'autre encore un enfant. La voiture est déjà passée et les jeunes diplômés, malgré l'injonction du vieux fonctionnaire, la suivent longuement du regard.

Ils la reverront le même soir. Leur guide a montré malgré son âge une énergie qui les a achevés. Fourbus, ils sont sur le point de se séparer pour rentrer chacun chez soi lorsque, de nouveau, ils voient la Daumont arriver droit sur eux. « Celui dont on ne peut prononcer le nom » est reconnaissable de loin à sa chemise écarlate. Aimable et magnifique, il continue à saluer tel un souverain débonnaire. Mais, ô surprise ! une autre femme a pris place à côté de lui, beaucoup plus jeune que celle de ce matin, une beauté sauvage, éclatante, rieuse, vêtue de soies multicolores et couverte de bijoux clinquants. En face du couple, trois petits en bas âge.

— Il a deux familles, explique le vieux fonctionnaire. Ce matin, c'était sa famille légitime, cette bonne Nadedja Alexandrovna, que Dieu la bénisse et la protège ! Ça, maintenant, c'est sa putain de Cosaque avec ses bâtards...

Les jeunes diplômés se séparent et s'en reviennent chacun chez soi. Ils interrogent avidement leurs logeurs. Les hommes sont parfois réticents à leur répondre, mais les femmes, plus encore les domestiques indigènes, n'hésitent pas à parler. Et les jeunes diplômés voient apparaître une image différente de celle qu'a voulu leur dessiner le vieux fonctionnaire.

Tout le monde l'adore. Il est tellement généreux, tellement simple ! Il est toujours prêt à venir en aide aux gens, mais tout de même, sa vie privée, ses deux familles, ses maîtresses, ses bâtards… Les hommes prennent un air admiratif, les femmes sourient, rêveuses. Ce n'est pas seulement un roi des temps modernes, c'est un sultan des contes anciens, brave et galant, jetant des pièces d'or à la foule et honorant toutes les femmes.

Le lendemain, le vieux fonctionnaire leur annonce abruptement qu'ils sont invités le soir même à dîner par le grand-duc. Les jeunes diplômés ont du mal à croire à un tel honneur, leur mentor rabat leur vanité :

— Il s'ennuie… Alors il invite tous les nouveaux venus. Il vous a repérés hier dans la rue lors de sa promenade.

Les jeune diplômés ne l'écoutent pas, ils n'ont qu'une idée en tête, ils vont rencontrer le sultan fabuleux du Turkestan. Mais avant la fête, ils doivent passer devant un aréopage de fonctionnaires qui les surchargent de recommandations :

— Traitez votre hôte avec respect mais rappelez-vous qu'il n'est plus considéré comme un membre de la famille impériale. Prenez ses propos avec la plus grande circonspection. N'oubliez pas que c'est un malade mental ! Retenez la moindre de ses paroles, au besoin notez-les sur vos manchettes, et rapportez-les nous fidèlement.

Étonnés par cette manœuvre délibérée d'intimidation, anxieux à l'idée de rencontrer ce personnage à la fois adulé et honni, ils arrivent au palais de Nicolas bien avant l'heure. Ils franchissent une grille rococo et pénètrent dans un parc enchanteur. Le parfum des roses est si fort qu'ils en sont presque enivrés. Ils montent des degrés de marbre gardés par deux lions en pierre et pénètrent dans un vaste vestibule. Ils n'ont d'yeux que pour la statue qui orne le centre de la pièce, une femme nue d'une extraordinaire beauté ciselée dans le marbre blanc et couverte de joyaux.

Des valets de pied en livrée entièrement rouge du col aux chaussures les conduisent à travers plusieurs salons. La bouche ouverte, ils admirent à droite et à gauche les tableaux des écoles italienne, flamande, lourdement encadrés, les tentures opulentes, les meubles français de marqueterie et de bronze qui leur semblent d'une valeur prodigieuse.

Introduits dans une vaste bibliothèque bourrée de livres jusqu'au plafond et où flotte une odeur de cigare, ils sont priés d'attendre.

Une porte s'ouvre, une tenture de velours rouge s'écarte, il est devant eux. Il est plus grand encore qu'il ne leur avait paru, beaucoup plus jeune de visage, avec ce regard perçant, ce sourire enjôleur. Il est en civil, entièrement vêtu de noir. Il s'approche d'eux et tend la main à chacun. Certains se plient en deux dans un salut trop appuyé, d'autres, atavisme revenu, se jettent sur cette main pour la baiser.

— Mais non, mais non, nous sommes ici entre amis, pas de salut, pas de baise-main, voyons !

À table, les jeunes diplômés se gavent de plats exquis cuisinés par le chef français, boivent plus qu'ils ne sont accoutumés à le faire des vins eux aussi français, ils admirent la porcelaine de Sèvres, les verres de Baccarat, l'argenterie anglaise marquée du monogramme NK surmonté de la couronne impériale. Le savoir-faire du grand-duc et les flots de sauternes, de bordeaux, de champagne leur enlèvent leur timidité.

Nicolas les interroge longuement sur leur famille, leurs études, et insensiblement les fait parler de leurs aspirations, de leurs opinions.

— Avez-vous lu ce livre? leur demande-t-il en lançant un volume sur la table.

Les jeunes diplômés sursautent, il s'agit de *Paroles d'un révolté* de Kropotkine! Bien qu'ils se soient montrés des élèves modèles, certains ont tâté le plus discrètement possible du libéralisme, ils ont fréquenté des cellules, des loges où l'on ne parlait que de cet ouvrage. Son auteur a été arrêté, mais il a réussi à s'enfuir de Russie pour se réfugier en Suisse où il publie une revue anarchiste. Bien entendu, son livre est interdit sur tout le territoire de l'empire, sous peine de prison...

— Figurez-vous que j'ai connu l'auteur il y a bien longtemps, lorsqu'il portait son titre de prince et qu'il était page à la Cour...

Et le dîner se poursuit, qui bientôt dégénère en beuverie. Sur un signal de Nicolas, les valets se retirent. Il recommande à ses invités de se servir eux-mêmes. Lui-même multiplie les libations, et soudain pose si violemment son verre sur la table qu'il se casse.

— Dites-le-moi franchement. Est-ce que je ne serais pas mieux sur le trône impérial que Nicolas II qui avec ses tout petits pieds tâche de chausser les grandes bottes de nos ancêtres?

Les jeunes diplômés se figent dans le silence, à la fois horrifiés et ravis d'un tel sacrilège. Nicolas sort de sa poche deux revolvers qu'il jette sur la table.

— Si vous ne me répondez pas, je vais m'en servir... Est-ce que oui ou non, je peux prétendre légitimement au trône?

Quelques murmures se font entendre, des «oui» timides mêlés à des «je ne sais pas».

Nicolas se lève et saisit une bouteille de champagne.

— Plus fort ou je vous la casse sur la tête!

Il paraît menaçant, fou. Les jeunes diplômés sont terrifiés.

Devant leur expression, Nicolas éclate de rire. Il ramasse sa chaise et se rassied.

— Allez, finissez votre verre et partez vous coucher. J'imagine que demain vous devez vous lever tôt.

Il les raccompagne lui-même, leur fait traverser son palais endormi et referme la porte sur eux.

Les jeunes gens sont encore trop frappés pour libérer leurs commentaires. Ils étaient pressés de partir mais, en même temps, chacun dans le secret de son âme est devenu le partisan inconditionnel du grand sultan du Turkestan. Ce qui ne les empêche pas le lendemain de répéter mot pour mot les propos de leur hôte à leurs supérieurs. Et ceux-ci de noircir hâtivement des pages : Son Altesse Impériale se pose en prétendant au trône... Son Altesse Impériale se cherche des partisans dans l'intention de renverser Sa Majesté et de prendre sa place...

18

« *Je suis bien touché de vos prières, ma chère mama, vous êtes bien bonne de demander à Dieu de donner à votre cher Nicolas une bonne santé et de lui souhaiter de commencer son second cinquantenaire dans de meilleures conditions.* »

Avec l'arrivée du XXᵉ siècle, Nicolas a atteint ses cinquante ans, et pour la première fois depuis son arrestation, vingt-six ans plus tôt, sa mère lui témoigne quelque tendresse et lui envoie ses vœux. Malgré ce geste, Nicolas devine qu'elle lui en veut toujours. Aussi ajoute-t-il : « *Il est impossible de me faire des reproches que je ne mérite pas. J'ai toujours essayé de me bien comporter, en dépit des humiliations...* »

Hélas, ses propos provocants pendant le dîner offert aux jeunes diplômés ont déchaîné une nouvelle colère. Par ordre supérieur, ses travaux d'irrigation sont arrêtés. Et interdiction lui est notifiée d'en entreprendre d'autres.

Cette fois-ci, impossible de passer outre, il est bien condamné à l'oisiveté. De plus, il se retrouve seul. Les deux fils qu'il a eus de Nadedja, Artemi et Alexandre, ont été autorisés, à sa demande, à poursuivre leurs études à Saint-Pétersbourg, prétexte pour leur mère à se rendre de plus en plus souvent dans la capitale. Là-bas au moins, elle peut oublier sa muflerie et ne plus être condamnée à voir chaque soir sa rivale la Cosaque trôner à côté de lui ! Ce qu'elle ignore, c'est que Nicolas est en train de se détacher de sa « seconde épouse ». Il a cinquante ans, il est découragé, et il se dit qu'il a raté sa vie.

En ce début de l'année 1900, l'Unité spéciale de la police, autrement dit les espions chargés de surveiller le grand-duc, arrête un curé de campagne. Ils l'interrogent, le pressent avec les méthodes qui leur ont valu leur réputation, et parviennent à lui extorquer la déposition suivante :

« Mon nom est Alexis Suridof. Je suis curé dans le village de Kaufmanovsky de la région de Tachkent. J'ai trente ans. Le 27 ou 28 février, j'ai reçu la visite d'un étranger, un homme très grand qui est au service de Son Altesse Impériale et qui m'a dit sans explication que l'on attendait ma visite au palais.

« Pardon… j'ai fait une erreur. Je n'ai pas reçu cette visite le 28 février, mais deux ou trois jours plus tôt. Le 28 donc, je me rendis à cheval à Tachkent.

« Au coin du palais, le même serviteur m'attendait qui me fit entrer et m'accompagna dans une pièce du premier étage. Il y avait beaucoup d'icônes sur les murs. Son Altesse Impériale était seule. Il me pria de prendre un siège, puis commença par me dire que depuis des années il ne vivait plus avec son épouse et qu'il désirait faire le bonheur d'une jeune fille, nommée Valeria Chmeliniskaya…

« C'était l'heure du déjeuner. Son Altesse Impériale fit servir du cognac et aussi de la viande de mouton. Ensuite, il me demanda si je pouvais consacrer son mariage avec Valeria. Je refusai, arguant que je ne pouvais procéder à un tel sacrement sans la permission du tsar.

«Alors il me demanda si au moins je pouvais les bénir… J'acceptai. Il envoya chercher Mlle Valeria Chmeliniskaya, qui arriva avec sa mère. Les anneaux étaient prêts. Je dis à Son Altesse Impériale et à sa fiancée qu'ils pouvaient les échanger, et je les bénis en disant "Dieu vous bénisse". Je ne lus aucune prière pendant cette cérémonie.

«Une semaine après ces fiançailles, c'était un samedi, je reçus au village la visite d'un certain Paul Petrovitch Melinovsky. Il tâcha de me convaincre de venir consacrer le mariage de Son Altesse Impériale. Si j'acceptais, il me promettait en son nom de m'obtenir une cure beaucoup plus importante. Puis il m'invita à partager son repas, et pour parler franchement je m'enivrai considérablement.

«Deux jours plus tard, le lundi, je me rendis à nouveau en ville, le soir venu. Je rencontrais M. Melinovsky et nous entrâmes dans le palais par l'entrée principale. Son Altesse Impériale nous conduisit à travers un jardin d'hiver vers une pièce écartée où une table avait été dressée. Mlle Chmeliniskaya, toute habillée de blanc, et sa mère nous y attendaient.

«Je n'avais rien pris avec moi, ni ornements, ni couronnes nuptiales, ni croix. Son Altesse Impériale eut l'air mécontente, et j'écrivis immédiatement un billet à un collègue, le père Pierre, le priant de m'envoyer tel ou tel objet de culte, expliquant qu'il s'agissait de rendre service à un mourant. M. Melinovsky se rendit lui-même auprès du père Pierre, et peu après revenait avec les articles demandés. Il les a déposés sur la table qui devait servir d'autel, j'ai endossé les ornements, nous avons allumé les bougies et j'ai commencé la cérémonie.

«Je récitai les prières sacramentelles, je pris les mains du couple dans les miennes et leur fis faire trois fois le tour de l'autel. Je leur donnai la communion dans le calice. Après la cérémonie, du champagne a été servi et nous avons bu à la santé du couple. Ensuite, Mme Chmeliniskaya, M. Melinovsky et moi-même sommes partis. Valeria est restée avec le grand-duc dans le palais.

« Réfléchissant à ce que j'avais fait, je ne me suis pas senti bien. L'acte principal du mariage consiste en ces trois tours qu'effectuent autour de la table les mariés portant les couronnes nuptiales. Or, nous n'avions aucune couronne, et je ne peux donc affirmer que j'aie consacré le mariage de façon canonique. J'ai procédé à cette cérémonie comme à une comédie pour plaire à Son Altesse Impériale dont je ne pouvais rejeter la demande.

« Je dois aussi avouer que, avant ladite cérémonie, M. Melinovsky m'avait demandé de le suivre dans une autre pièce où il m'avait donné plusieurs verres de cognac, avec pour résultat que ma tête n'était pas très claire. De plus, je fais remarquer que Son Altesse Impériale m'a menacé en déposant deux revolvers chargés sur l'autel. Quand l'acte de mariage a été signé ? Je ne m'en souviens pas très bien, et je ne peux être certain d'avoir apposé ma signature sur un quelconque document. Je pense que j'étais tellement ivre à ce moment que je ne me rappelle plus rien. »

Valeria Chmeliniskaya est une lycéenne de quinze ans. Son père, éthylique notoire, a abandonné femme et enfants. Sa mère est la fille d'un maître d'école juif de Minsk. Vivant dans un modeste appartement en dehors de Tachkent, elle a élevé toute seule ses trois filles. Malgré son jeune âge, Valeria l'aînée est déjà connue pour être une beauté accomplie. Blonde, de grands yeux bleus innocents éclairant un visage mutin, un corps épanoui à la grâce printanière, elle n'est pas sans rappeler Fanny Lear... L'ayant remarquée dans la rue, Nicolas a aussitôt dépêché un homme de confiance auprès de la mère pour qu'elle l'autorise, contre espèces sonnantes et trébuchantes, à rencontrer sa fille dans l'intimité.

Le bon pope ne mentionne pas qu'on lui a promis trente mille roubles. La mariée, elle, a reçu sur son compte cent mille roubles qu'elle touchera à sa majorité. Avec la mère, le marchandage a été serré, elle demandait beaucoup. On a transigé à cinquante mille roubles.

Bien avant la police secrète, toute la ville est au courant et bruit de rumeurs. Les plus excitées sont évidemment les camarades de classe de la mariée, et ces innocentes répandent les anecdotes les plus croustillantes. Apparemment, le grand-duc était tout aussi amoureux d'une sœur de Valeria et ne pouvait décider laquelle il voulait épouser. Aussi a-t-il exigé de les voir toutes les deux nues, et la mère Chmeliniskaya a accepté de montrer ses deux filles dans le plus simple appareil ! Ayant choisi Valeria, le grand-duc a exigé qu'elle ne fréquente plus l'école. La mère a protesté. Le grand-duc a dû lui-même écrire une lettre au directeur de l'école. Il a aussi voulu que le frère de Valeria quitte l'école parce qu'il avait été un témoin du mariage. Devant le tohu-bohu déchaîné par cette affaire, la tribu Chmeliniskaya prend les choses avec philosophie, répétant : « Il est grand-duc et il nous a promis cinquante mille roubles ! » Quant à Nicolas, il baigne dans le bonheur. Plus de problème de la cinquantaine, Valeria remplit toutes ses journées et toutes ses nuits, il est amoureux comme un gamin.

Au palais d'Hiver, l'empereur Nicolas II préside un Conseil de famille exceptionnel en présence du ministre de la Cour impériale, le baron Frederiks, et du ministre de l'Intérieur. Il est loin le temps où Alexandre III faisait taire tout le monde par sa voix puissante et par la force de son poing qui s'abattait sur la table. Désormais, entre les frères du défunt, c'est à qui criera le plus pour imposer sa volonté à leur faible neveu le tsar. L'oncle Vladimir aux rouflaquettes immenses, l'oncle Serge maigre comme un balai, l'oncle Alexi gros et nerveux, tous exigent un châtiment exemplaire contre leur cousin.

— Jamais notre famille n'a connu un scandale pareil! Une bigamie!

Il est loin également le temps où le père de Nicolas, le grand-duc Constantin, d'une voix de stentor et avec un vocabulaire ordurier contrait ses adversaires. Son second fils, Constantin Konstantinovitch, est un artiste, un poète... Il ne fait pas le poids face à ses cousins déchaînés, et ses protestations ne sont pas écoutées :

— Mais il n'est pas bigame puisque c'est la famille elle-même qui a obtenu la dissolution de son mariage.

— C'est oublié! Depuis le temps, il est aux yeux du monde l'époux de Nadedja von Dreyer.

Timidement, Nicolas II propose d'envoyer une personnalité de confiance examiner sur place la situation. Ce sera l'amiral Koznakov, imposé par le grand-duc Vladimir. Constantin réussit à persuader cousins et neveux d'adjoindre au moins à l'amiral deux aliénistes renommés pour leur tolérance, les professeurs Harding et Rozenbach.

La commission met onze jours pour atteindre Tachkent. L'amiral Koznakov s'installe chez le gouverneur général et commence à mener son enquête en interrogeant sans relâche les autorités, les membres de la Secrète, les surveillants, les médecins.

Les deux aliénistes préfèrent rencontrer d'abord le « patient », ils se présentent donc au palais de Nicolas. Tous deux sont frappés non seulement par le luxe de la demeure qui avait tant impressionné les jeunes diplômés mais par la qualité artistique des meubles, des objets d'art, des tableaux, des sculptures. Dans le salon rouge, ils tombent en arrêt devant une extraordinaire série de porcelaines de Chine puis, dans la galerie, devant des antiquités romaines. Aussi sont-ils saisis par le contraste entre la valeur des collections et le cadre où le « patient » choisit de les recevoir.

Celui-ci se tient en effet dans une petite chambre dépourvue de meubles, au plafond bas, située sous les combles du palais. Il n'y a pas de lit non plus et les aliénistes trouvent son Altesse Impériale étendue sur un étroit matelas jeté à même le sol. Comme il le leur confie lui-même, il y passe la plus grande partie de sa journée. D'ailleurs, il n'a pas pris la peine de s'habiller et il ne porte que ses sous-vêtements pour les recevoir. À côté du matelas, des mégots, des allumettes brûlées jonchent le sol. Une grande bouteille de cognac et des verres à moitié pleins sont disposés ici et là. Ils ne savent où mettre les pieds car huit chiens cohabitent avec leur maître et restent la plupart du temps étendus à ses côtés.

Les aliénistes remarquent que le grand-duc s'est fait raser le crâne, la poitrine, les bras et les jambes. Devant leur étonnement, Nicolas leur explique que c'est là une coutume acquise dans la steppe et utilisée à cause de la poussière, pour éviter qu'elle ne se colle au corps par les poils. Pourquoi Son Altesse Impériale reste-t-elle la plupart du temps étendue sur son matelas sans rien faire ?

— Tout simplement, messieurs, parce qu'on m'interdit désormais de poursuivre mes travaux d'irrigation.

Les aliénistes ont décidé qu'avant de se prononcer, ils observeraient à loisir le grand-duc. Ils lui demandent la permission de revenir.

Le lendemain, ils sont introduits dans la bibliothèque. Ils

trouvent Nicolas fraîchement rasé, parfumé, vêtu avec recherche, chemise et bottes rouges, pantalon noir. En grand seigneur, il leur offre des fruits, du thé, du vin, lui-même se contentant de quelques gâteaux secs au cumin et de deux ou trois verres de champagne. Au cours des nombreux entretiens qu'ils auront avec lui, les aliénistes le verront parfois remplacer le champagne par du thé au rhum. « Nous devons souligner que nous n'avons jamais vu le grand-duc ivre. Ou alors très rarement, lorsque la soirée se prolongeait, il avait tendance à boire un tout petit peu trop pour le lendemain s'excuser auprès de nous et faire dire qu'il ne pourrait pas nous recevoir parce qu'il ne se sentait pas bien. »

Nicolas les reçoit tantôt en clochard dans son taudis, tantôt en grand-duc dans sa bibliothèque. Les aliénistes commencent par lui faire évoquer les sujets les plus divers. Sur la géographie et l'histoire du Turkestan, la politique interne russe, la situation internationale, il manifeste des connaissances extraordinaires et exprime des opinions d'une intelligence éblouissante.

Quant à l'irrigation, son dada, les aliénistes remarquent qu'il est certainement le plus grand expert de tout l'empire sur le sujet ; en particulier, sur l'irrigation de l'Asie centrale, il est dix fois mieux informé que tous les ministres de l'Agriculture ! Nicolas les emmène visiter les régions qu'il a rendu fertiles, les villages qu'il a créés, et les deux aliénistes d'indiquer dans leurs rapports : « À travailler et à vivre dans la steppe, Son Altesse Impériale est devenue très proche des ouvriers, des immigrants et en général des gens les plus simples. Il a établi des liens privilégiés avec eux. Il sait les bien traiter, il leur a construit des maisons, leur a donné leurs terres. Aussi l'ont-ils surnommé "le tsar de la steppe affamée" et est-il extrêmement populaire parmi eux. »

Passant le plus de temps possible avec leur « patient », ils notent une certaine régularité dans l'irrégularité de sa vie. Tard le soir, le grand-duc quitte son palais pour aller chercher Valeria Chmeliniskaya, qu'il garde dans son taudis jusqu'au matin. Entre-temps, Nadedja Alexandrovna von Dreyer Iskander est revenue de Saint-Pétersbourg, elle habite le palais mais ne voit son « époux » qu'après dîner. Enfin il y a aussi Darya Eliseievna, que Nicolas a coutume d'inviter dans l'après-midi pour une courte visite.

Les aliénistes s'enhardissent jusqu'à interroger Nicolas sur Valeria, et celui-ci leur répond en toute franchise :

— Il n'y a aucun mal à avoir une liaison avec une nouvelle femme. J'ai hérité de cette qualité — Nicolas esquisse son sourire le plus charmeur — ou plutôt j'ai hérité de ce problème de mes ancêtres. C'est une pratique répandue chez les princes du monde entier depuis des siècles.

— Mais, Altesse Impériale, il y a Nadedja Alexandrovna...

— Évidemment, elle ne veut pas être la vieille épouse quand il y en a une jeune dans la place !

— Le mieux ne serait-il pas que Nadedja Alexandrovna quitte Tachkent et s'installe dans une autre ville ?

— Pourquoi en fin de compte ne m'aideriez-vous pas à partir avec Nadedja à l'étranger pour un long voyage, en France, en Égypte, peut-être en Amérique ? Je resterais loin d'ici, le temps que les rumeurs et l'agitation se calment, et ensuite je serais enchanté de revenir à Tachkent.

— Votre Altesse Impériale pourrait en profiter pour étudier de nouveaux systèmes d'irrigation. On dit grand bien de ceux que les Américains ont mis au point.

Nicolas flaire le piège et réplique d'un ton sans appel :

— Je veux bien partir à l'étranger avec Nadedja, mais Valeria ne devra être expulsée de Tachkent sous aucun prétexte. Elle y est, elle doit y rester jusqu'à sa mort!

Au fil des jours, les deux aliénistes se sont pris de sympathie pour Nicolas qu'ils finissent, malgré ses extravagances, par ne pas trouver si fou que ça. Aussi sont-ils partagés entre la nécessité de ménager leur avenir (on veut que Nicolas soit fou, il faut donc qu'il le soit!) et leur désir d'éviter des mesures trop cruelles à un homme qui ne les mérite pas.

Leur conclusion trahit cette ambiguïté: «Son Altesse Impériale est définitivement atteinte d'une insanité morale qui peut être assimilée à un cas de folie. À cause de cette maladie, le grand-duc ne peut jouir d'une totale liberté. Cependant, il est préférable qu'il continue de vivre au Turkestan et qu'on le laisse poursuivre ses travaux d'irrigation.»

C'est oublier le chef de mission, l'amiral Koznakov qui, sans prendre la peine d'écouter Nicolas, s'est forgé une opinion bien différente. Il a déjà destitué le curé qui, entre une bouteille de cognac et deux revolvers, a donné la bénédiction nuptiale. Et un matin à l'aube, sur ses instructions, les policiers de la Secrète, profitant de ce que Valeria n'a pas passé la nuit au palais de Nicolas, viennent l'arrêter chez sa mère où elle réside, lui donnent à peine le temps de s'habiller et de ramasser quelques effets avant de la mettre sous bonne garde dans un train. Elle est expédiée à Tiflis, en Géorgie, avec interdiction absolu de remettre les pieds à Tachkent.

Puis Koznakov nomme auprès de Nicolas un nouveau surveillant, un geôlier vaudrait-il mieux dire, le général Gestov, qu'il choisit pour sa «fermeté». Celui-ci commence bien. Il soudoie la moitié des domestiques de Nicolas pour l'espionner, le fait suivre dans les rues par deux soldats, et lui interdit de s'éloigner de Tachkent.

«*Je me sens comme une bête de cirque dont il est permis de se moquer»*, conclut Nicolas, qui invente une parade inédite. Il écrit à l'empereur Nicolas II et lui demande de lui retirer son titre de grand-duc. Il n'appartiendra plus à la famille impériale, pourra ainsi vivre comme un simple citoyen et faire ce qu'il veut. Nicolas II ne prend même pas la peine de répondre.

En désespoir de cause, il écrit à son frère Constantin :

« J'avais bien le droit d'épouser Valeria, puisque mon mariage avec Nadedja n'a pas été reconnu comme légal par le Saint-Synode. Valeria s'est compromise avec moi et cependant, malgré mon amour pour elle, je n'ai pas cru avoir le droit moral de l'épouser, par respect pour Nadedja. Aussi me suis-je contenté de m'engager par serment avec elle devant un prêtre. Cela me suffit cependant pour la considérer comme ma femme. Je te demande de m'aider à la faire revenir aussi vite que possible car elle a des problèmes, des douleurs dans la poitrine, peut-être la phtisie, et j'ai peur que le sévère climat de Tiflis ne soit pas bon pour elle. De plus, elle est enceinte de moi... »

Mais le grand-duc Constantin ne peut rien.

Au fil des semaines, Nicolas émerge de sa réclusion volontaire. Gestov note qu'il se rend de plus en plus souvent au club de la ville, au théâtre, dans les restaurants, mais surtout il enregistre avec un soulagement intense que Darya la Cosaque est de nouveau convoquée au palais de Nicolas et qu'elle y passe plusieurs nuits. Gestov se rassure, Valeria sera vite oubliée.

À des milliers de kilomètres, à Tiflis, Valeria, que sa mère et ses sœurs ont rejointe, est gardée nuit et jour par la police secrète dans un petit appartement de la rue Kadiaski, et pourtant les amants parviennent à correspondre. En chemin pour l'exil, Valeria a voyagé avec un marin nommé Libidif qui s'est ému de son sort et de la brutalité de ses gardes. Il s'est chargé de porter ses lettres. De son côté, Nicolas garde quelques fidèles dont un certain Ivan Afamassiv qui accepte d'achemi-ner sa correspondance secrète. Les deux messagers de l'amour utilisent les bons offices de la Compagnie maritime Kaskas et Mercouri qui transporte les lettres d'une rive à l'autre de la mer Caspienne.

« *Toute ma vie n'appartient qu'à toi*, écrit Nicolas à Valeria, *et mon seul souhait est de pouvoir te dire que je ne reculerai devant rien pour toi, je sauterai tous les obstacles, ma très chère princesse, de façon à ne jamais être séparé de toi de nouveau. Et quelque sérieux que soient ces obstacles constitués par les gardiens, les méde-cins et autres crapules, nous serons de nouveau réunis... Je t'aime, je t'adore plus que n'importe qui et je ne peux pas vivre sans toi... Ton docteur Nicolas.* »

Un beau jour, Afamassiv arrive à Tiflis et fait parvenir à Valeria un costume national de femme géorgienne. On avait pensé d'abord la déguiser en jeune garçon, mais Nicolas crai-gnait qu'elle ne se fît trop remarquer. Valeria endosse donc cette tenue et obscurcit ses cheveux blonds avec la teinture apportée par Afamassiv. Sur les conseils écrits de Nicolas, elle ajoute des lunettes aux verres teintés et un grand mouchoir à carreaux qu'elle tient sur ses joues, comme si elle avait une rage de dents. Tout est prêt. La mère et la sœur de Valeria quittent l'appartement. Deux agents de la police secrète leur emboîtent le pas. Peu après, Valeria sort dans la rue.

Elle emprunte un fiacre jusqu'à la gare où elle doit retrou-ver Afamassiv. Or celui-ci, inexplicablement, n'est pas là. Vale-ria, tremblante de peur, prend seule le train pour Bakou. Par-venue au port, elle réussit à trouver l'*Alexei*, le navire où l'attendait le marin Libidif. Mais à peine le navire s'est-il éloi-gné de la côte que son sauveur, ivre mort, essaie d'attenter à sa pudeur. Malgré les apparences, elle trouve la force de résister. On atteint l'autre rive de la mer Caspienne au port de Kristnavosk.

Au moment de débarquer, Libidif aperçoit des policiers sur le quai et interdit à Valeria de bouger. Il descend lui acheter au bazar un costume de femme tartare, puis ayant trouvé à l'arrière du navire une petite porte utilisée par l'équipage, il la fait descendre. Il l'aide à passer, ainsi déguisée, les barrages de police et la met dans le train pour Tachkent. Des heures durant, le convoi roule à travers la plaine monotone, puis fait un arrêt inopiné en gare de Samarkand. Le quai grouille d'hommes en civil qui vont et viennent et regardent avec insistance à l'intérieur des wagons.

C'est ainsi que le gendarme Anisiniakovlef monte dans le wagon, entre dans le compartiment et demande à Valeria son passeport. Celui-ci est établi au nom d'Elisabeth Chmeliniskaya, quarante-cinq ans. Cet âge, le tendron que le gendarme a devant lui ne l'a certainement pas atteint ! Il donne l'alerte. La véritable identité de Valeria est rapidement découverte, elle est arrêtée.

À Samarkand même, on lui fait subir un examen médical complet. Les médecins ne sont pas longs à reconnaître qu'elle n'est ni enceinte, ni atteinte de tuberculose. Elle est ramenée à Tiflis et retrouve son appartement prison. Des enquêteurs spécialement délégués viennent l'y interroger sans relâche sur sa fuite, sur ses complices. Ils la forcent à leur remettre l'acte de mariage, légal ou non, qui l'unit à Nicolas, ainsi que la promesse signée par celui-ci de lui verser cent mille roubles à sa majorité. Peu après, d'autres policiers se présentent dans l'appartement de la rue Kadiaski et embarquent Valeria, sa mère et ses sœurs, pour une destination inconnue.

De ce jour, Nicolas n'aura plus jamais aucune nouvelle

d'elle. Aucun document de police ne mentionnant son transfert, la trace de Valeria se perd définitivement.

Depuis la tentative de fuite de Valeria, ses relations avec Gestov se sont nettement refroidies. Le « surveillant général » continue à habiter au palais pour mieux le surveiller.

Cette nuit-là, le général dort du sommeil du juste lorsque la porte de sa chambre vole en éclats. Surgit le grand-duc, visiblement ivre. Approchant la main de sa poche, il montre qu'elle contient un revolver.

— Soit vous quittez Tachkent par le premier train, soit je me tue devant vous… Répondez immédiatement ! hurle Nicolas en sortant son arme.

Gestov mal réveillé bondit hors de son lit, prend les mains de Nicolas dans les siennes et lui demande de se calmer et d'accepter la volonté du tsar.

— Je n'accepte pas la volonté du tsar ! rugit Nicolas encore plus fort.

Gestov l'admoneste aussi doucement qu'il peut… Demain il regrettera ses paroles, il en rougira même. Soudain Nicolas paraît se calmer, sa nervosité s'apaise :

— Vous avez raison, la personnalité du tsar est sacrée, je ne parlerai plus de lui désormais.

Ses propos restent embrouillés.

— Vous avez décidé d'être le gardien du Masque de Fer ! Vous remplissez vos devoirs comme on l'a exigé en haut lieu !

Et de répéter avec l'insistance des ivrognes son histoire, ses mariages, ses récriminations, ce discours n'ayant qu'un but, un nom, une conclusion, Valeria :

— Rendez-la moi au nom de Dieu !

Il a dû continuer à boire le restant de la nuit, car le matin il n'a toujours pas dessaoulé.

Chaque jour, le parc, le vestibule de son palais sont encombrés de sa clientèle, des Cosaques, des indigènes, des colons dont il a peuplé ses villages. Ils viennent lui apporter de modestes présents, solliciter son intervention, demander son aide ou tout simplement le saluer. Ce matin-là, ils sont plus nombreux que d'habitude. Nicolas apparaît et, du haut des marches de marbre du perron, il harangue ses fidèles d'une voix pâteuse mais qui porte loin :

— Marchons sur la capitale et renversons le tsar !

Il ne propose pas moins que de les enrôler, eux et leurs milliers de camarades, et avec eux les jeunes fonctionnaires, les soldats qui sont dégoûtés de la tyrannie. Nicolas se prend-il pour Pougatchev, ce moujik qui assurait être le tsar Pierre III miraculeusement ressuscité et qui souleva la moitié de la Russie contre Catherine II ? Ces temps héroïques sont passés depuis longtemps. Cosaques et indigènes baissent la tête, se détournent de l'orateur et lentement se dispersent. Mais le discours n'est pas passé inaperçu.

Nicolas est aussitôt mis aux arrêts, il lui est interdit de communiquer avec qui que ce soit. Gestov pense même le transférer à l'autre bout de l'empire, en Courlande, dans les États baltes, mais en attendant on l'expédie au plus vite à Tver, un centre important au nord-ouest de Moscou, sur la voie qui relie les deux capitales. Il est provisoirement logé au palais du gouverneur.

À peine arrêté, il tombe malade. Des maux de tête le terrassent, la fièvre le brûle et, dans son délire, il répète le prénom de Valeria. Il est si profondément atteint qu'on choisit momentanément pour lui un climat plus bienveillant. Va-t-on recommencer à le trimbaler d'un endroit à l'autre à coup de milliers de kilomètres, en train, en voiture, en bateau ? Trois ans durant, on l'avait fait errer d'un bout à l'autre de l'empire, mais il avait vingt-cinq ans alors, il en a le double désormais…

C'est un grand malade qui arrive en Crimée. Cette fois, on ne lui permet pas d'habiter dans une des propriétés familiales, on l'assigne à résidence à Balaklava, un bourg voisin de Sébastopol rendu célèbre par la bataille qui s'y est déroulée un demi-siècle plus tôt entre les Russes et les alliés. Il est l'hôte forcé d'un certain Swingman qui y possède une propriété.

Un an se passe dans le silence et la solitude totale. Mais au moins le laisse-t-on tranquille et peut-on espérer que le climat méditerranéen de la Crimée lui fasse du bien.

Au bout de ce laps de temps, on autorise Nadedja Alexandrovna à le rejoindre. Entre-temps, elle-même est restée seule, elle a réfléchi, et elle a pardonné. La Cosaque et ses trois petits bâtards, Valeria et sa passion furieuse, les autres plus épisodiques et moins connues, sont oubliées.

En le rejoignant, elle s'attendait à trouver un malade diminué ou un fou furieux. À sa surprise, Nicolas se présente à elle parfaitement calme, très maître de lui, et Nadedja de répéter aux surveillants et autres espions qu'il lui paraît plus sain d'esprit qu'il n'a jamais été. Mais elle sait, elle sent qu'il est brisé et qu'il ne se remettra pas facilement de la séparation brutale d'avec Valeria. Alors, avec toute son abnégation, elle se met à l'ouvrage pour lui rendre le moral.

Elle décide de l'occuper. Chaque soir, ils sont autorisés à sortir après le dîner en voiture. Elle commence par lui faire remarquer un ou deux chiens faméliques qui errent au bord de la route. Nicolas leur jette de la nourriture, avec pour résultat que le nombre de chiens se multiplie chaque jour. Bientôt les provisions emportées ne suffisent plus, les chiens suivent la voiture jusqu'à la maison. Nicolas donne instructions à ses cuisiniers de leur préparer des repas. Très rapidement, c'est un asile entier de chiens sans domicile qu'il héberge !

De là, Nadedja passe aux enfants sans foyer. Ils sont encore

plus nombreux que les canidés affamés. Par légions, ils men-
dient autour des églises dans les villages. Nadedja encourage
Nicolas à ouvrir une soupe populaire. Le succès est immédiat.
Les petits miséreux affluent, jusqu'à ce que la police secrète
intervienne pour fermer le centre d'accueil. Trop populaire !
Nadedja passe son temps à écrire pour obtenir sa réouverture
ou quelque allégement au régime de Nicolas.

Cependant, le principal est atteint, elle et Nicolas se sont
enfin rapprochés. Ce n'est pas le bonheur, loin de là, mais malgré les contraintes qui l'entravent, Nicolas apprécie la douceur
qui émane de Nadedja et qu'il croyait ne plus jamais connaître.

19

En cet après-midi de juin 1903, tous deux sont partis se promener. La voiture monte et descend au milieu des vignes du paysage moutonneux. Ils traversent des étendues de vergers aux fruits verts alternant avec des champs de fleurs qui, bientôt coupées, partiront par le train jusqu'à Saint-Pétersbourg.

Lorsque la voiture longe la falaise qui domine la mer, Nicolas fait arrêter. Il descend et, debout devant l'abîme, il regarde longuement la mer Noire, si calme en ce moment alors que de brusques et imprévisibles tempêtes peuvent la rendre terrifiante. Nadedja l'a rejoint mais, respectant son silence, elle le laisse se perdre dans ses pensées.

Un point grandit à l'horizon, qui s'approche et se révèle être un navire blanc aux lignes fines et élancées.

— Certainement un yacht privé. Laisse-moi imaginer, Nadedja, il vient pour nous chercher, il va ancrer au bas de la falaise. Une chaloupe va s'en détacher, nous y monterons pour le rejoindre. Aussitôt il lèvera l'ancre et nous emmènera loin, très loin, toi et moi... Nous franchirons le Bosphore, nous voguerons en Méditerranée, peut-être pousserons-nous jusqu'à Gibraltar et entrerons-nous dans l'Atlantique... Nous pourrions bien pousser jusqu'en Amérique du Sud, ou alors nous ferons le tour de l'Afrique ! Nous irons là où le sort l'a décidé et où nous attend la liberté.

Entre-temps, le yacht blanc a disparu derrière le cap en direction du port de Sébastopol.

Nicolas et Nadedja s'en reviennent mélancoliquement. Bientôt, ils retrouveront la villa où les attendent les aliénistes, les surveillants, les espions.

Ce soir-là, ils s'attardent plus longtemps que de coutume sous la véranda qui entoure la maison, en attendant que le jour achève de mourir. Leur attention est attirée par un petit nuage de poussière qui grandit sur la route. Une voiture roule dans leur direction. À leur étonnement, elle franchit les grilles de la propriété et s'approche de la villa. Qui donc peut venir sans être annoncé alors que toutes les visites sont interdites ?

La voiture s'arrête devant la véranda. En sort une femme vêtue d'un costume de voyage. La stupéfaction, l'émotion clouent un instant Nicolas sur place. C'est sa sœur, Olga, la reine de Grèce ! Il se précipite dans ses bras, et ils s'étreignent. Il s'écarte d'elle et la contemple, incapable de dire un mot. C'est le premier membre de sa famille qu'il revoit après trente ans de séparation... Et c'est Olga.

Elle est maintenant grand-mère mais les ans n'ont rien enlevé à la finesse de sa taille et à l'élégance de son allure. Le visage s'est peut-être épaissi et quelques rides légères sont apparues, mais le regard chaleureux, lumineux, des grands yeux bleus n'a pas changé. Nicolas y lit la tendresse, l'amour.

336

Olga prend dans son sac un face-à-main d'écaille incrusté de son monogramme en diamants, et à travers des verres très épais dévisage à son tour son frère.

— Tu es devenue myope, Olga, comme l'était notre père !

Il prend la main de Nadedja et la présente à sa sœur, qui la relève de sa révérence pour la serrer sur son cœur. D'emblée, Olga manifeste qu'elle la considère comme la femme légitime de son frère.

À son tour, elle présente un grand adolescent en costume marin qui se tient derrière elle :

— Voici Christo, mon dernier-né.

— Mais tes petits-enfants, ses neveux, doivent avoir presque son âge !

La reine rougit.

— Il est arrivé alors que nous ne l'attendions pas…

— Tu veux dire que tu faisais encore l'amour avec ton mari plus de vingt ans après votre mariage ?

— Tais-toi Niki, tu es impossible comme toujours !

Et tous deux éclatent de rire.

Nicolas est tout de même curieux :

— Mais comment as-tu fait pour arriver jusqu'ici ?

— Le yacht de mon mari m'a amenée depuis le Pirée.

— C'était donc ça, le grand navire blanc que nous avons vu passer tout à l'heure.

— À Sébastopol, j'ai faussé compagnie aux agents chargés de notre sécurité. Je n'ai rien dit à la police de mes intentions. J'ai emmené Christo qui mourait d'envie de connaître son oncle, et il n'a pas été difficile de trouver ta villa.

— Vas-tu rester au moins une nuit ?

— Malheureusement pas cette fois-ci, car l'empereur m'a envoyé son train qui nous attend pour nous emmener à Pétersbourg.

Ils se sont installés dans le grand salon de la villa. Nadedja a fait apporter du thé, des gâteaux, des fruits. La reine Olga l'interroge longuement sur leurs fils. Artemi, l'aîné, va sur ses vingt ans...

— Et Alexandre, mon filleul ? J'étais si heureuse que tu me choisisses pour être sa marraine. Je l'ai vu plusieurs fois chez notre frère Constantin. Il te ressemble beaucoup, Niki !

Alexandre a déjà quatorze ans. Grâce à la bienveillance de l'empereur, et certainement grâce à l'intervention de sa marraine, il a reçu l'autorisation de préparer l'École militaire dont son frère va bientôt sortir diplômé.

Nadedja se lève et prend la main de Christo :

— Je vais montrer la maison et le jardin au neveu de Nicolas...

Elle veut tout simplement laisser le frère et la sœur en tête-à-tête.

Olga s'approche de Nicolas, s'assied à côté de lui et pose sa main sur la sienne. Elle l'interroge sur le présent, sur le passé. Et lui, le méfiant, l'écorché, sent tant de sollicitude, tant de désir de compréhension qu'il parle.

Des mauvais traitements, oui, il en a subi, mais ce n'est pas cela le pire :

— Si toi, Olga, tu as réussi à passer les barrages de police pour venir me voir, c'est parce que tu es la reine de Grèce... Mais c'est parce que je suis grand-duc qu'on m'a séparé de Valeria, qu'on a annulé mon mariage avec Nadedja, tout en nous forçant ensuite à cohabiter pour garder les apparences de la respectabilité ! Quant à mes travaux, l'administration a tout fait pour m'empêcher de les poursuivre... Ou bien je suis un membre de la famille impériale et alors qu'on me traite comme tel, ou bien je suis un citoyen comme n'importe quel Russe et qu'on me laisse libre de faire ce que je veux ! Ou je suis fou, et soigné comme il se doit, ou je suis un criminel, et qu'on me juge! Mais tout plutôt que cette ambiguïté dans laquelle on me laisse me ronger depuis trente ans… As-tu jamais su ce qu'est devenue Alexandra Demidova?

— Elle a fini par divorcer et s'est remariée avec un comte Soukamarov Elston. Elle est morte il y a une dizaine d'années, de phtisie. Son mari, un bien brave homme, a adopté les enfants que… qu'elle…

— Tu veux dire mes enfants? J'en suis ravi pour eux.

Nicolas courbe la tête et, sans regarder sa sœur, demande d'une voix sourde:

— Et Valeria? A-t-on des nouvelles?

— Aucune. Personne ne sait où elle se trouve.

Olga voit une larme couler sur la joue de son frère. Elle l'entoure de son bras. Il la repousse doucement et se redresse, son chagrin n'appartient qu'à lui.

Le silence s'étend, ce silence qui règne dans la maison, à croire qu'elle est déserte, et qui domine la campagne alentour tandis que le jour achève de mourir. D'une voix tremblante, Olga pose la question qui l'obsède depuis si longtemps:

— Dis moi, Niki, es-tu coupable du vol des diamants de mama?

— J'appelle cela « l'accident de l'étoile »…

Il hésite un long moment, puis son regard plonge dans celui de sa sœur:

— Oui, j'ai volé.

Nicolas pouvait-il expliquer à sa sœur qu'il était coupable d'un autre vol, celui des icônes… Pouvait-il lui avouer qu'il était peut-être responsable d'un assassinat, celui de leur oncle l'empereur? On le croyait coupable du vol des diamants de l'étoile depuis si longtemps que c'en était devenu une réalité. Tant d'années, tant d'événements, tant d'habitudes avaient recouvert de tant de couches le passé qu'il valait mieux ne pas le remuer. Il aimait trop sa sœur pour la heurter avec la vérité. Elle aurait certainement essayé de comprendre, mais il aurait fallu lui parler pendant des jours et des nuits, il aurait fallu qu'il lui raconte sa vie. Or elle allait partir.

Elle se penche vers lui, l'embrasse.

— Du fond de mon cœur, je te remercie, Niki, pour ta sincérité et pour ta confiance. Depuis longtemps, je t'avais pardonné. Mais aujourd'hui, je t'aime encore plus.

Elle ne peut rester davantage car il lui est impossible de faire attendre le train impérial. Mais elle promet de revenir.

Olga ne reviendra pas en Crimée parce que, grâce à son intervention, Nicolas est ramené à Tachkent. Jamais elle n'aurait pu obtenir du tsar un retour à Saint-Pétersbourg, mais elle a compris que son frère se sentirait mieux dans le cadre où il avait vécu pendant tant d'années, et son neveu Nicolas II lui a gracieusement accordé l'autorisation qu'elle demandait.

Nicolas, accompagné de Nadedja et de leur cortège de médecins et de surveillants, réintègre donc le palais rococo qu'il a pris tant de plaisir à bâtir. Et Tachkent retrouve ainsi son « sultan ».

Le progrès est arrivé jusqu'en Asie centrale, une voie de chemin de fer relie désormais Tachkent au reste de l'empire. Les voyageurs, les touristes, russes ou étrangers, se multiplient. Pour tous, la principale curiosité de la ville, c'est le grand-duc scandaleux, pervers et voleur. Tous demandent à être reçus par lui, et tous sont fascinés. Par son aspect d'abord. Sa maigreur accentuée le rend encore plus grand. Il porte monocle et, hiver comme été, il enfonce un bonnet de fourrure sur son crâne rasé. Le rouge continue à être sa couleur favorite, ses vêtements, les livrées de ses serviteurs, les harnais de ses chevaux sont rouges. Tous les visiteurs sont séduits par son abord, par sa courtoisie raffinée, sa conversation brillante, sa culture immense, ses traits d'esprit irrésistibles, et puis quelle volonté, quelle énergie ! Certains remarquent pourtant des bizarreries, des sarcasmes gênants sur la famille impériale. Provocant, totalement imprévisible, Nicolas continue de susciter les rumeurs les plus invraisemblables. Plein de panache, il réussit à donner le change. En réalité, la surveillance autour de lui s'est accrue, l'espionnage s'est intensifié, sa tutelle financière est devenue totale, et s'il veut faire des achats dans un magasin, un « surveillant » l'accompagne pour régler ses dépenses.

Son Altesse Impériale a décidé de faire un geste pour le village de Kaufmanovsky dont le curé, le père Suridof, a été destitué pour l'avoir « marié » à Valeria. Depuis, les villageois se sentent orphelins et leur église toute neuve, dont ils étaient si fiers, leur paraît aussi triste qu'un tombeau. Nicolas annonce qu'il leur offrira pour les consoler la plus belle icône de la Vierge. Il convoque un moine peintre d'images saintes, l'installe en son palais et lui donne les instructions les plus détaillées pour réaliser sa commande selon son désir. Le moine obtempère et, sous la surveillance quotidienne du grand-duc, exécute un chef-d'œuvre.

Le jour de la remise solennelle de la Sainte Image, tout le village se trouve réuni dans l'église. On a déniché quelques popes des environs qui aspergent les villageois d'eau bénite et les enfument d'encens. Une chorale chante des hymnes. Le grand-duc est présent avec tout son entourage, et les autorités. Les villageois sont au comble du bonheur. On apporte l'icône qui pèse beaucoup car elle est fort grande, et on l'installe sur un lutrin, bien en vue de toute la congrégation. Les popes enlèvent le brocart qui recouvre la Vierge et la dévoilent aux fidèles.

Malgré la sainteté du lieu, les villageois ne peuvent retenir des exclamations d'émerveillement! Le moine peintre n'a lésiné ni sur l'or ni sur les couleurs. Les étoffes les plus somptueuses, les bijoux les plus magnifiques ornent la Mère de Dieu dont le visage fin est rendu avec un réalisme saisissant. Les popes qui généralement froncent les sourcils ont adopté des mines d'enfants ravis. Le village de Kaufmanovsky possède désormais la plus belle icône de la région!

Placé au premier rang, le chef de la police de Tachkent écarquille les yeux, comme s'il avait vu une apparition non point divine mais satanique. Il bredouille, fait des gestes désordonnés, pointe du doigt la Sainte Image et parvient à articuler:
— Mais... c'est... c'est Sophia Perovskaïa!

Il s'agit bien de la terroriste pendue pour avoir participé à l'assassinat d'Alexandre II et dont Nicolas n'avait jamais oublié les traits! À l'époque, le chef de la police était simple gendarme à Saint-Pétersbourg. Il avait participé à la poursuite des assassins, et c'était son escouade qui avait débusqué Sophia. Lui non plus n'avait jamais oublié son visage...

Les popes prononcent une vague bénédiction puis se réfugient hâtivement derrière l'iconostase. Les autorités se retirent outrées, seuls les villageois raccompagnent avec force démonstrations de respect le grand-duc Nicolas, qui repart dans sa calèche absolument enchanté.

Cependant les villageois ne veulent pas d'ennuis, surtout avec la police. Le soir même, une délégation ramène l'icône au palais de Nicolas, la lui remet sans un mot. Nicolas la fait accrocher dans sa chambre, et il contemple longuement la terroriste sanctifiée par ses soins.

À elle seule, il peut poser la question qui le taraude depuis plus de trente ans: a-t-elle ou non reçu l'argent des icônes volées? Peut-il se considérer comme le financier de l'assassinat de son oncle ? Il lui semble que les lèvres de Sophia esquissent un sourire ironique.

Il ne bougera plus de Tachkent car il est certain que jamais l'empereur ne lui accordera sa grâce. Et il y mourra sans avoir percé son propre secret. Il se sent à nouveau découragé. Il se dit que rien jamais ne progressera, ni dans l'Empire, ni à Tachkent. Lui-même, au milieu de ses mariages, de ses scandales, de ses traits de génie et de ses provocations, ne changera pas. Il est en train de se demander s'il ne ferait pas mieux de se résigner, lorsque l'Histoire brusquement se réveille.

D'abord éclate la guerre russo-japonaise... Les Russes s'y précipitent avec enthousiasme, persuadés qu'ils ne feront qu'une bouchée de ces misérables petits Jaunes ! Ils subissent la plus totale, la plus humiliante des défaites. Nicolas a beau être considéré comme un révolutionnaire, c'est aussi un patriote, un Romanov qui a la Russie dans le sang. Il souffre mais ne peut rien.

La défaite est suivie par des mouvements révolutionnaires qui éclatent partout dans le pays. Grèves, soulèvements, attentats, jacqueries, l'orgueilleux empire se voit paralysé et humilié par le peuple. À Saint-Pétersbourg, on est persuadé que la révolution si souvent annoncée est arrivée. En province, la situation reste comme d'habitude bien plus calme, mais il y a beaucoup d'agitation, des manifestations, des grèves. Les cheminots réussissent à arrêter pendant un temps toute la circulation ferroviaire de la région.

Dans cette révolution, au contraire de la guerre, Nicolas se sent impliqué. Il convoque les cheminots grévistes, les couvre d'amabilités et leur fait construire à ses frais un petit train qui fera le tour de son domaine. Les grévistes s'exécutent avec joie, ravis de satisfaire leur grand-duc chéri. Et lorsque ce chef-d'œuvre est terminé, il le leur fait peindre en rouge. N'est-ce pas sa couleur préférée ?

Puis la révolution de 1905 s'éteint, aussi rapidement, aussi mystérieusement qu'elle s'est allumée, sans que personne ne puisse dire pourquoi. Et la vie reprend. L'empire paraît indestructible, du moins à ceux qui veulent encore y croire.

Bien que la Cour, sous un empereur qui préfère la vie bourgeoise et familiale au faste du pouvoir, soit devenue bien terne, le prestige de la famille impériale demeure intact, avec comme figure emblématique la grande-duchesse Alexandra. Oubliée la jeune épouse un peu folle entourée de voyantes et de guérisseurs, elle s'est transformée en sublime vieille dame. Ses petits-enfants l'adorent, qu'elle couvre de cadeaux, en particulier son préféré, le jeune Christo, le fils cadet de la reine Olga que celle-ci a emmené voir Nicolas en Crimée. Il ne tarit pas sur la tendresse, sur la générosité de cette grand-mère gâteau.

Bien qu'octogénaire, elle se tient toujours très droite. Couronnée de cheveux blancs, habillée avec la dernière élégance, la taille encore fine, elle darde son face-à-main incrusté de diamants sur ceux qui l'approchent. Lors des cérémonies à la Cour, elle paraît descendue d'un portrait ancien. Vêtue de moire d'argent, ruisselante de bijoux, suivie d'une traîne interminable dont elle ne paraît pas sentir le poids, elle peut rester des heures durant debout et immobile. Elle symbolise la solidité de l'empire et personne ne peut imaginer qu'elle disparaîtra un jour.

C'est pourtant ce qu'elle fait après une très courte maladie, en 1911. Elle n'aura pas revu celui qui avait été son fils favori. Et pourtant Nicolas, à plusieurs reprises, l'a suppliée d'accepter une rencontre. Elle n'a jamais répondu.

Dès sa disparition, ses autres enfants se sentent beaucoup plus libres vis-à-vis du réprouvé. Son frère Constantin accepte enfin de le voir. Une tournée militaire le conduit à Tachkent. Dans le train spécial qui l'emmène au cœur de l'Asie centrale, il appréhende l'accueil de Nicolas. Le convoi s'arrête en pleine campagne pour permettre au gouverneur général du Turkestan ainsi qu'aux « surveillants » d'y monter afin de le mettre au courant de l'état d'esprit de son aîné.

Le train entre en gare de Tachkent à neuf heures du soir, il fait encore plein jour en cette soirée d'octobre. Comme le note Constantin, le ciel est très clair et jaune, mais l'air plutôt frais. Garde d'honneur, hymne national, présentation des armes, Constantin est aussitôt conduit au palais de Nicolas.

« J'étais profondément nerveux avant cette entrevue, mais peut-être à cause de la présence de Nadedja, la femme de Nicolas, notre rencontre a été très amicale et sincère. Nous avons passé toute la soirée à bavarder agréablement. ».

Agréablement, sans plus. Nicolas est loin d'éprouver pour Constantin la confiance, l'amour qu'il donne à leur sœur Olga. Et malgré sa gentillesse, son ouverture d'esprit, sa tolérance, le frère cadet a toujours été impressionné par cet étrange personnage, disparu de sa vue alors qu'il était encore très jeune et sur lequel on n'a cessé de lui raconter des horreurs. Cependant Nicolas respecte en Constantin l'artiste, le poète qui par ses traductions et ses écrits s'est fait une immense réputation en Russie.

Constantin ne logera pas chez Nicolas mais ils se verront quotidiennement. Les deux frères prennent le petit déjeuner ensemble, et Nicolas fait visiter son palais. Constantin à son tour l'invite au grand dîner offert par le gouverneur du Turkestan en son honneur, mais Nicolas décline en expliquant très franchement que dans son modeste costume civil, il se sent déplacé parmi tous ces uniformes. En revanche, Constantin convainc sans difficulté Nadedja d'assister au dîner, car il s'est laissé séduire par cette femme belle, modeste, digne, qui en a tellement vu de la part de Nicolas et qui continue à le supporter avec courage et patience.

Nicolas rend visite à Constantin qui lui présente les membres de sa suite. Il se montre aimable et gracieux avec chacun, salue un par un les cadets qui font la haie dans l'escalier. Pour le dernier jour, un *Te Deum* est chanté à la cathédrale, suivi d'une nouvelle revue militaire. Constantin accepte de visiter en grande pompe la maison de retraite que Nicolas a créée en ville. Jusqu'au dernier moment, ils éviteront l'un et l'autre tout sujet épineux et se contenteront d'échanger des banalités sous les regards anxieux des officiels. Le soir venu, Constantin quitte Tachkent.

Peu après la guerre mondiale éclate, presque par surprise. Un des fils de Constantin, le prince Oleg, âgé de vingt-deux ans, est gravement blessé dans une charge de cavalerie qu'il mène courageusement contre l'ennemi. Son père, malgré une santé chancelante, et sa mère accourent à Vilno où il a été transporté. Constantin épingle sur la poitrine de son fils la croix de Saint-Georges, la médaille de la bravoure. C'est la dernière joie du jeune homme qui meurt dans les bras de son père. Il sera le seul membre de la famille impériale à être tué à la guerre. Son père ne s'en remettra pas. Il continuera à décliner et s'éteindra quelques mois plus tard.

Tachkent est loin, et on y sent à peine la guerre. Il y a cependant des restrictions, des réquisitions, des taxes nouvelles, des prix fixes imposés aux agriculteurs, autant de mesures qui irritent la population. La guerre, elle se voit surtout par les milliers de prisonniers allemands expédiés le plus loin possible du front, en Asie centrale, pour être internés dans des camps de fortune. Ils sont une gêne, une charge, et leur présence, elle aussi, irrite les autochtones.

346

Comme à l'accoutumée, les rumeurs les plus pernicieuses se propagent dans les salons sur le grand-duc, qui jouerait à l'espion pour le compte des Allemands en leur livrant des secrets d'État… Une fois de plus, ses « surveillants » ont fait du zèle, au point que le ministre de l'Intérieur, à la lecture de leur rapport, s'émeut et ordonne un supplément d'enquête. Une fois de plus, le gouverneur général du Turkestan, comme ses prédécesseurs, dément ces accusations absurdes. Les adversaires de Nicolas ne désarmeront jamais, tant il est vrai qu'autour d'un personnage aussi déconcertant, le vrai et le faux se mêlent inextricablement.

L'hiver et la guerre ont revêtu Tachkent d'une lourde chape. Le premier a amené un vent glacial et des tornades de pluie, forçant les habitants à se terrer chez eux. La seconde a interrompu les communications, tarissant le flot des visiteurs et des touristes. La guerre rend aussi le ravitaillement de plus en plus difficile et fait fleurir le marché noir.

Atteint de myocardie et de bronchite chronique accompagnée d'emphysème, Nicolas a dû s'aliter pendant des semaines. Nadedja l'a soigné avec dévouement, ne quittant pas son chevet. Mais à peine est-il remis sur pied qu'elle est partie pour Saint-Pétersbourg — rebaptisée Petrograd par réaction antigermanique — car la femme de leur fils Alexandre était près d'accoucher et elle souhaitait assister à la naissance.

Nicolas, encore convalescent, ne sort plus. Il est morose. Lui qui a toujours eu besoin d'un public se sent abandonné. Ses deux fils Artemi et Alexandre se sont engagés. Darya la Cosaque ne l'intéresse plus, et les deux fils qu'ils ont eus ensemble non plus. Seule leur fille, la petite Darya, retient encore son affection. C'est maintenant une grande adolescente, puissamment bâtie. Son véritable don pour la musique a attiré l'attention de son père, qui a engagé un professeur pour lui enseigner le violon. Profitant de l'absence de Nadedja, qui voit d'un fort mauvais œil la nichée de la Cosaque, il la fait souvent venir au palais et lui demande d'exécuter pour lui des sonates anciennes qui meublent sa solitude.

Les événements dramatiques de la guerre se déroulent si loin qu'à Tachkent ils semblent une abstraction, un récit de fiction qu'on lit dans les journaux, sans aucun lien avec la réalité de l'Asie centrale. Pourtant, en ce début de l'année 1917, Nicolas perçoit une sorte d'agitation sourde. À Petrograd, les grèves, les manifestations se multiplient. Tachkent ne bouge pas mais les gens discutent, se groupent, pérorent de plus en plus fort.

Le 2 mars dans l'après-midi, Nicolas qui depuis peu a repris ses sorties fait sa promenade quotidienne en calèche. Il voit soudain des gens courir en tous sens, brandir des journaux, crier des choses qu'il n'entend pas. Il envoie sa fille Darya qui l'accompagne acheter un journal. Depuis la guerre, ce ne sont plus que de minces feuilles d'un très mauvais papier mal imprimé. Il ajuste son monocle et lit en gros caractères : «*Abdication du tsar!*» Il se jette sur les détails. Là-bas, au quartier général, Nicolas II, sous la pression des généraux et des politiciens, a abandonné le trône en faveur de son frère, le grand-duc Michel…

Nicolas donne au cocher l'ordre de faire demi-tour et de rentrer immédiatement. Toute la soirée, les visiteurs vont et viennent pour commenter la nouvelle, solliciter son avis. Les gens sont inquiets. «Que nous réserve demain?» répètent-ils avec cette inquiétude venue de leur histoire mouvementée, chargée de sanglantes tragédies, qui leur a appris à se méfier des changements. On attend anxieusement le lendemain.

C'est le télégraphe qui amène la nouvelle : le grand-duc Michel n'a pas voulu accepter le trône! La monarchie renversée, un gouvernement provisoire a été constitué.

La nuit blanche de Saint-Pétersbourg

Alors, partout, c'est une explosion de joie spontanée! Chez les autochtones, parce que l'empire pour eux, c'était le colonialisme... Chez les colons russes, parce que c'était la police, la censure, l'administration tatillonne, lourde, tyrannique... Chez les fonctionnaires, parce c'était le supérieur, odieux petit dictateur qui leur rendait la vie misérable... Tout le monde descend dans la rue! Ce sont des rires, des chants, des acclamations. La *Marseillaise* retentit pour la première fois dans l'histoire de Tachkent! Le refrain, jusqu'alors interdit comme révolutionnaire, est repris par des dizaines de milliers de voix.

Cette joie naturelle, sincère et générale, Nicolas la partage intensément. Pour lui, la chute de l'empire, c'est la liberté. Plus de tsar, cela signifie plus d'exil, plus de prison! Il n'est plus grand-duc, mais que de fois il a supplié qu'on lui enlève ce titre. Il se retrouve un citoyen comme les autres, ce qu'il a toujours voulu être. Plus de surveillants, plus d'espions, plus de restrictions, plus d'interdictions! Après quarante et un an d'internement sans barreaux, il se retrouve libre d'aller où il veut, de faire, de dire, de penser ce qu'il veut.

La fièvre joyeuse envahit son palais. On vient lui apporter les nouvelles, les vraies comme les fausses. On lui cite les membres du gouvernement provisoire, des noms qu'il ne connaît pas. Si, pourtant, Kerenski, il a déjà entendu ce nom. Kerenski, bien sûr! C'était l'inspecteur général de l'enseignement au Turkestan. Celui qui vient d'être nommé ministre de l'Intérieur du gouvernement provisoire doit être son fils... Il a été élevé au lycée de Tachkent. Nombre d'habitants de la ville se souviennent du garçon. Pas un très bon élève mais un «beau parleur», ça oui. En fait une vieille connaissance! Nicolas décide de lui envoyer un télégramme de félicitations. Quelques jours plus tard, le document est publié dans tous les journaux à travers le pays entier. Pensez donc, un grand-duc qui se réjouit de l'instauration de la République ! Ainsi, même après la chute de l'empire, son titre poursuit Nicolas comme un fantôme chargé de reproches.

Le 10 mars, c'est à Tachkent la fête de la Liberté. Bien qu'officiellement le printemps ne soit pas encore arrivé, il fait ce jour-là merveilleusement beau et presque chaud. Fini, ce long hiver qui a pendant des siècles pesé sur la Russie. Tout le monde participe, défile, tout le monde applaudit. Les soldats de la garnison, les délégations ouvrières, les enfants des écoles et les Asiatiques dans leurs caftans de velours et de brocarts. Le service d'ordre est assuré par des volontaires. Partout des drapeaux rouges, des bannières, des cocardes, des rubans rouges.

À la russe, les discours se succèdent, nombreux et interminables, prononcés par les généraux, les chefs des délégations d'ouvriers, et même par le gouverneur général du Turkestan, Kouropatkine, reliquat de l'empire. Il finit par ce cri, répété par des milliers de voix : « Vive la grande Russie libre ! »

Nicolas est présent, bien en vue, chemise, voiture, livrées et harnais rouges. Après tout, cette révolution, il l'a appelée de tout son cœur. Il regarde avec ébahissement l'enthousiasme de la foule, mais aussi sa maturité qui se manifeste dans l'ordonnance parfaite des défilés. Il a l'impression de découvrir des inconnus.

En quelques jours, les hauts fonctionnaires, les officiers, les policiers gradés se sont évanouis dans la nature, de même que les armoiries impériales, les couronnes et autres emblèmes. Les représentants et les symboles de l'autorité ont été effacés comme par prodige ! Le pouvoir n'existe plus, et pourtant aucun désordre, aucune anarchie, aucune violence. Au contraire, partout la camaraderie, la bonne volonté, l'entraide, le sourire. La ville aussi semble transformée. Comme elle a changé depuis l'époque où Nicolas y est arrivé! C'est désormais une grande agglomération de plus de deux cent mille habitants, les avenues se sont allongées, les bâtiments se sont multipliés. La ville indigène qui naguère occupait les trois quarts de sa surface n'est plus qu'un quartier parmi d'autres. Tachkent est une ville moderne, une ville d'avenir.

L'avenir, tout le monde a ce mot à la bouche. Tout le monde, à commencer par Nicolas, sourit à l'avenir. La république lui permet de réaliser ce rêve qu'il caresse depuis des décennies, revoir la capitale, sa ville, celle qui dans son cœur sera toujours Saint-Pétersbourg, même si elle s'appelle à présent Petrograd.

Tout heureux et tout seul, il prend le train sans rien demander à personne, mais — quelle différence! — plus de salons réservés aux personnalités, plus de sentinelles présentant les armes, plus d'employés des wagons-lits pour ouvrir les portes, et surtout plus de compartiment spécial. Les classes n'existent plus, les wagons sont pris d'assaut par une foule compacte. C'est la première véritable expérience de promiscuité populaire pour Nicolas, rude épreuve pour un grand seigneur de soixante-sept ans jusqu'alors habitué à voir le peuple à distance.

Cependant, la joie de sentir sa liberté lui fait oublier les contingences, par exemple les retards des trains. Il mettra plus d'une semaine pour atteindre Petrograd! Le train s'arrête à chaque gare, souvent pendant des heures. Il fait aussi de nombreux arrêts en rase campagne pour laisser passer des convois qui emmènent de nouvelles recrues au front, ou qui ramènent des blessés à l'arrière. Plus de wagon-restaurant, pour manger il n'y a que ce qu'on peut acheter dans les misérables échoppes des gares. Nicolas fait connaissance avec les papiers gras, les bouteilles sales, les fonds de vodka qui passent de main en main. Impossible de dormir alors qu'on est serré à dix, à douze dans un compartiment. Seul l'épuisement a raison de cet inconfort et lui donne quelques heures d'un demi-sommeil agité.

20

Enfin, le convoi entre en gare de Petrograd. Nicolas n'a pu prévenir de son arrivée, la poste marche mal et les télégrammes, hormis ceux du gouvernement, n'arrivent pas à destination. Personne ne l'attend, il doit encore se battre pour trouver un vieux fiacre. Son itinéraire pour rejoindre l'appartement où vivent les siens lui fait traverser à peu près toute la ville.

Il a baissé la fenêtre poussiéreuse du fiacre et regarde avidement au dehors. Bien sûr, il reconnaît les bâtiments, les monuments, mais c'est l'atmosphère qui a changé. Plus de promeneurs élégants sur la perspective Nevski, la plupart des magasins de luxe gardent leur rideau baissé. Plus d'armoiries impériales sur le fronton des palais de sa famille. Leurs guérites abandonnées, leurs volets fermés, ils semblent déserts. Pourtant, Nicolas hume avec bonheur l'air de sa ville.

Le fiacre avance lentement. Il atteint enfin, loin derrière la forteresse Pierre-et-Paul, le coin de la perspective Kammenosstrovsky et de la rue Bolshoy. Il doit encore porter ses valises à l'étage. Il sonne, c'est Nadedja qui lui ouvre. Son instinct l'avait prévenue.

Il fait la connaissance de la femme d'Alexandre, puis de leur premier enfant, le petit Kyrill qui va sur ses deux ans. On le mène enfin vers le berceau où dort un bébé, âgé de quelques semaines à peine, et il se penche sur sa petite-fille. On lui a réservé la plus belle chambre de l'appartement. Nicolas est entouré, fêté, nourri, abreuvé, et tout de suite sa belle-fille lui demande d'être le parrain de sa fille nouveau-née.

L'Église orthodoxe baptise plusieurs mois après la naissance mais, vu les circonstances, le baptême de la filleule de Nicolas a lieu quelques jours plus tard. L'église du quartier est mal éclairée et à peu près vide. Seules quelques vieilles vont et viennent, s'agenouillent, allument un cierge. Le prêtre paraît pressé, indifférent. Lorsque le parrain lui a donné son nom pour être inscrit au registre, Nicolas Romanov, il n'a pas tiqué. Seule la famille assiste à la cérémonie qui ne dure qu'un petit quart d'heure. Lorsqu'on le déshabille pour le plonger dans les fonts baptismaux, le bébé se met à hurler avec une vigueur insoupçonnée.

— Elle aura du caractère, murmure son grand-père.

Selon l'usage, le prêtre lui demande quel nom il compte donner à sa filleule.

— Je te baptise Natalya…

Les jours suivants, Nicolas refait connaissance avec sa ville. Du matin au soir, il marche dans les rues, le long des canaux. Les lieux familiers, son ancien palais, les balcons de l'appartement de Fanny, ne suscitent en lui aucune nostalgie. Le passé, il n'en veut pas car il est trop douloureux. Il se persuade qu'il a réussi à le balayer pour regarder le monde d'un œil neuf.

Une fois de plus, il tombe amoureux de cette ville qu'il considère à juste titre comme la plus belle du monde. Il a toujours eu le contact facile, il entre dans les cafés, dans les salons de thé, il bavarde avec des inconnus. Effectivement, il y a une atmosphère de liberté qui n'existait pas auparavant. Les gens respirent, soulagés de n'être plus constamment sous surveillance et sous menace d'une dénonciation. Mais par ailleurs la ville est mal entretenue. Les transports n'existent pratiquement plus et les queues s'allongent devant les magasins d'alimentation. Des grèves éclatent pour un oui pour un non, chaque jour défilent des manifestants beuglant, drapeaux rouges en tête.

Nicolas évite de reprendre des contacts. Il se méfie de l'accueil qu'il recevrait mais craint aussi de compromettre ceux qu'il a connus. Il se rend compte que les tenants de l'ancien régime sont désormais des suspects, et que la moindre visite peut alourdir leur dossier.

L'empereur, l'impératrice et leurs enfants sont prisonniers dans le palais Alexandre de Tsarskoïe Selo. Les autres membres de la famille impériale se terrent dans leurs palais ou leurs villégiatures, atterrés d'avoir vu s'écrouler leur monde, terrifiés aussi. Tous vivent chichement, la plupart du temps d'expédients, vendant leurs bijoux au poids. Ils dépendaient pour leur subsistance des revenus versés par les apanages impériaux, disparus dans la révolution. Seul Nicolas, qui a accumulé par ses investissements une fortune personnelle, peut continuer à vivre bien. Il a de l'argent, mais ne peut rien acheter avec... La guerre, puis la révolution, ont ruiné le pays.

Au fil des jours, Nicolas sent sa gêne grandir. Il va pourtant à Pavlovsk où sont réfugiés ses proches. Le château, il le reconnaît bien, mais tout a tellement changé... Plus de gardes, plus de valets, personne pour l'accueillir, les allées naguère ratissées sont envahies d'herbes et les jardins transformés en potager.

Il fait la connaissance de la veuve de son frère, la grande-duchesse Elisabeth Mavrikievna. Mais surtout, il retrouve sa sœur. Olga aussi est veuve, son mari le roi Georges ayant été assassiné dans une rue de Salonique quatre ans plus tôt. Amaigrie, triste, toute de noir vêtue, elle a perdu cette innocence, cette gaieté qui lui donnaient son éclat.

Dès le début de la guerre, elle est venue à Pavlovsk pour y installer un hôpital militaire. Elle se dévoue sans compter pour les blessés, respectée et adorée de tous. Malgré son rejet du passé, Nicolas est horrifié de retrouver le château de son enfance sens dessus dessous. Les meubles, les tableaux, les bibelots précieux ont été mis en caisses alors que des lits d'hôpital s'alignent dans les salons et les galeries. On trouve des blessés de guerre jusque sur les paliers. La nouvelle administration a réquisitionné les appartements de la famille pour y installer des bureaux. La reine Olga et sa belle-sœur ont été reléguées dans des chambres de domestiques au second étage.

Les fenêtres à ras du sol n'offrent qu'un éclairage parcimonieux. Ils s'asseyent tous trois autour d'une lourde table d'acajou. Le service n'est plus assuré que par une jeune paysanne du domaine, Niucha. Elle apporte une épave du passé, un service à thé en argent lourdement frappé de l'aigle bicéphale. Mais le thé n'est plus importé de Londres, il est fabriqué avec des herbes de la région. Plus de sandwiches succulents, plus de petits fours. Du pain noir et une huile plutôt rance...

— C'est tout ce que nous avons, mon pauvre Niki, il n'y a plus ni sucre ni beurre.

Olga peint la situation telle que son frère évitait de la voir, car cette femme éminemment douce sait aussi être lucide.

La nuit blanche de Saint-Pétersbourg

La guerre continue, pompant chaque jour les vies et les réserves de la Russie. L'existence quotidienne devient de plus en plus précaire, avec ses restrictions, ses manques. La famine assiège les villes beaucoup plus efficacement que les Allemands. Le gouvernement provisoire tient à un fil. Kerenski a beau se battre sur tous les fronts, il est menacé, principalement par les bolcheviks. Le pays entier baigne dans l'incertitude du lendemain et chaque jour il glisse un peu plus vers l'anarchie, attiré par ce vieux démon russe qui ressort à chaque crise.

Nicolas se rend compte que sa place n'est pas à Petrograd, où il resterait immanquablement écartelé entre l'ancien régime auquel, aux yeux de tous, il appartient, même s'il ne le veut pas, et le nouveau régime sur lequel ses doutes s'épaississent et qu'il ne pourrait servir, même s'il le voulait, sans se compromettre. Il repartira donc, emmenant les siens avec lui. En Asie centrale, ils seront plus tranquilles et ils auront le temps de voir venir les événements.

De leur côté, la reine Olga et sa belle-sœur savent qu'elles peuvent être expulsées de Pavlovsk à tout moment. Aussi, lorsque Nicolas et sa sœur s'étreignent avant de se séparer, se demandent-ils au fond d'eux-mêmes quand ils se reverront, et si même ils se reverront jamais.

C'est avec soulagement que Nicolas retrouve son ancien lieu d'exil que désormais il a choisi librement d'habiter. Nadedja l'a donc suivi avec leur belle-fille, la femme d'Alexandre, et leurs petits enfants, Kyrill et la petite Natalya.

Il remarque des changements. Le gouvernement provisoire a arrêté les dirigeants nommés par l'empire, et même le général Kouropaktine, le gouverneur général qui présidait si allégrement à la fête de la Liberté. Des hommes de Kerenski ont été nommés aux postes importants. Même s'il les détestait, Nicolas cohabitait naguère sur un pied de familiarité avec les autorités. Maintenant, il ne connaît plus personne, c'est la dictature de l'anonymat.

Les prisonniers de guerre qui survivaient dans des conditions atroces ont été libérés, mais on leur a supprimé leurs rations. Alors ces milliers d'Autrichiens, de Tchèques, d'Allemands, envahissent la ville. Ils tâchent de trouver de petits travaux, certains se mettent en ménage avec des femmes de la région, mais surtout ils cambriolent, ils attaquent au besoin.

De leur côté, les soviets d'ouvriers et de paysans se montrent de plus en plus bruyants, arrogants, exigeants. À la fin de l'été, ils provoquent des troubles. Le gouvernement provisoire dépêche un corps expéditionnaire qui, à coup d'exhortations et d'arrestations, pacifie la province. Le calme cependant reste précaire.

La vie malgré tout continue, la révolution se faisant beaucoup moins sentir qu'à Petrograd ou à Moscou. Les voitures sont réquisitionnées, les arbres des avenues sont coupés pour fournir le combustible qui manque, les domaines agricoles, les industries cotonnières arrachés à leurs propriétaires pour être remis aux ouvriers fonctionnent mal, produisent peu. De plus, Moscou exige des réquisitions de plus en plus importantes. La nourriture commence à se faire rare. Nicolas a pu garder sa voiture et ses chevaux, il va prendre un verre à l'*Hôtel Regina* où il rencontre les rares consuls restés sur place, les correspondants de guerre, des aventuriers de tout poil et pas mal d'espions de toutes les nations. Pour un peu, Nicolas pourrait se dire que rien n'a changé, à la liberté près qu'il a retrouvée…

Un jour d'automne, les représentants de l'autorité se présentent au palais de Nicolas. Ils viennent lui rapporter les fusils de chasse, les revolvers et autres armes qu'ils lui ont confisqués quelques mois plus tôt.

— Nous craignons une mauvaise surprise. Gardez ces armes pour vous défendre.

— Me défendre contre qui ?

— Contre quiconque voudrait troubler l'ordre...

Autrement dit les bolcheviks, traduit Nicolas.

À quelque temps de là, un matin, une fusillade éclate. Les bolcheviks attaquent. Quatre jours durant, Tachkent est transformé en champ de bataille, quatre jours au cours desquels Nicolas et les siens vivent retranchés dans leur résidence. Il a pris la précaution d'évacuer femmes et enfants à l'arrière du palais, ce qui n'empêche pas des balles perdues de briser des vitres. L'une d'elles passe tout près de sa tête alors que, imperturbable, il lit dans sa bibliothèque, ce qui d'ailleurs ne le distrait pas un instant de sa lecture.

Les bolcheviks sont vainqueurs. Nicolas le comprend lorsque, de sa fenêtre, il voit passer des combattants vêtus des tenues les plus hétéroclites. Emmenés prisonniers, les mains attachées derrière le dos, des fonctionnaires du gouvernement provisoire, des officiers de l'armée régulière. Cette nuit-là, il est resté à lire très tard et il entend, portées par le silence, des salves, et même, déformés par la distance, des cris. Il comprend que les vainqueurs exécutent à tour de bras dans les prisons. Son seul espoir est que les femmes soient profondément endormies et n'entendent rien.

Bientôt, les journaux lui apprennent que les bolcheviks, maîtres de la Russie, ont arrêté tous les membres de la famille impériale sur lesquels ils pouvaient mettre la main. Ils les ont emprisonnés en attendant de les faire passer en jugement. Chaque jour, les habitants des palais s'attendent à la visite du Komissar qui signifie, on le sait, l'arrestation, probablement la torture et la mort.

Nicolas a pris ses précautions. Il sait que c'est à lui principalement que s'en prendra le nouveau régime. Aussi, à peine les hérauts du malheur se présenteront-ils pour l'emmener que les serviteurs doivent faire sortir par le jardin les femmes et les enfants pour les mettre à l'abri chez ses fidèles Cosaques. Cependant, au fil des jours, rien ne vient. Ni police ni arrestation. Les représentants du nouvel ordre se font invisibles pour Nicolas. Il garde sa résidence, son personnel, et surtout sa liberté.

Il est bien le seul parmi les figures de l'ancien régime à jouir de ces privilèges, car chaque jour les arrestations, les exécutions se multiplient dans une ambiance grandissante de terreur.

Lorsque Nicolas voit un jour traîner en prison les employés de ses domaines, de ses usines, de ses entreprises, il décide de réagir. Il enfonce son bonnet de fourrure sur sa tête, monte dans sa voiture aux harnais rouges et ordonne à son cocher de le mener au palais du gouverneur. Il n'a pas besoin de se présenter, toutes les portes s'ouvrent devant lui comme par enchantement. Il pénètre dans ce grand bureau où, depuis des décennies, il a rendu visite à toute une succession de gouverneurs généraux.

Le Komissar Constantin Bravin l'occupe désormais. Cet homme très grand, très épais, une grosse tête ronde couturée de rides, la peau grêlée de petite vérole et de petits yeux plissés derrière de grosses lunettes, accueille jovialement son visiteur. Il fait apporter du vin, des gâteaux, débite des banalités, évitant tout autant de donner à Nicolas son ancien titre que de l'appeler « citoyen Romanov ». Coupant court à ses amabilités, Nicolas demande la relaxation de ses employés.

— Ce sont des ennemis du peuple ! crache le Komissar.

Et de se lancer dans une tirade comme celles que Nicolas peut lire chaque jour dans les journaux. Il essaye bien d'argumenter, sans succès. Le Komissar Bravin lui fait un discours digne d'un meeting. Malgré sa rage et sa déception, Nicolas étouffe un bâillement puis, lorsque l'autre s'arrête, il lui demande d'une voix douce :

— Pourquoi ne m'avez-vous pas encore arrêté ? Ne suis-je pas un membre de l'ancienne famille impériale ?

— Vous avez apporté l'aide la plus courageuse, la plus généreuse à nos prédécesseurs.

Nicolas blêmit.

— Comment le savez-vous ?

— Vous êtes une légende vivante parmi les révolutionnaires !

Nicolas perçoit l'ironie dans le ton du Komissar, qui poursuit :

— Vous êtes la plus illustre victime de la tyrannie passée ! Nous vous avons libéré du joug et nous vous honorons.

Revenant chez lui, Nicolas se dit qu'il n'est pas du tout sûr d'apprécier ce genre d'honneur.

À quelques semaines de là, il voit se presser devant ses fenêtres des Kirghizes, des Turkmènes et autres *Sarts*. Ces autochtones espéraient que la révolution leur accorderait l'indépendance, au lieu de cela ils doivent subir des contraintes bien plus lourdes que sous l'ancien régime. Déçus, ils ont décidé de protester. Nicolas est sorti sur son perron pour les voir défiler. Beaucoup, le reconnaissant, baissent le poing qu'ils levaient, arrêtent de crier des slogans pour lui sourire et le saluer de la main.

Nicolas sort sur la place et se mêle à eux. Du coin de l'œil, il aperçoit au bout de la place les soldats bolcheviks s'amasser, barrer les rues et mettre en place des mitrailleuses. Affolé, il fend la foule qui tente de le retenir et hurle :

— Ne faites pas ça ! Pour l'amour du ciel, ne faites pas ça !

Il a crié si fort que tout le monde s'arrête, les soldats qui arment les mitrailleuses comme les autochtones qui manifestent. Il entend la voix sèche d'un officier bolchevik :

— Ramenez le citoyen avec tous les honneurs qui lui sont dus !

Deux sous-officiers s'approchent de lui, le prennent chacun sous un bras, et l'entraînent vers son palais. Soudain, des staccatos de détonations remplissent l'air, suivis d'un nuage de fumée. Nicolas entend les cris des blessés, les gémissements des mourants. Les deux sous-officiers qui l'ont jeté sans ménagements dans le vestibule de son palais ont claqué la porte et sont restés dehors sur le perron.

Nicolas est à nouveau malade, il a de la difficulté à respirer. Sa poitrine lui fait mal, mais surtout, pour la première fois de sa vie il se trouve sans appétit, sans énergie, sans désir. Il est trop faible pour se lever, aussi reste-t-il étendu toute la journée sur l'ottomane de sa bibliothèque.

Nadedja a réussi à dénicher un médecin. Tous ceux qui avaient quelque réputation ont disparu, comme « ennemis du peuple ». Un des seuls à rester à Tachkent est un interne qui n'a même pas eu le temps de passer ses diplômes. Il n'a pas besoin d'une grande expérience pour diagnostiquer une pneumonie. Il hoche la tête en faisant son rapport.

Nicolas s'en moque, il n'a plus aucune envie de vivre. Cette révolution qu'il a appelée de tout son cœur et à la venue de laquelle il aurait peut-être contribué presque quarante ans plus tôt, cette révolution s'est révélée le pire cauchemar. C'est l'aveugle méchanceté, la cruauté, le sadisme, mais surtout la médiocrité. Les rats sont sortis de l'égout et gouvernent.

Il ne peut supporter personne auprès de lui, à part Darya, la fille de la Cosaque. Il la fait venir presque quotidiennement pour l'entendre jouer. Son éducation allemande a refait surface, à la musique russe il préfère Bach et Mozart.

Un après-midi, il se sent si faible, si mal qu'il envoie chercher le père Théophile. C'est un très vieux prêtre, presque illettré, qui tient la paroisse d'un des villages que Nicolas a fondés. Il apprécie cet homme simple, humain. Les deux hommes restent longtemps enfermés. Puis Nicolas fait revenir Darya.

Il lui faut faire un effort pour tourner la tête, il regarde longuement la grande icône accrochée au mur où la Vierge a pris les traits de Sophia Perovskaïa. Puis il ordonne à Darya d'ouvrir toutes les portes devant elle. Elle comprend lorsqu'elle atteint le vestibule car, du sofa où il est étendu, Nicolas peut voir droit dans l'enfilade la statue de Fanny. La froide lumière du soleil couchant d'hiver semble revêtir le nu de marbre blanc d'un tissu d'or et fait scintiller faiblement les bijoux dont elle est revêtue. Et c'est le regard fixé sur l'image de cette femme tant aimée qu'il meurt entre sa fille et son confesseur, entre la bâtarde d'une Cosaque et un humble curé de village.

— Heureusement, Dieu l'a rappelé à lui. Ils s'apprêtaient à l'arrêter demain, murmure le vieux prêtre tout courbé, tout barbu.

— Comment le sais-tu? s'étonne Darya.

— La petite-fille de ma sœur est la femme de chambre du Komissar Bravin. Elle a tout entendu.

— Mais pourquoi mon père?

Le saint homme se redresse, fixe la jeune fille aux formes puissantes et, d'une voix de stentor qu'on ne lui aurait pas soupçonnée, il déclare :

— Parce qu'il était le plus grand bienfaiteur qu'ait jamais connu le Turkestan.

Il fait froid mais le soleil brille à Tachkent. Dans la cathédrale Saint-Georges, les popes ont sorti de leur cachette les ornements de brocart bleu pâle, rose, jaune, brodés d'or, et leurs mitres endiamantées. Tant pis si la police les arrête, ce n'est pas tous les jours qu'on enterre un membre de la famille impériale. Ils ont même déniché un grand étendard frappé de l'aigle bicéphale dont ils ont recouvert le cercueil.

Les deux familles de Nicolas se tiennent près de sa dépouille. D'un côté Nadedja, sa belle-fille et ses petits-enfants, de l'autre Darya Eliseievna et ses enfants.

L'église est comble en ce matin de février 1918. Toutes les bougies ont été allumées, qui font scintiller l'or des icônes et les joyaux du clergé. Les nuages d'encens s'élèvent vers la coupole d'où un grand Pantocrator bénit l'assemblée. Au son grave des voix de la magnifique chorale, la liturgie orthodoxe, désormais hors la loi, déroule ses hymnes et ses splendeurs. Puis le cercueil porté à bras d'homme quitte le sanctuaire.

Sur la place l'attendent les autorités communistes au grand complet, le Komissar Bravin en tête, et tous les militaires de la garnison réunis pour honorer une dernière fois la plus illustre victime du tsarisme. Derrière le rang des officiels, la vaste place est noire de monde. Ils sont des centaines de milliers à être venus des faubourgs, mais aussi de tous les villages de ce qu'on appelait naguère « la steppe affamée », et même des montagnes lointaines. Ils sont tous là, les Cosaques, les colons, les indigènes auxquels Nicolas a donné la prospérité, et les humbles, les nécessiteux auxquels il a fait la charité, les vieillards, les orphelins, les malades qu'il a recueillis dans les hospices par lui créés. Ils sont si nombreux, si serrés que le cercueil doit glisser sur un tapis d'épaules pour atteindre le lieu de l'inhumation.

Le moment solennel approche. Les civils, le Komissar, les gradés de la Guépéou, les juges qui tous les jours envoient au peloton les survivants de l'ancien régime se figent pendant que l'orchestre militaire exécute la marche funèbre de Beethoven.

Sur un ordre de leurs officiers, les soldats à la cocarde rouge présentent les armes, et les drapeaux marqués de la faucille et du marteau s'inclinent.

Le cercueil est lentement descendu dans la fosse creusée sur l'emplacement où il a été décidé d'élever un monument au défunt. Innombrables sont les femmes et les hommes qui pleurent. Une dernière fois, ils crient : *Babouch, babouch...*

À Tobolsk, en Sibérie, l'hiver a été particulièrement rude, la température est descendue jusqu'à moins 24 °C, mais alors que février touche à sa fin, le temps se radoucit. Il fait cependant encore froid, très froid, mais pas dans la villa du gouverneur de la ville.

C'est plutôt un petit palais, qui ressemble à tous les bâtiments administratifs édifiés à travers l'empire. Il est fort bien chauffé et doté de tout le confort moderne, avec salles de bains à eau chaude et froide. Exceptionnellement en ces temps incertains, la domesticité est à son poste. À cause de la guerre qui vient à peine de s'achever et des restrictions chaque jour grandissantes, la nourriture n'est pas abondante mais on est loin d'avoir faim. Le cuisinier peut rédiger chaque jour des menus comportant deux ou trois plats sur les cartons gravés de l'aigle bicéphale.

Car la maison du gouverneur de Tobolsk est devenue la prison où sont enfermés l'empereur Nicolas II, l'impératrice et leurs cinq enfants. Ils vivent dans une sorte de luxe que depuis des mois les Russes ont oublié, mais progressivement les conditions de leur détention se détériorent. Les sorties sont interdites, et limitées les promenades dans le jardin, autour duquel on a élevé une palissade. Bien entendu, ils ne peuvent recevoir aucune visite, et pour connaître les nouvelles ils n'ont qu'une feuille de chou qui sert de journal local.

Se doutent-ils du sort qui les attend ? Le courage qu'ils affichent empêche de deviner leurs sentiments. Chaque jour, leurs gardiens deviennent plus désagréables. Ils sont au secret le plus absolu et pourtant, mystérieusement, ils continuent à recevoir et à envoyer des lettres à des parents, à des amis. Ils discutent des événements, échangent des nouvelles dans un style mesuré, courtois, élégant, qui ne laisse en rien soupçonner leur cruelle situation.

Le 26 février 1918, la grande-duchesse Tatiana Nicolaïevna, seconde fille du tsar, écrit à sa tante Xenia réfugiée en Crimée : « *Dans sa lettre, tante Olga nous annonce que l'oncle Nicolas est mort d'une pneumonie…* »

Cette phrase perdue dans la longue lettre d'une fille de Nicolas II est le seul faire-part familial de la mort de cet homme qui en sa jeunesse a fait tellement de bruit.

Quelques semaines plus tard, Tatiana et les siens seront emmenés de Tobolsk et conduits plus à l'est. Ils s'enfonceront en Sibérie jusqu'à la ville de Iekaterinbourg. Ils seront enfermés dans la demeure d'un riche marchand de la ville, la maison Ipatieff, réquisitionnée et sinistrement rebaptisée « la maison à destination spéciale ».

Quelques semaines encore et, une nuit de juillet, ils sont brusquement tirés de leur sommeil. Le gardien leur ordonne de se vêtir à la hâte car il faut les évacuer sur l'heure. Ils sont amenés au sous-sol et priés d'attendre. Puis sous la conduite de leur geôlier, quelques soldats ivres entrent dans la petite pièce l'arme à la main et les fusillent à bout portant. Ils achèvent à la baïonnette ceux qui respirent encore. Quelques minutes leur ont suffi pour tuer l'empereur, l'impératrice, leurs cinq enfants et les quelques hommes et femmes qui avaient accepté de les suivre pour partager leur sort.

Le massacre est le signal de l'extermination des autres Romanov. Le frère cadet de Nicolas II, Michel, est tué à coups

366

de revolver. D'autres grands-ducs sont fusillés, la grande-duchesse Elisabeth avec plusieurs de ses proches parents sont jetés vivants dans un gouffre dans lequel leurs assassins lancent des grenades pour les achever. Il n'y a plus aucun Romanov vivant sur le territoire de l'Union soviétique.

Si, pourtant, là-bas à Tachkent, un petit garçon et une petite fille qui marchent à peine vivent tranquillement. Ce sont cependant d'authentiques Romanov, les petits-enfants du grand-duc Nicolas Konstantinovitch. Chaque jour, leur grand-mère Nadedja les emmène surveiller l'édification du tombeau de leur grand-père, car les bolcheviks, avec leur conscience bureaucratique, achèvent ce qu'ils ont promis. Ailleurs, ils jettent des cadavres d'empereur, de grands-ducs, de grandes-duchesses dans des fosses communes ou dans des puits de mine abandonnés, ici ils édifient un monument à la gloire du plus méconnu d'entre les Romanov.

Un beau jour de 1919, arrive à Tachkent un officier anglais, le colonel Bailey. Il est qualifié d'officier de liaison, mais c'est surtout un distingué espion de la non moins distinguée Intelligence Service. Il se lie rapidement avec le Komissar Bravin. Celui-ci, pour honorer son hôte, tient à lui montrer l'orgueil de la ville, le tout nouveau musée. Les deux hommes pénètrent dans le grand bâtiment rococo. L'Anglais bien renseigné sait qu'il s'agit de l'ancienne demeure de feu le grand-duc Nicolas qui vient d'être nationalisée.

Dans le vestibule, il est presque renversé par une petite fille qui en courant n'a pas fait attention à lui. Elle s'arrête, le regarde, puis elle tourne ses grands yeux bleus vers une statue de marbre blanc représentant une femme nue. Elle la regarde avec une sorte d'adoration. Bailey quant à lui reconnaît d'après les descriptions l'effigie de Fanny Lear. Apparaît la gardienne

367

du musée, une femme grande, maigre, les traits tirés. D'un air maussade, elle leur fait visiter le bâtiment.

Bravin explique à l'Anglais que ce musée a été ouvert pour montrer comment, dans l'ancien temps de la décadence, vivaient les bourgeois — qu'il prononce « bourjouis » —, représentants de toutes les classes dirigeantes confondues. Bailey admire les tableaux, les sculptures. Il comprend que ces œuvres d'art ont été assemblées par un homme de culture et de goût.

Les deux hommes se rejoignent devant une vitrine où le bolchevik avise un poignard indien à la poignée enchâssée de pierreries.

— Ouvre, ordonne-t-il à la gardienne, et donne-moi ça.

La gardienne refuse. Elle n'a pas le droit de distraire le moindre objet du musée. Bravin s'énerve, il lui fait comprendre qu'elle risque gros en faisant de l'opposition à un ordre bolchevique. Bailey le pousse du coude et tâche de le faire taire. Bravin ne comprend pas, il insiste et devient menaçant. Bailey le tire à part :

— Taisez-vous, c'est la princesse...

— Quelle princesse ?

— La princesse Iskander, la veuve du grand-duc.

Bravin l'avait trop peu vue pour la reconnaître. Il paraît impressionné, tant il est vrai que les titres de l'ancien régime en imposent aux Rouges, mais il ne veut pas perdre la face. Il propose de donner à « la gardienne » un reçu pour le poignard. Nadedja Alexandrovna, car c'est elle, hausse les épaules et accepte en grommelant. Elle dépose le morceau de papier dans la vitrine à la place du poignard qu'elle est forcée de remettre au Komissar.

En vérité, malgré les événements qui accélèrent l'Histoire, malgré les bouleversements qui secouent la Russie, Nicolas n'est pas oublié. Même outre-tombe, il continue de bénéficier de complicités parmi les maîtres du jour, qui en outre ont nommé sa veuve gardienne de leur ancienne résidence afin qu'elle puisse continuer à y habiter.

— Je n'aimais pas ma grand-mère, elle me faisait peur. Elle refusait que nous la traitions d'aïeule, nous devions l'appeler tante Vava. Et puis elle était très laide...

Cousine Talya évoque ses souvenirs d'enfance. Nous sommes en septembre 1999 et je me trouve dans son minuscule appartement de la banlieue de Moscou.

L'affection de Talya n'allait donc pas vers Nadedja Alexandrovna mais vers l'ours apprivoisé que Darya la Cosaque avait amené avec elle au palais. On le sortait de sa cage pour divertir le public et Talya ne se lassait pas de lui voir faire son numéro.

— Un jour, un badaud lui a lancé une brique, et l'ours furieux s'est précipité sur lui. Les gardes ont dû l'abattre. Je vois encore son cadavre ensanglanté sur les marches de marbre du perron...

La guerre civile a éclaté. Les bolcheviks, menacés sur tous les fronts, ont manqué perdre l'Asie centrale. Mais ils ont fini par reprendre l'avantage et ils ont déchaîné la véritable Terreur rouge sur une échelle monstrueuse, inimaginable auparavant.

Nadedja Alexandrovna a brusquement été chassée du palais, on tolérait seulement qu'elle habitât une masure au fond de ce qui fut son parc.

— Elle vivait seule, se rappelle Talya, entourée de nombreux chiens, dans une misère chaque jour plus noire, trop faible pour se lever et aller au marché. Au réveil, elle trouvait soit un billet de banque glissé sous sa porte, soit sur son seuil un plat de riz qu'elle devait à la générosité des Cosaques ou des indigènes que son mari avait aidés. Un jour, un de ses chiens atteint de la rage l'a mordue. Ma grand-mère est morte toute seule dans des souffrances horribles. Très vite après, ma mère, mon frère et moi avons quitté Tachkent pour nous rendre à Moscou...

Talya s'est tue. La lumière de la fin de l'après-midi pénètre à flots dans sa minuscule chambre-salon, à peine filtrée par les feuilles du tilleul d'appartement. Andreï et Youri qui m'ont accompagné, Liza, la jeune et ravissante journaliste devenue l'amie de Talya, les enfants qui passaient leur tête par l'entre-bâillement de la porte, et même Malech le chien, tous ont fait silence.

Je regarde les pétales d'une rose à demi fanée tomber du vase sur la nappe en toile cirée quand Talya darde sur moi ses yeux magnifiques. Puis, d'une voix de tsarine habituée au commandement, elle assène :

— Il était innocent !

Sa conviction, elle l'affirme dans un cri de souffrance. Alors je comprends. Après plus d'un siècle, le grand-duc reste rayé des cadres des Romanov parce qu'il a dérobé des diamants sur l'icône de sa mère, parce qu'il est toujours un voleur. Car l'histoire que je viens d'entendre, personne ne la connaît. La chute du rideau de fer a certes rendu à Talya sa véritable identité, elle est désormais aux yeux de tous la princesse Natalya Alexandrovna Iskander Romanov, mais elle reste la petite-fille d'un voleur et n'est pas admise par la famille impériale, ou ce qu'il en reste.

L'heure de mon départ approche. Talya tient à me raccompagner jusqu'à la porte de son HLM. À notre apparition sur le perron, *babouchkas* et enfants accourent et forment un cercle. Lorsque le taxi s'éloigne, je me retourne et je vois, dominant le petit groupe, la haute et solitaire silhouette d'une authentique Romanov.

Après les vacances d'été, je reprends contact avec Talya. C'est Liza la journaliste qui répond à mon fax. Talya est partie à la campagne chez des amis. Elle aime faire ce genre de surprise et disparaître temporairement sans laisser d'adresse.

Le temps passe et Talya ne réapparaît pas. Liza s'inquiète, téléphone à droite et à gauche, personne ne l'a vue. Liza prévient les hôpitaux, la police. Elle finit par la retrouver. Talya a eu une attaque alors qu'elle marchait dans la rue. Transportée aux urgences, elle a survécu mais elle est paralysée. Incapable de s'exprimer, elle n'a pu décliner son identité ni donner les noms de ses proches.

Liza va la voir sur son lit d'hôpital. Talya ne peut plus parler. Seuls ses yeux bleus gardent leur intensité qui tâchent de transmettre un legs, une requête, un ordre.

Le lendemain, elle était morte, seule, comme elle avait vécu. À peine m'a-t-elle reçu, le premier membre de sa parenté dynastique venu lui rendre visite, à peine a-t-elle parlé et m'a-t-elle dit ce qu'elle gardait depuis si longtemps sur le cœur, qu'elle a disparu.

J'avais compris. Aussitôt je commençai à composer la biographie du grand-duc oublié.

Les descendants
du grand-duc Nicolas Konstantinovitch

En 1925, le chef de la Maison impériale de Russie en exil, le grand-duc Kyrill Wladimirovitch, accorda aux descendants survivants du grand-duc Nicolas Konstantinovitch le titre de prince Romanovsky Iskander, que purent donc porter Talya, son frère Kyrill et leur père Alexandre.

Kyrill est mort en 1992. Depuis l'enfance, sa sœur et lui ne s'étaient jamais entendus.

La mère de cousine Talya, Olga Iosifovna Rogovsk, appartenait à la petite noblesse polonaise. Elle est morte à Moscou en 1962. Divorcée du père de Talya, Alexandre, elle s'était remariée à Nicolas Androssof, mort à Moscou en 1936.

Alexandre Romanovsky Iskander, second fils du grand-duc Nicolas Konstantinovitch et de Nadedja Alexandrovna von Dreyer, né en 1889 à Tachkent, s'est donc engagé pendant la guerre civile russe dans l'armée du général Wrangel. Il s'est battu en Crimée où il s'est distingué par son courage. Ensuite, il a été évacué à Gallipoli en Turquie et a abouti en France. En 1920, il est allé rendre visite en Grèce à sa tante et marraine, la reine douairière Olga de Grèce. Il n'a jamais voulu en accepter un sou. Il a fait tous les métiers, chauffeur, gardien de nuit, cuisinier, mais aussi correspondant étranger. En 1930, il a épousé en secondes noces à Paris Natalya Konstantinovna Khanykoff. Lui-même est mort à Grasse en 1957, et sa seconde épouse à Nice en 1982.

Artemi, le frère aîné d'Alexandre, avait adopté les théories mystico-philosophico-religieuses de Mme Vlavatsky, et s'était fait un adepte de la théosophie. Engagé dans les rangs bolcheviques, il aurait pris part aux répressions rouges durant la guerre civile, et mourut à Tachkent du typhus en 1919.

Alexandra Abaza, divorcée Demidova, était donc morte de la tuberculose en 1894. Les deux enfants qu'elle avait eus du grand-duc Nicolas Konstantinovitch avaient fini par recevoir de l'empereur Alexandre III le patronyme de Volynski, le nom même du régiment préféré de leur père, et avaient été reconnus par oukase impérial comme appartenant à la noblesse héréditaire.

Sa fille Olga est morte folle en 1910.

Son fils Nicolas, officier dans divers régiments, est mort de la tuberculose comme sa mère en 1913.

Quant au second mari d'Alexandra qui avait adopté les deux enfants, le comte Paul Felixovitch Soumarokof Elston, il était cousin germain du fameux prince Youssoupof. Il mourut à Nice en 1938.

Darya Eliseievna, la Cosaque, s'est mariée puis est venue vivre à Moscou. Elle est morte on ne sait quand. En revanche, on connaît un peu le destin des trois enfants que lui a donnés le grand-duc Nicolas.

Stanislas, son fils aîné, est mort victime de la Terreur rouge en 1919 à Tachkent, très probablement fusillé.

Nicolas, le second fils, s'est engagé dans l'Armée Rouge. Il est mort en 1922, soit d'une overdose de drogue, soit d'une asphyxie accidentelle, alors qu'il rendait visite à sa mère.

Darya, la fille, ne put continuer ses études de musique à cause de la mort de son père et de la guerre civile. Elle devint libraire, puis s'installa à Moscou, travailla comme secrétaire de différents organismes, et devint l'assistante de l'écrivain Mariette Shaginyan. Comme son demi-frère, elle s'intéressa de très près aux théories de Mme Vlavatsky et devint une adepte de son successeur, le pape de l'anthropo-théosophie Rudolf Steiner. Elle mourut à Moscou en 1966.

Quant à Valeria Chmeliniskaya, il est impossible de savoir ce qu'elle est devenue, à partir du moment où elle disparaît de Tiflis en 1901.

Enfin, Nicolas Savine, après avoir réussi à s'évader de Sibérie, vécut sur différents continents d'invraisemblables aventures, fidèlement rapportées par la journaliste-écrivain américaine Stella Benson. Il mourut au cours des années trente, dans un asile de Hong-Kong.

Remerciements

Je remercie tout d'abord mon cousin Nicolas de Russie qui m'a généreusement communiqué ses informations et ouvert ses archives. Lui et sa femme Sveva n'ont cessé de m'encourager dans mon projet.

Puis Andrei Maylunas, et Liza Kuzalenkhova.

Je remercie également Misha Orloff, Iouri Kanski, ma cousine Irina Bagration, le directeur des archives de la fédération russe Mironemko, Meg O'Rourke, Olga Bobrinsky-Pichon, Olivier Nouvel,

Pierre-André Hélène, Jean Riollot, Alexandre Khanykoff de Berwick, neveu par alliance du prince Alexandre Iskander, Mme Andrée Savine,

Bernard Fixot,

Anne Gallimard, Caroline Lépée, Chantal Théolas, Patrick, Odile de Crépy.

Et bien entendu, comme toujours, Marina.

DU MÊME AUTEUR

Romans historiques

La Nuit du sérail, Orban, 1982.
La Femme sacrée, Orban, 1984 (et Pocket).
Le Palais des larmes, Orban, 1988 (et Pocket).
Le Dernier Sultan, Orban, 1991 (et Pocket).
La Bouboulina, Plon, 1993 (et Pocket).
L'Impératrice des adieux, Plon, 1998 (et Pocket).

Récits

Ces femmes de l'au-delà, Plon, 1995.

Essais

Ma sœur l'histoire, ne vois-tu rien venir? Julliard, 1970 (prix Cazes).
La Crète, épave de l'Atlantide, Julliard, 1971.
L'Ogre. Quand Napoléon faisait trembler l'Europe, Orban, 1978, nouvelle
édition en 1986.

Biographies

Andronic ou les Aventures d'un empereur d'Orient, Orban, 1976.
Louis XIV : l'envers du soleil, Orban, 1979 (et Pocket), nouvelle édition
chez Plon en 1986.

Albums illustrés

Joyaux des Couronnes d'Europe, Orban, 1983.
Grèce, Nathan, 1986.
Nicolas et Alexandra, l'album de famille, Perrin, 1992.
Portraits et Séduction, Le Chêne, 1992.
Impérial Palaces of Russia, Tauris, 1992.
Henri, comte de Paris, mon album de famille, Perrin, 1996.

*Cet ouvrage a été composé
par l'Imprimerie Bussière
et imprimé sur presse Cameron
par Bussière Camedan Imprimeries
à Saint-Amand-Montrond (Cher)
en septembre 2000*

Dépôt légal : octobre 2000.
N° d'édition : 39.
ISBN : 2-84563-031-X
N° d'impression : 004017/4

Imprimé en France